Cœurs en otage

Hilary Norman
signe
ALEXANDRA HENRY

Cœurs en otage

traduit de l'anglais
par Marc-Antoine

Données de catalogage avant publication (Canada)

Henry, Alexandra

Cœurs en otage

(Super Sellers)
Traduction de : If I should die

ISBN 2-89077-170-9

I. Marc-Antoine. II. Titre.
PR6064.O731314 1997   823'. 914   C97-941215-3

Titre original : If I should die
Éditeur original : Hodder and Stoughton, une division
de Hodder Headline PLC

ISBN 2-89077-170-9

Dépôt légal : 4ᵉ trimestre 1997

Révision : Paulette Villeneuve

Photographie de couverture : SuperStock Inc.
Conception graphique : Création Melançon

Imprimé au Canada

À Walter Neumann,
que je n'ai jamais eu l'heur de connaître.

Remerciements

J'adresse tout particulièrement mes remerciements à Graham Rust, pour sa connaissance du rythme, et pour me l'avoir généreusement fait partager, au Dr Romeo J. Vecht, pour le temps précieux qu'il m'a consacré, ainsi qu'au sergent Marjorie O'Dea, détective au service de police de Chicago, pour son humour, sa patience et sa compétence.

Je tiens également à remercier chaleureusement le Dr Herman Ash, David W. Balfour, Howard Barmad, Carolyn Caughey, Sara Fisher, John Hawkins, Herta Norman, Dave Risley du zoo de Londres, l'excellent personnel du Ritz-Carlton de Chicago pour son dévouement, Helen et Neal Rose, le Dr Jonathan Tarlow et Sharon Tarlow, Michael Thomas et Rae White.

Il essayait de ne pas trop penser à cette nuit où il l'avait perdue, où ils étaient venus la lui voler.

Le châtiment avait été long à venir, mais ceux qui l'avaient assassinée, ceux qui l'avaient humiliée, ceux qui lui avaient ri au visage allaient enfin payer. Des innocents aussi allaient souffrir, mais ça, c'était inévitable. Triste, mais inévitable.

Debout devant sa fenêtre, l'homme contemplait la nuit, la nuit blanche de neige.

Il se demandait si c'était déjà commencé.

Et maintenant que je m'étends pour m'endormir,
Je prie le Tout-Puissant de mon âme chérir,
Et si avant l'éveil je viens à trépasser,
Le prie instamment de ne point l'abandonner.

Anonyme
Paru pour la première fois dans le
New England Primer, 1781

Les monstres sont les créatures du Chaos, tapis dans les fissures
de l'Ordre... Le dragon, par exemple, peut-être le plus répandu
dans les mythes et les folklores, est né du mélange des espèces...
par la fécondation conjointe de l'homme ou du ver de terre avec
le métal.

Encyclopædia Britannica

Peux-tu ne point blesser ton ennemi, lorsqu'il frappe le premier ?

Eschyle

Prologue

Le dimanche 3 janvier

C'était un de ces matins de janvier bostoniens si particuliers, quand l'hiver incline à vous offrir quelque douceur, comme on le fait pour un enfant. Malgré la tempête de neige qui, la veille encore, s'était abattue sur la ville, les artères principales étaient dégagées, et les trottoirs praticables. Le Public Garden ressemblait à une carte postale de Noël. Pas de Swan Boat en vue, bien sûr, mais, radieux, le soleil s'était mis de la partie, et pour ne pas être en reste, le ciel s'était paré de son bleu le plus pur. Pas une branche qui ne fût saupoudrée de blanc, pas de tige ni de brindille que le givre ne gainât délicatement, et pour fond de décor, de grandes étendues scintillantes et cristallines que nul n'avait encore foulé.

Pour Jack Long ce matin-là ne faisait qu'ajouter à son sentiment de bien-être. La quarantaine à peine entamée, mince et plus que passablement attirant, le cheveu couleur de sable, Jack s'avisait de ne s'être pas senti aussi bien dans sa peau depuis des années, et chaque seconde de ce répit aussi forcé qu'imprévu lui donnait l'impression d'être meilleur, plus fort et plus confiant en l'avenir.

De ses mains gantées il avait déblayé un banc, et s'était installé face à l'étendue d'eau, observant la vieille dame qui jetait du pain aux canards. Le soleil était assez chaud pour l'inciter à retirer son anorak, à telle enseigne que son épais chandail blanc à col roulé lui aurait amplement suffi. Du moment qu'il avait chaud

13

aux mains et aux pieds, Jack ne craignait pas le froid. Il se sentait très bien, à présent ; son souffle lent et régulier formait autour de lui de petits nuages de vapeur légers comme des plumes.

Lentement, il promena son regard sur le paysage environnant, prit une longue inspiration, puis ferma les yeux pour mieux s'imprégner des rayons du soleil, de la pureté de l'air et du chant des oiseaux.

Quand la chose survint, il était presque endormi. Il ne ressentit rien, car la vitesse à laquelle cela arriva se situait au-delà de toute perception. Un instant, Jack Long était encore un homme jeune, à qui la vie pouvait tout offrir, celui d'après il n'était plus là, ni plus rien.

Rose O'Donnell, soixante-dix-huit ans et percluse d'une arthrite qui avait considérablement entamé sa vivacité, vit toute la scène, simplement parce qu'elle venait juste de finir de nourrir ses canards. Le temps d'un éclair, une violente convulsion secoua le corps du jeune homme à la manière d'un électrochoc, comme elle l'avait déjà vu pratiquer sur les patients de l'hôpital où elle avait travaillé, aux heures sombres de sa vie. Intriguée, l'œil hagard, elle resta un moment immobile, appuyée sur sa canne, à se demander ce qui se passait. Mais sur son banc le jeune homme semblait tout à fait calme, à présent. N'eussent été l'étrange position de la tête et la flaccidité des membres, elle aurait dit « il dort ». Mais le frisson qui la parcourut, et qui ne devait rien à la fraîcheur de l'air, lui en dit plus long qu'elle n'aurait voulu en apprendre. Lentement, précautionneusement, elle s'approcha de l'homme pour ne s'immobiliser qu'à quelques centimètres de lui. Là, toujours appuyée sur sa canne, elle s'imposa, autant que le lui permettait son arthrite, une légère flexion du tronc. Du sang, quand elle était infirmière, elle en avait vu couler. À flots. Et, le plus souvent, à la suite d'actes de violence. Elle savait donc qu'elle ne s'évanouirait pas.

Le sang de cet homme-là se répandait sur le chandail blanc comme un coquelicot en train d'éclore. De son pistil suintait une rigole luisante et sombre qui gouttait doucement entre les planches du banc pour aller s'écraser sur la neige.

Ce n'est pas la vue de ce sang qui fit crier Rose, mais une chose complètement différente, un phénomène auquel elle n'avait jamais assisté malgré toutes les années passées à l'hôpital, pas même dans les salles d'urgence. Du trou s'échappait une petite volute sombre.

On aurait dit de la fumée.

1

Le lundi 4 janvier

Il était officier de paix, elle était professeur de danse classique. À trente-huit ans, Joseph Duval vivait à Chicago avec Jess, sa femme, et Sal, la petite fille de neuf ans qu'elle avait eu d'un premier mariage. Hélène Duval, sa sœur, mieux connue sous le sobriquet de Lally, n'avait que vingt-trois ans. Propriétaire d'un café, elle partageait son existence et sa maison de West Stockbridge, dans le Massachusetts, avec Hugo Barzinsky – à la fois son locataire, son meilleur ami et son associé – et son chat. Joe savait depuis l'âge de dix ans qu'un temps viendrait où il quitterait le domicile familial, alors que Lally n'avait pas une seule seconde imaginé abandonner la Nouvelle-Angleterre. Telle était la différence essentielle entre Joe et Lally Duval, car pour ce qui était du reste, et particulièrement ce qui comptait le plus à leurs yeux, c'est-à-dire le cœur et l'esprit, ils étaient aussi semblables et unis qu'un frère et une sœur peuvent l'être.

Cet après-midi-là, vers cinq heures moins le quart, Joe était à son bureau, au poste de police de Logan Square, district de Chicago, alors que Lally se trouvait dans sa chambre à coucher, à mille cinq cents kilomètres de là. Au moment où il lui téléphona, elle brossait ses longs cheveux châtains qui lui frôlaient presque la taille. Elle les rassemblerait ensuite en queue de cheval, pour en faire, grâce à quelques épingles judicieusement placées, le chignon très strict que lui imposait son état de professeur de danse.

— Que deviens-tu, petite sœur ?

Lally accueillit la voix grave et profonde de son frère avec un sourire.

— Rien de particulier. Je viens de livrer un plateau de croissants au café, et je me préparais pour mon cours. Es-tu à ton bureau ? demanda-t-elle alors que, du seuil, Nijinsky, le chat siamois, la fixait de ses yeux somnolents.

— J'ai décidé de passer l'après-midi à mettre de l'ordre dans ma paperasse, soupira Joe. Et toi, comment vas-tu, fillette ?

— Merveilleusement bien. La nuit dernière, nous avons eu un peu de neige, mais aujourd'hui, le temps est magnifique. Et chez toi, comment ça va ?

D'une façon générale, Joe et Lally avaient à cœur de se téléphoner au moins une fois par mois. Toutefois, en ce qui concernait Lally, rien ne l'aurait rendue plus heureuse que de parler à son frère tous les jours. Mais en tant que lieutenant de police à la brigade des homicides et autres crimes violents, Joe menait une existence rude et son emploi du temps était souvent très chargé. C'est la raison pour laquelle, loin de se formaliser de ses silences, Lally restait convaincue que l'affection de son grand frère lui était définitivement acquise.

— Touchons du bois, tous le monde va bien, répliqua Joe en tapotant son bureau de son index recourbé.

— Et comment se porte Jess ?

Ces paroles, Lally les prononça non sans un certain malaise. Sa belle-sœur était enceinte depuis peu, mais comme ses deux précédentes grossesses s'étaient soldées par des fausses couches, elle n'ignorait pas que Joe et la gentille petite Sal redoublaient d'attention pour elle.

— Jusqu'ici très bien, répondit laconiquement Joe, qui était un homme riche de sentiments mais avare de paroles.

— Prend-elle mieux les choses, cette fois ?

Pour Lally, l'anxiété de son frère était presque palpable malgré la distance.

— Un peu. Tu connais sa nature très indépendante. Mais je

18

crois que cette fois, elle fera tout pour garder le bébé, même si cela lui impose de me laisser faire les courses et de m'occuper du jardin.

— Ce doit être très dur pour elle.

— Je ne te le fais pas dire.

Lally consulta son réveille-matin et planta une dernière épingle à cheveux dans son chignon. Alors qu'elle voyait dans son miroir son nez long et régulier et son doux regard gris en tous points semblables à celui de son frère, le visage de ce dernier lui fut aussi présent à l'esprit que s'il s'était trouvé là, devant elle.

— Et le boulot ? demanda-t-elle en enfilant son justaucorps.

La question était de pure forme et elle le savait, car en dépit des liens étroits qui les unissaient, le secret professionnel était mieux gardé avec Joe que dans n'importe quelle chambre forte.

— Comme toujours, fit Joe, détaché. Enfin, tu vois ce que je veux dire...

Elle ne voyait pas du tout, mais se dit que cela valait probablement mieux comme ça. Elle se rongeait d'inquiétude pour lui. De son métier de policier elle avait une très mauvaise opinion, probablement pire qu'il ne l'était en réalité, quoique cela restât encore à prouver. Car la réalité, elle l'avait déjà vue, sanglante et brutale, quand, quatre ans plus tôt, leurs parents avaient péri dans un accident de voiture, quelques jours à peine après son dix-neuvième anniversaire. Joe étant trop éloigné, c'est à elle qu'était revenue la tâche d'identifier les corps, à la morgue de Pittsfield. Mais malgré ces terribles instants, elle avait pris conscience de la grâce qui leur avait été accordée de disparaître ensemble. Leurs parents avaient été si liés, si près l'un de l'autre quelles que fussent les circonstances, qu'il semblait inconcevable que l'un d'eux pût pleurer la perte de l'autre. Toutefois, Lally n'avait pu accepter cette brutale disparition pour autant, ni ce jour-là, ni les suivants ; et c'est pour cela que, du jour où Joe s'était enrôlé dans la police, elle n'avait cessé et ne cesserait probablement jamais de s'inquiéter pour lui.

— Ça va, petite sœur ? Tu sembles à bout de souffle...

— J'étais en train de me changer, mon cours commence dans dix minutes.

— Et si tu m'appelais plus tard ?

— Tu n'es jamais à ton bureau ; à moins que je ne me trompe...

Le téléphone coincé sous le menton, elle mit la jupe rose vif qu'elle portait pour les répétitions, puis enfila ses collants de laine.

— Non, je n'y serai probablement pas.

— Très bien, dans ce cas, faisons rapidement le tour de la situation : je suis très heureuse et en excellente santé. Hugo a eu la grippe mais il est rétabli, la toiture a besoin de réparations, le chemin de quelques mètres cubes de gravillons, mais à part ça, la maison est en bon état...

Le chat venant se lover autour des mollets de sa maîtresse, elle poursuivit :

— Nijinsky t'envoie le bonjour, il est formidable ; ce n'est pas comme une de mes élèves qui me donne bien du souci... À part ça, la vie est belle, même si tu me manques beaucoup. Je rêve de vous voir tous venir vivre près de nous.

— Toi aussi tu me manques, petite sœur, et tout va pour le mieux chez nous aussi. Justement, pas plus tard que ce matin, Sal nous parlait de toi. Elle disait que si tu ne te décides pas à venir vivre à Chicago, tu la trouveras un beau matin devant ta porte.

— Dis-lui qu'elle peut venir quand elle voudra.

— Tu es un amour, petite sœur...

— Joe ?

— Quoi ?

— Fais attention à toi.

— Toi aussi.

La nature n'avait jamais aussi bien fait les choses que dans les Berkshires. C'est du moins l'idée dont Lally était profondément pénétrée. Il n'existait pas de montagne, pas de vallée ni de lac qui y fût trop grand ou trop inaccessible. Pour elle, son paysage était la combinaison parfaite, le mariage le plus harmonieux qui fût de riantes campagnes et de petites bourgades, de chemins vicinaux et de sentiers ombreux, d'élégants clochers et de paisibles cimetières. Les saisons y étaient clairement rythmées : printemps joyeux et primesautiers, étés croulant de fleurs, automnes rougeoyants et doux, hivers blancs et rigoureux. Attirés par sa beauté et son attrait culturel, les gens venaient de très loin pour visiter la région, car si les Berkshires étaient courus pour leurs théâtres d'été, ils l'étaient aussi pour leurs festivals de musique et de danse. Toutefois, malgré son enracinement dans son terroir, Lally Duval se souciait assez peu de tout ce folklore.

Sa mère, Ellen Carpenter Duval, avait vu le jour dans la petite ville de Lee, à quelques kilomètres de là, et avait grandi au sein d'une famille qui habitait la région depuis cinq générations ; et même s'il était de souche canadienne-française, Jean-Pierre Duval appartenait à la deuxième génération des Duval venus s'installer à West Stockbridge. Certes, depuis le temps, il avait bien dû exister un autre Duval atteint de bougeotte, mais Joe était le premier Duval connu à avoir quitté le pays pour de bon.

— Es-tu certaine de vouloir rester en ville ? avait-il demandé à Lally quand, peu après la mort de leurs parents, elle avait emménagé dans sa nouvelle maison.

Située dans Lenox Road, à quinze cents mètres à peine de la vieille maison familiale, c'était une de ces demeures comme il en foisonne à Cape Cod, une bâtisse blanche à parement de bois, avec des volets bleus, un porche, une véranda et une baie vitrée tournée vers les collines des Berkshires.

— Bien sûr que oui, l'avait rassuré Lally. C'est ma maison et elle me plaît, non seulement à cause de son passé, mais aussi pour le présent et l'avenir. Je ne me vois pas vivre ailleurs qu'ici.

Ayant exprimé le désir de ne rien changer à sa vie, Lally avait également refusé de vendre la maison familiale. Son besoin d'indépendance était tel que même ses parents ne s'étaient pas opposés à son départ, quand bien même elle habiterait à deux pas de là. Cette maison et son lopin de terre grand comme un mouchoir de poche, c'était pour elle un lieu où elle pourrait faire sa marque, le prolongement de sa personnalité qui s'épanouirait en même temps qu'elle. Une danseuse a besoin non seulement d'espace, mais aussi de l'assurance que ses entrechats et sa musique ne dérangent pas les voisins, surtout si – comme cela arrivait parfois à Lally – l'envie lui prend de danser en plein milieu de la nuit.

À quatorze ans, Lally avait déjà compris qu'elle ne serait jamais danseuse étoile : elle était trop grande, et, pour elle, la danse n'était pas une fin en soi. Bien sûr, elle s'y adonnait chaque fois avec la même ferveur et ne pouvait concevoir y renoncer un jour, mais elle aimait un peu trop la vie pour la consacrer entièrement à cet art. Elle ne s'était jamais soumise à la moindre discipline et pour peu que le temps s'y prêtât, qu'elle trouvât le fond de l'air particulièrement revigorant, elle préférait à ses exercices une promenade dans la campagne. Quand un ami avait besoin d'aide ou d'une épaule pour s'y appuyer, Lally ne se posait même pas la question, car à choisir entre les gens et la danse, Lally choisissait toujours les gens. Ainsi, très vite, elle s'était mise à la recherche d'une solution de compromis, et c'est dans l'enseignement qu'elle l'avait trouvée.

À l'institut chorégraphique Lally Duval, les cours se donnaient dans la vieille grange qui jouxtait la maison, réaménagée en studio pour les besoins de la cause. Elle enseignait habituellement à des enfants âgés de cinq à douze ans. Mais cet après-midi-là, ils avaient tous à peu près dix ans, y compris Katy Webber, celle-là même dont elle avait parlé au téléphone.

Katy était une des enfants les plus prometteuses à qui il lui avait été donné d'enseigner. C'était une fillette tout en blondeur et en sourire, dont l'allure gracile cachait une constitution de fer et une farouche détermination. Katy ne manquait jamais un cours, et possédait en elle chaque once de passion, d'ambition et de courage nécessaire pour devenir danseuse étoile. De surcroît, avait constaté Lally avec bonheur, tous ces dons n'excluaient pas l'insouciance et la gaîté propres aux enfants de son âge. Il était clair comme de l'eau de roche que l'enfant devait ce rare équilibre à ses parents, Chris et Andrea Webber qui, c'était notoire, éprouvaient pour leur fille une véritable adoration.

Pourtant, quelques mois plus tôt, Lally avait remarqué chez Katy une absence de souplesse au niveau des reins. Mais à ses questions l'enfant avait répondu avec une telle désinvolture, qu'elle avait préféré s'en tenir là, et deux jours plus tard, tout semblait redevenu normal. La semaine suivante, cependant, la voyant grimacer au cours d'une arabesque, Lally l'avait dispensée d'exercices en lui demandant de l'attendre à la fin du cours. Mais alors que les autres élèves faisaient leur révérence, Katy était partie. C'est Andrea, sa mère, qui téléphona dans la soirée :

— Katy vous demande de l'excuser d'être partie sans que vous ayez pu lui parler.

— Ce n'est pas grave, avait aimablement répondu Lally. Elle m'a semblé éprouver quelques difficultés, aujourd'hui, et je voulais m'assurer que tout allait bien.

— C'est justement la raison pour laquelle elle ne vous a pas attendue, quand nous sommes venus la chercher. Chris pensait qu'elle couvait quelque chose. Effectivement, à peine étions-nous rentrés qu'elle est allée se coucher.

Katy avait manqué le cours suivant, et Lally avait présumé que c'était à cause d'une mauvaise grippe. Pourtant, trois mois plus tard, en entrant dans les vestiaires à cause d'un radiateur qui fuyait, elle avait aperçu, juste avant que Katy ne la couvrît d'une serviette, une grosse ecchymose sur la fesse droite de l'enfant. Mais le regard implorant que lui adressa cette dernière la dissuada de poser la question qui lui brûlait les lèvres. Elle comprit alors que ce bleu n'avait rien de fortuit, et l'éclair affolé qui traversa le regard de Katy le lui confirma.

— Que dois-je faire ? avait-elle demandé à Hugo au petit-déjeuner.

— Rien. Tu ne peux ni ne dois rien faire.

23

— Comment peux-tu dire une chose pareille, alors que cette enfant est peut-être en danger ?

— Les enfants se font fréquemment des bleus, avait répondu Hugo avec un geste de dérision. Cela peut ne rien signifier du tout...

Depuis deux ans et demi, Hugo Barzinsky avait pris pension chez Lally, et une solide amitié les unissait aujourd'hui. Âgé de trente-quatre ans, Hugo était un garçon grand et mince, nanti d'un nez en bec d'aigle et d'un sourire doux et franc. Il palliait une calvitie galopante en portant les cheveux très longs dans le cou, le plus souvent attachés en queue de cheval. Jusqu'à sa vingt-sixième année, il avait fait partie du Joffrey Ballet de New York. Mais l'agression dont il avait été victime à Greenwich Village lui avait laissé au dos des séquelles qui l'avaient contraint à renoncer à ses ambitions. Les habitants d'une petite ville comme West Stockbridge étant réputés ne rien ignorer de leurs concitoyens, Lally était au fait des déboires qu'avait connus Hugo. N'empêche que, chaque fois qu'ils se croisaient, c'est à peine s'ils se saluaient. Mais le hasard faisant parfois bien les choses, voilà que, par une agréable journée d'été, ils avaient décidé, chacun de son côté, d'aller déjeuner au jardin botanique. Une fois échangées les considérations météorologiques d'usage, il leur était bientôt apparu qu'en plus de la danse, ils partageaient le même goût pour la bonne chère, le pain maison et les romans policiers, mais concevaient, l'un et l'autre, une profonde détestation pour la musique de Wagner. Dès lors, leur amitié avait commencé à éclore. Quelques mois plus tard, Hugo devint le pensionnaire de Lally pour, un an après, inaugurer le café *Hugo's,* situé dans la grand-rue.

Les méchantes langues du pays disaient Hugo homosexuel, à tort, bien sûr, mais lui s'en souciait comme d'une guigne. La seule personne dont il recherchait l'estime, c'était Lally ; et depuis leur rencontre au jardin botanique, il n'avait posé les yeux sur aucune autre femme. En ce qui concernait Lally, leurs relations étaient d'ordre purement platonique, alors que, convaincu de ne trouver jamais en lui le courage de déclarer sa flamme, Hugo se plaisait à rêver que Lally, à qui, au reste, il ne connaissait aucune fréquentation, s'éveillerait un jour à ses sentiments et – qui sait ? – aux siens propres aussi. Mais jusqu'à présent, cela n'était pas arrivé, et il doutait fort que cela arriverait un jour.

— Et si cette ecchymose signifie quelque chose de plus grave ? insista Lally.

— Tu veux dire : si elle lui a été faite par quelqu'un ?

— Exactement, acquiesça-t-elle, bouleversée à l'avance. Je ne peux pas rester les bras croisés à attendre.

— C'est pourtant exactement ce que tu dois faire, lui répondit gentiment Hugo. Tu n'as aucune preuve pour étayer tes soupçons, Lally. Tu as dit toi-même que ce n'était qu'une impression. Je comprends ton sentiment, mais cela ne justifie pas une intervention de ta part, comprends-tu ?

— C'est vrai.

— Mais cela ne signifie pas pour autant que tu doives t'en désintéresser.

— Alors là, aucun danger...

Lally frappa dans ses mains.

— Placez-vous au centre, les filles !

Les enfants, neuf filles et trois garçons, obtempérèrent sans rechigner. Quoique certains fussent plus gracieux et plus naturels que d'autres, tous avaient les joues roses, le regard pétillant et le désir de bien faire.

— Très bien, nous allons commencer par un grand plié en deuxième position, en finissant avec le bras droit en troisième position et le gauche en deuxième, expliqua Lally en marchant vers le groupe.

Katy Webber se trouvait au premier rang. En apercevant la marque, Lally ressentit un choc au creux de l'estomac, et se demanda comment cela avait pu lui échapper.

— Madame ?

Lally battit précipitamment des paupières. Thomas Walton, tout le groupe, en fait, attendait ses instructions.

Détachant à regret les yeux de Katy, Lally prit une longue inspiration.

— Tournez vos bustes vers la droite, commanda-t-elle et passez sur la jambe droite pour une deuxième arabesque...

Les enfants à peine partis, elle téléphona à Hugo.

— À l'intérieur du bras gauche, expliqua-t-elle. On dirait une morsure.

— L'as-tu questionnée à ce sujet ?

— Elle prétend que c'est une chienne qui l'a mordue quand elle a voulu prendre un de ses chiots dans ses bras.

— Cela me semble plausible, puisque sa mère fait l'élevage de bergers allemands.

— Crois-tu ? Alors que Katy suit sa mère au chenil depuis qu'elle sait marcher ? Il me semble, à moi, que si quelqu'un sait comment s'y prendre avec des chiots, c'est bien elle.

— Où veux-tu en venir, Lally ?

— Que ce n'est pas une morsure de chien, déclara Lally, la voix vibrante d'émotion. J'ai vu l'expression de son regard, Hugo. Katy est une enfant si droite, si franche... Je suis sûre qu'elle cache quelque chose.

— Ou qu'elle cherche à protéger quelqu'un.

— C'est aussi ce que je crois.

— Et que comptes-tu faire ?

— Je ne sais pas.

— Tu pourrais te rendre à son école, parler à ses professeurs, leur demander s'ils ont remarqué quelque chose.

— Peut-être. À moins que j'aille directement voir ses parents.

— C'est impossible, Lally. Tu ne peux pas débarquer chez les gens, comme ça, sans crier gare, et leur poser des questions embarrassantes.

— Je sais, admit-elle d'une voix mourante.

— Alors, que décides-tu ? Vas-tu aller voir son professeur ?

— Peut-être... Beaucoup de travail ?

— J'ai un monde fou.

— Dans ce cas, je te laisse.

— Promets-moi de ne prendre aucune décision irréfléchie.

— Ne t'inquiète pas.

— Promets-moi.

— D'accord, d'accord, c'est promis.

Lally n'avait pas aussitôt raccroché qu'une sensation de vertige l'envahit, la laissant un court instant interdite, hébétée, l'obligeant à s'agripper au bord de la table pour ne pas s'effondrer par terre. Elle resta ainsi immobile, repliée sur elle-même une seconde ou deux, pour se redresser enfin lentement.

— Que s'est-il passé ? demanda-t-elle à son chat.

Nijinsky émit un petit miaulement plaintif et vint se frotter contre les chevilles de sa maîtresse.

— Tu as raison, reprit-elle, ce n'était rien de grave.

Lally n'était pas inquiète. Probablement n'avait-elle pas assez mangé au déjeuner. En hiver, surtout quand on enseigne la danse, il faut se sustenter davantage ; à moins qu'elle ne fût en avance dans ses menstruations, ce qui l'affectait étrangement, parfois.

Refusant d'y réfléchir davantage, elle se mit à penser à Katy Webber. Elle n'avait pas la moindre idée de la personne qui pouvait vouloir du mal à cette enfant, mais une chose était sûre : cette personne-là existait. Comment elle allait s'y prendre pour éclaircir cette affaire sans qu'une démarche inopportune aggravât la situation, elle l'ignorait aussi.

Tout ce qu'elle savait, c'était qu'elle devait faire quelque chose.

2

Le mardi 5 janvier

L'homme s'adossa contre son siège en se demandant si c'était déjà commencé. Un ciel sombre et bas pesait sur la ville. Des flocons de neige épars effleuraient les vitres de la pièce herméti-quement close. Ici, à l'intérieur, l'air était tiède, soigneusement filtré et maintenu à un taux d'hygrométrie idéal, ni trop humide ni trop sec. Un système électronique régulait un éclairage tamisé en permanence.

En dépit d'une vie débordante d'activité, il n'existait nul en-droit au monde où l'homme se sentait aussi bien. Des gens, il en voyait tous les jours par dizaines, mais ses seuls vrais amis, ceux en qui il avait confiance, se trouvaient ici, entre ces quatre murs. C'est à eux qu'il s'en ouvrait et, en retour, il veillait à leur bien-être, contrôlait étroitement leur existence, moyennant quoi seule-ment il pouvait leur faire confiance. Le pouvoir absolu qu'il exer-çait sur eux lui procurait une satisfaction intense. D'ailleurs, ce pouvoir-là s'étendait bien au-delà de ces murs, au-delà même du concevable, mais cela, il était seul à le savoir pour le moment. Mais « ils » ne perdaient rien pour attendre.

— Mère serait si fière... dit-il à ses amis.

Il leur parlait souvent de sa mère. Il l'avait perdue depuis bien longtemps et, avant de châtier les responsables, avait dû attendre de longues années, des siècles.

— Parmi la foule de choses qu'elle m'a enseignées, souffla-t-il, il existe trois règles essentielles, bien plus importantes que tout autre chose, que je devais respecter à tout prix. Elles s'appellent les Règles de vie de Mère. La première concerne l'identité : savoir et ne jamais oublier d'où l'on vient et de qui l'on est issu. La seconde, garder son sang-froid...

C'était son antienne, répétée quotidiennement, comme un leitmotiv, parfois à haute voix, parfois mentalement. Cela disait en substance que hors le sang-froid, point de salut, quand même cela imposerait négation de soi, souffrances et humiliations...

— Quant à la troisième règle, poursuivit-il en dévisageant un par un ses amis avec une bienveillante condescendance : Ne jamais oublier l'existence des dragons.

Cela aussi, ils l'avaient entendu maintes et maintes fois ; pourtant, ils semblaient ne jamais s'en lasser, sans quoi, il va sans dire qu'ils n'auraient pas manqué de s'en plaindre. L'homme pouvait leur parler dragons pendant des heures, et chaque fois ses amis l'écoutaient. Religieusement. Ils étaient là, dehors, disait-il, de l'autre côté de ces murs, en ville, dans les campagnes, partout, dispersés dans le monde entier.

— Mère m'a raconté qu'une fois dans sa jeunesse, il lui est arrivé de perdre son sang-froid, alors que les dragons étaient là, prêts à fondre sur elle. Ils peuvent emprunter mille visages, mais ils sont toujours là, attentifs.

La musique jouait *Götterdämmerung, Le Crépuscule des dieux,* de Wagner, le compositeur bien-aimé de Mère, et où il était question de dragons et de héros, parmi lesquels le plus grand de tous : Siegfried, grand pourfendeur de dragons devant Wotan, l'Éternel.

— Elle m'appelait « mon petit héros ».

Se calant au fond de son fauteuil de cuir, l'homme ferma les paupières et se tourna vers ses souvenirs. À six ans, il avait anéanti une libellule[1], et c'est à partir de cet instant-là qu'elle l'avait appelé « mon petit Siegfried ». La libellule est réputée être « l'aiguille du diable », lui avait-elle appris, parce qu'elle possède

---

1. Dragonfly en anglais.

le pouvoir de coudre les yeux, les oreilles et la bouche des enfants endormis. C'est que Mère plaçait l'héroïsme au-dessus de toute autre vertu.

Il ouvrit les yeux et contempla un à un ses amis dans leur cage de verre. C'étaient ses petits dragons à lui, qu'il gardait captifs. Neuf en tout. Cinq *gekkonidæ*, deux *iguanidæ* et, les plus dangereux de tous, ses préférés, deux *helodermaæ suspectum*. Naturellement, chaque espèce avait son vivarium, car chacune requérait un environnement qui lui était propre, avec ses zones d'ombre et de lumière. Point de rocher, cependant, non plus que de tunnel ni d'anfractuosités où les dragons pouvaient se cacher. Ils étaient là pour son bon plaisir, pour être observés de lui seul et doctement éduqués.

C'est en proie à une frayeur intense qu'il les avait amenés dans cette pièce. La première fois qu'il en avait touché un, il en avait conçu une horreur si profonde qu'il avait été saisi de nausée. Mais une fois placés dans leurs vivariums, sa répulsion avait progressivement fait place à un sentiment d'exaltation tout neuf. Aujourd'hui, il arrivait que leur contact éveillât en lui une érection. L'extase suprême eût été de les occire, se disait-il ; mais il préférait, pour le moment du moins, les dominer et exercer son sang-froid.

Il essaya de ne pas trop penser aux jours atroces qu'il avait connus naguère, et dont le souvenir était pourtant si vivace à son esprit ; à la nuit où il l'avait perdue, où on la lui avait volée, où il avait pris conscience qu'elle ne respirait plus et qu'elle l'avait abandonné. Et puis il y avait eu tous les autres jours, plus abominables que la mort elle-même, quand ils avaient ri d'elle, quand ils l'avaient humiliée.

Même à présent, il lui suffisait d'y penser pour que la douleur revînt, suffocante, intolérable. Il devait alors se fustiger pour expurger son esprit de sa souffrance. Parfois, il se servait de ses ongles pour les planter dans la chair de son bas-ventre ou de son séant, en sorte qu'on ne vît pas les marques de son expiation.

Parfois, il s'infligeait des brûlures à l'aide d'une cigarette. Bien qu'il ne fumât jamais, il achetait toujours la même marque, celle que préférait Mère, moitié parce que l'arôme du tabac le soutenait dans son épreuve, moitié parce c'étaient celles dont elle se servait pour le corriger. Cela arrivait très rarement, bien sûr, car Mère avait toujours montré une très grande douceur à son égard. En vérité, on aurait dit un ange, et si elle jugeait nécessaire de le punir, c'était uniquement pour son bien.

Le châtiment avait été long à venir, mais à présent, il était là. Enfin. Ceux qui l'avaient assassinée, ceux qui l'avaient humiliée, ceux qui avaient ri d'elle allaient payer, là, maintenant. Des innocents aussi allaient souffrir, mais ça, c'était inévitable. Triste, mais inévitable.

Debout devant sa fenêtre, l'homme contemplait la nuit, la nuit blanche de neige.

Il se demandait si c'était déjà commencé.

3

Le mercredi 6 janvier

Par les matins de froidure comme celui-là, il n'y avait rien de tel pour Sean et Marie Ferguson que de prendre le petit-déjeuner au lit. Ce n'est pas tant qu'ils voulaient rester au chaud sous leurs couvertures – le confort de leur demeure de North Lincoln Square, à Chicago, n'avait d'égal que le faste de son décor – mais avec Marie, que ses patients accaparaient jusqu'à quinze heures par jour, Sean n'avait d'autre souci que de garder un contact physique et ce, aussi souvent que cela lui était donné. De surcroît, le Renoir accroché au-dessus de la cheminée de leur chambre à coucher leur donnait chaque matin l'impression de s'éveiller en plein été.

— Comment te sens-tu ? demanda Sean en versant une seconde tasse de thé à sa femme.

— Le mieux du monde.

— Vraiment ?

— Vraiment, sourit Marie.

— Aucun symptôme ?

— Pas le moindre, le rassura-t-elle, les yeux fixés sur sa tartine de miel. Tu dois cesser de t'inquiéter pour moi, Sean. Tout le monde te l'a dit et répété : tu n'as aucune raison de t'inquiéter.

— Mais cela ne fait que trois semaines...

— J'essaie de ne plus y penser.

— Je sais, excuse-moi, bredouilla Sean d'un air penaud.

— Inutile de t'excuser de ta sollicitude. Tout ce que je veux, c'est que tu sois convaincu de ma guérison.

— Honnêtement ?

— Croix de bois, croix de fer, si je mens je vais en enfer.

— Ne dis pas de choses comme ça.

Marie était la fille unique de William B. Howe, industriel multimillionnaire et fin collectionneur d'objets d'art, dont la femme était morte en mettant Marie au monde. Dès le départ, Howe avait espéré que sa blonde fille aux grands yeux verts lui succéderait un jour à la tête de son empire ou, du moins, qu'elle épouserait un homme intellectuellement et matériellement apte à accroître la fortune familiale. Mais au grand désarroi de son père, Marie s'était lancée dans des études de médecine, avec spécialisation en obstétrique. À la mort de son père, elle avait décidé de se départir de la propriété de San Francisco, ainsi que de celle de Rhode Island, pour ne garder que la demeure de North Lincoln Square, à cause de sa beauté et de l'enfance heureuse qu'elle y avait vécue. Les sommes ainsi recueillies lui avaient permis de fonder la clinique Howe, dans le district de Rogers Park. Son associé, un cardiologue du nom de John Morrissey, partageait avec elle les mêmes points de vue. Quoique luxueuse et rigoureusement gérée, la clinique restait accessible aux bourses les plus modestes. Il arrivait même fréquemment que certaines chambres fussent occupées par des patientes impécunieuses. Comme les patientes les plus aisées, elles étaient suivies par Marie du commencement jusqu'à la fin, sans bourse délier.

Son mariage avec Sean Ferguson, cinq ans auparavant, en avait fait sourciller plus d'un, depuis la famille Howe jusqu'aux plus hauts dignitaires de la bonne société. Son mari était écrivain, à la fois journaliste, poète et romancier, bien que son talent fût toujours modeste. La prunelle ténébreuse comme chez tous les passionnés, il vouait à sa femme un amour et une admiration sans limites. Conscient de la réprobation, voire de l'hostilité à laquelle il se serait heurté s'il avait connu son beau-père, il n'en

34

avait jamais conçu la moindre amertume, du fait de l'affection que lui portait Marie. Il n'était pas non plus sans savoir que, du côté des Howe, on le tenait pour un coureur de dots. Mais du moment que ces ragots n'étaient pas fondés et que Marie en était persuadée, il n'en avait cure. C'est de bonne grâce qu'il aurait accepté de vivre sous la tente, pourvu que ce fût avec Marie. Nonobstant, il n'allait pas sacrifier un bien-être qui lui était donné et priver sa femme du confort auquel elle était habituée uniquement pour satisfaire quelque sentiment d'orgueil mal placé.

Trois semaines plus tôt, Sean n'avait encore jamais vu Marie malade. Bien sûr, il lui arrivait d'attraper un rhume, mais cela ne durait jamais bien longtemps. Même l'épidémie de grippe qui s'était abattue sur Chicago deux ans auparavant, et qui avait terrassé Sean, l'avait épargnée, elle. Aussi, quand elle s'était mise à faire des crises de tachycardie et qu'après examen, Morrissey avait évoqué la pose d'un stimulateur cardiaque, Marie avait gardé son calme, alors que Sean s'était immédiatement affolé. Naturellement, Marie savait qu'un stimulateur cardiaque lui permettrait de mener une vie normale et même d'accoucher une femme de triplés à quatre heures du matin. Mais rien qu'à l'idée de ce que la pose de cet appareil imposait, Sean avait été complètement affolé. Il l'avait été plus encore en voyant arriver le chirurgien, avant que Marie et Morrissey lui eussent interdit l'accès à la salle d'opération. Dix jours plus tard, après que le chirurgien, les infirmières et John Morrissey lui-même lui eurent juré leurs grands dieux que Marie ne courait plus aucun risque, qu'elle allait bien, parfaitement bien, et qu'ils pouvaient rentrer chez eux et reprendre une vie normale, seulement alors, Sean avait commencé à se laisser convaincre. Mais tandis que Marie lui demandait de ne plus en parler, Sean ne pouvait chasser une telle épreuve de sa mémoire.

— Vas-tu m'aimer encore ? avait demandé Marie la veille, après qu'il eut éteint sa lampe de chevet.
— Mais... naturellement.

— Pourquoi pas maintenant ?

— Je me sens un peu fatigué, ma chérie.

— Je ne te crois pas.

— C'est pourtant vrai.

— Je crois, moi, que tu as peur.

— Peur ? Mais de quoi ?

— Que j'aie une crise cardiaque.

— Cela n'a aucun sens, Marie.

— Je le sais. Mais en es-tu vraiment persuadé ?

Sean n'avait pas répondu.

— Tu persistes à ne pas croire John, quand il te dit que tout est redevenu normal, n'est-ce pas ?

Dans l'obscurité, la voix semblait calme, mais Sean y décela une certaine contrariété. Marie poursuivit :

— Il a pourtant bien expliqué que je pouvais reprendre normalement toutes mes activités : exercices, travail, tout...

— Je sais très bien ce qu'il a dit.

— Mais tu n'y crois pas.

— Bien sûr que j'y crois. John ne me mentirait sur rien, et sûrement pas à ton sujet.

— Mais ?

— Mais tu as raison : j'ai peur. J'ai peur de te faire du mal et j'en suis navré. Mais je préférerais renoncer à la vie que de remettre en cause ta santé.

— Eh bien, moi pas, répliqua fermement Marie. Quand bien même cela comporterait un risque, ce qui n'est pas le cas.

— J'aimerais bien te voir à ma place, si tu étais confrontée à ce genre de problème.

— Tu viens d'y répondre toi-même, Sean, il n'y a plus de problème, fit Marie en rallumant sa lampe. Si c'était toi qui portais un stimulateur cardiaque et si John m'avait dit à ton sujet tout ce qu'il t'a dit au mien, je serais tout aussi émoustillée que je le suis en ce moment.

— Vraiment ? sourit Sean.

— Vraiment. Pas toi ?

— Non.

Marie se redressa pour regarder son mari dans les yeux.

— Je crois que tu mens. Tu l'es toujours quand je le suis.

— Mais pas ce soir, répliqua Sean en souriant. Je suis trop fatigué.

Le problème, c'était que Marie avait raison en tous points : il la désirait toujours autant, à telle enseigne que le fait de ne plus lui prodiguer ses caresses, de ne l'embrasser qu'à peine, de crainte que ses sens ne prissent le dessus, le jetait dans des émois qui confinaient à la folie. Déjà, la veille, la présence de Marie l'avait troublé à un point tel que, pour ne pas céder à la tentation, il avait dû invoquer le petit-déjeuner qu'il s'était engagé à lui préparer, sous prétexte qu'elle préférait ses œufs brouillés à ceux que préparait Hilda, la femme de chambre.

— As-tu l'intention d'écrire, aujourd'hui ? demanda Marie une fois terminée sa tartine de pain de seigle.

Marie avait toujours eu un excellent appétit, et malgré l'opération qu'elle venait de subir, Sean devait admettre que même sur ce chapitre-là, tout semblait revenu à la normale.

— Non, pas avant cet après-midi, en tout cas, répondit-il en s'adossant contre ses oreillers. Après t'avoir conduite à la clinique, j'avais l'intention d'aller faire une promenade au bord du lac.

Cela lui arrivait fréquemment. Il aimait bien se perdre dans la contemplation du lac Michigan pour y trouver l'inspiration.

— Tu n'es donc pas particulièrement pressé.

— Pas du tout, bâilla-t-il en s'étirant paresseusement. Pourquoi, te faut-il quelque chose en particulier ?

— Si cela ne te dérange pas, hasarda pudiquement Marie.

— Tu me connais mieux que ça, je crois...

Et c'était vrai, car Sean s'empressait toujours de faire plaisir à sa femme. L'accompagner dans ses emplettes ne le dérangeait pas, surtout que le temps passé ensemble leur était compté, puisqu'elle était toujours à la merci d'une urgence, à la clinique ou ailleurs.

— Il y a quelque chose qui me ferait plaisir, poursuivit précautionneusement Marie.

— Mais... bien sûr...

Se tournant vers elle, Sean trouva Marie particulièrement belle, ce matin, malgré la grisaille du dehors. Elle portait sa chemise de nuit de soie émeraude, celle qui était bordée de dentelle et dont le décolleté plongeait très bas sur les seins. Soudain, il s'avisa qu'elle l'avait enfilée pendant qu'il était dans la cuisine, en train de préparer ses œufs brouillés.

— Tu ne veux pas savoir ce qui me ferait plaisir ? minauda Marie.

Si, bien sûr. D'ailleurs, il en avait la bouche sèche. Et puis, elle était si ravissante avec ses mèches blondes et bouclées qui lui encadraient le visage ; elle semblait si... normale ; peut-être était-il temps de leur faire confiance, à elle et à John, de faire en sorte que la vie reprît ses droits. Après tout, comment pouvait-il, lui, écrivain, mettre en doute la parole d'éminents spécialistes et risquer ainsi de gâcher son bonheur et celui de Marie ?

— Je le sais déjà, répondit-il d'une voix rauque.

— Je t'en prie, Sean...

— En es-tu sûre ?

Déjà, il l'entourait de ses bras, se penchait pour embrasser sa gorge tiède...

Au lieu de répondre, elle se rapprocha un peu plus de lui, assez près pour caresser de ses cheveux la joue de son mari, sachant combien il aimait ce contact. Fermant les yeux, Sean inspira profondément comme pour s'enivrer des fragrances de sa femme. Ses bras l'étreignirent, tendrement d'abord, bientôt avec fougue. Puis, ils s'embrassèrent, et ce fut comme si chaque baiser dissipait un peu plus ses appréhensions. Lui prenant la main, Marie la posa sur son sein gauche. Sean en éprouva la rondeur, la fermeté et la tiédeur, et ses dernières craintes s'envolèrent. Quand il lui retira sa chemise de nuit, elle se redressa pour lui faciliter la tâche, puis entreprit de dénouer le cordon de son pyjama. Au moment où ils ne furent plus qu'un, Sean eut l'impression d'être un soldat qui rentre chez lui après la guerre. Et puis, elle sentait si bon, si bon qu'on se serait cru dans les jardins d'Éden...

Depuis presque un mois, c'était la première fois. Les yeux grands ouverts, il la regardait, car dans ces moments, il aimait lire l'expression de bonheur qui se reflétait sur le visage de sa femme. Cela survint si vite que, durant un bref instant, il la crut au comble du plaisir. Elle poussa un cri, son dos s'arqua violemment, son visage se contorsionna. Il voulut s'abandonner lui aussi, mais très vite la peur revint en force. Et comme si ce n'était pas assez, il sentit monter en lui une indicible horreur, un tourbillon de terreur qui semblait l'aspirer vers des profondeurs sépulcrales.

Il se retira précipitamment, mais déjà, elle gisait inerte dans ses bras. Tremblant de tous ses membres, il perçut distinctement un souffle haletant, sans savoir que c'était le sien. Lentement, très lentement, il la reposa sur l'oreiller, et là, il vit.

Il vit le sang, le trou, la fumée...

Et il poussa un long hurlement...

4

Le jeudi 7 janvier

En cette fin d'après-midi, Lally gara sa vieille Mustang devant le domicile des Webber, au bord de la route 102. Assise à son volant, elle s'interrogeait encore sur la possibilité de faire machine arrière. Hugo avait eu beau la mettre en garde contre les risques d'une immixtion pour laquelle elle n'était ni armée ni préparée, la vision du corps meurtri de Katy ne cessait de la tarauder.

Lally habitait West Stockbridge, mais c'est le vrai Stock-bridge, situé à quelques kilomètres de là, qui drainait chaque année son lot de touristes. Avec sa grand-rue attrayante – aujour-d'hui immortalisée grâce à Norman Rockwell –, sa florissante auberge de style colonial américain, ses magasins prospères, ses galeries de peinture et ses maisons cossues, Stockbridge était, en bien des façons encore, l'archétype des petites villes de Nouvelle-Angleterre.

La demeure des Webber se dressait sur trois étages, blanche et solide, à moins d'un kilomètre de la grand-rue. Très en retrait de la route, elle était entourée d'une clôture de piquets blancs et partiellement cachée par deux énormes sapins. La jeep Cherokee de Chris Webber se trouvait dans l'allée, juste devant la camion-nette de sa femme. Cinq bons centimètres de neige recouvraient son toit. Peut-être à cause de la profusion de lumières, la de-meure respirait la convivialité. Lally n'ignorait pas que, jadis, cette demeure avait tenu lieu de *bed and breakfast,* et que de ce fait, ses chambres étaient nombreuses. Webber était artiste peintre, auteur par surcroît de nombreux ouvrages didactiques sur la peinture. D'ailleurs, au dire de Katy, Webber avait abattu les cloisons de trois chambres au troisième étage pour les aménager en studio où il pouvait à la fois s'adonner à sa passion et écrire ses ouvrages. Comme elle passait le plus clair de son temps dans son chenil, Mme Webber, elle, n'avait droit qu'à une pièce du second, alors que Katy en disposait de deux, une pour y dormir, l'autre assez grande pour parfaire ses jetés battus.

Tout cela ne ressemblait en rien à une maison, du moins telle qu'elle la concevait, méditait Lally, toujours en sécurité dans sa Mustang.

« Alors, que faire ? se demanda-t-elle une dernière fois, la poitrine serrée. Partir ou mettre mon nez dans les affaires d'autrui ? »

Sa décision prise, elle tendit la main vers la poignée, jeta son sac de toile sur son épaule et sortit de la voiture. Un instant plus tard, elle se tenait sous le porche des Webber, le doigt sur la sonnette. Durant un long moment, personne ne répondit. Elle s'apprêtait à faire demi-tour, presque soulagée, quand la porte s'ouvrit.

— Mademoiselle Duval, quelle bonne surprise !

D'emblée, Chris Webber lui parut d'humeur querelleuse, pas au point d'en être tout échevelé, mais pour quelqu'un qu'elle avait toujours vu calme et posé, son regard trahissait une indéniable irritation. Il portait un jean, des chaussures de sport et un chandail tricoté à la main, le tout maculé de peinture. Sous le regard bleu méfiant, le visage portait deux longues égratignures, l'une sur le nez, l'autre sur la joue.

— Arriverais-je au mauvais moment ? demanda Lally.

— À propos de quoi ?

Elle prit une inspiration et se jeta à l'eau.

— Je viens au sujet des chaussons de Katy, dit-elle, alors que le prétexte lui paraissait mince, même à ses propres oreilles. Ce n'est qu'un petit problème, mais j'aime autant le régler tout de suite.

— Katy rentre à peine de l'école, annonça Webber, elle est en train de se changer, et ensuite, elle doit réviser son cours d'histoire.

Pour Lally, il parut évident que cet homme, dont l'aménité laissait supposer une grande ouverture d'esprit, n'avait aucune intention de l'inviter à entrer. Mais les ecchymoses de Katy encore à l'esprit, elle décida de poursuivre.

— C'est une question de sécurité, insista-t-elle. Je dois absolument lui parler.

Chris Webber comprit qu'il ne se débarrasserait pas facilement de l'intruse.

— Mais naturellement, dit-il en s'effaçant, entrez donc.

La demeure exhalait des relents d'essence de térébenthine et de café froid. Dans un coin du hall d'entrée, une patère ancienne croulait sous le poids de manteaux, chapeaux et foulards, tandis qu'au pied d'un radiateur s'alignaient trois paires de bottes fourrées.

— Désolé de vous avoir reçue aussi cavalièrement, mademoiselle Duval, mais, voyez-vous, j'étais loin de m'attendre à votre visite.

Ce disant, l'homme l'introduisit dans un vaste salon surchargé de meubles anciens. Dans l'âtre brillait un grand feu.

— C'est de ma faute, j'aurais dû d'abord vous téléphoner ; mais je vous en prie, appelez-moi Lally.

— Eh bien, dans ce cas ce sera Chris, répondit l'homme.

Ils se tinrent quelques instants face à face, ne sachant trop sur quel pied danser. Malgré sa haute taille, Lally se sentit immédiatement dominée par cet homme à la stature imposante qui frôlait le mètre quatre-vingt-dix. Elle l'avait déjà vu courir dans les environs de Stockbridge, et même faire du vélo avec Katy, le long de la 102. Mais à cet instant, il semblait gauche et maladroit, et ne faisait rien pour cacher son embarras.

— Asseyez-vous, je vous en prie, je vais aller chercher Katy.

Lally obtempéra en prenant place dans un ravissant fauteuil tendu de chintz. Elle était à peine installée qu'un jeune berger allemand quitta son poste près de la cheminée pour venir lui renifler les mollets.

— Je sens le chat, c'est ça ? lui murmura-t-elle.

Bien qu'heureuse de cette compagnie inattendue, son cœur battait la chamade. La main moite, elle s'empara de la balle de caoutchouc que lui tendait le jeune animal.

À la vieille horloge installée dans un coin de la pièce les minutes s'égrenaient. Parcourant le salon du regard, Lally se prit à contempler les photographies accrochées au-dessus d'un grand vaisselier de chêne, ainsi que les toiles qui ornaient le manteau de l'immense cheminée. Entre deux paysages, elle reconnut le portrait d'Andrea Webber. L'œuvre écrite de Webber, remarqua-t-elle, occupait toute une étagère de la bibliothèque, tandis qu'une autre ne contenait que des livres sur la danse. Sur une troisième, un peu plus loin, elle reconnut une laisse de cuir bleu, oubliée parmi des trophées d'argent. Tout cela respirait la stabilité et le bien-être. C'eût été l'image même du foyer américain modèle, sans l'indéfinissable impression de malaise qui s'en dégageait.

« Tu te fais des idées, se reprit-elle. Tu montes une fable de toutes pièces. »

Malgré les brefs aboiements qui lui parvenaient de l'extérieur, elle crut entendre de brefs éclats de voix aux étages. Le ton restait modéré, mais elle aurait juré que deux personnes se disputaient. Le chiot la regardait fixement.

— Tu veux que je te rende la balle, c'est ça ?

La queue s'agita. Lally fit rouler lentement la balle sur le tapis. L'animal s'en saisit, la mâcha consciencieusement, puis la lui rapporta. À ce moment-là, des pas se firent entendre dans l'escalier.

— Excusez-moi, mais j'avais un travail à finir, bredouilla Katy en faisant irruption dans la pièce.

Les pommettes cramoisies, elle serrait ses nouveaux chaus-

44

sons contre sa poitrine. En voyant ses yeux rougis, Lally comprit qu'elle avait pleuré.

— Ce n'est pas grave, la rassura-t-elle.

Se tournant vers le chiot, Katy esquissa un sourire.

— Elle s'appelle Jade. Elle est belle, vous ne trouvez pas ?

— Elle est adorable, en effet.

C'était la première fois que Lally remarquait à quel point Katy ressemblait à son père. De sa mère, elle avait certes hérité le nez retroussé, et ses cheveux blonds étaient plus raides que ceux de son père, mais on retrouvait dans le regard le même éclat métallique, et dans le menton la même détermination.

— Papa m'a dit que vous voulez me parler de mes chaussons, demanda Katy, un peu inquiète. Est-ce que j'ai fait quelque chose de mal ?

— Rien de méchant, la rassura Lally avec une longue inspiration. Il s'agit d'un petit détail technique, mais qui a son importance. C'est à propos de tes rubans... Montre-moi tes chaussons, je vais te montrer où se situe le problème.

Là-haut, la dispute avait repris de plus belle. Lally vit l'enfant rougir violemment, tandis que son regard reflétait une profonde détresse. Lally comprit alors que si elle voulait une explication aux ecchymoses de son élève, elle avait frappé à la bonne porte. Pourtant, elle aurait préféré que ce ne fût pas le cas. Pour tout dire, elle aurait mieux aimé être chez elle ou au *Hugo's*.

Katy n'avait d'yeux que pour ses chaussons.

— Est-ce que j'ai mal cousu les rubans ?

— Le point est parfait, la complimenta Lally, et tu as utilisé exactement le fil qu'il fallait ; mais tu les as cousus un peu trop en avant. Tu vois ? Je sais que cela a l'air d'un détail sans importance, mais la position de ces rubans est déterminante pour le soutien de ton pied.

Des pas résonnèrent dans l'escalier. Quelques instants plus tard réapparut Webber, à l'évidence plus agité qu'il ne l'était auparavant. Le regard furtif qu'échangèrent le père et la fille ne laissait aucun doute sur la qualité de leurs relations. Si mésentente il y avait, ce n'était pas entre ces deux-là, songea Lally, avec le sentiment d'être plus intruse que jamais.

— Alors, que se passe-t-il ? voulut savoir Webber.

— J'ai cousu mes rubans au mauvais endroit, papa.

— Vraiment, ma chérie ?

Adressant un bref sourire à Lally, l'homme prit place sur un divan. Jade se glissa aussitôt près de lui, et alla placer sa tête entre les genoux de son maître. Ce dernier se mit à la gratter entre les oreilles d'un air absent.

— Excusez-moi, je vous ai interrompue, dit-il encore à l'intention de Lally.

Cette dernière reprit machinalement son laïus, répétant les recommandations qu'elle avait faites à ses élèves pendant son dernier cours. Attentive, l'enfant écoutait poliment, comme si c'était la première fois, et Lally s'avisa que, somme toute, sa venue était peut-être perçue comme un répit, vu le climat de tension qui régnait dans la maison.

— Bien, répète-moi tout ce que tu dois faire avant de mettre tes chaussons.

— Mettre du sparadrap autour de mes orteils, récita Katy avec un brin d'impatience. Pour mes chaussons neufs, il me faut aussi de la laine d'agneau et de l'alcool pur...

— Vraiment ? s'étonna Chris.

— Ça aide à les mettre en forme, expliqua la petite fille. Lally dit que ça permet au chausson de bien épouser la forme du pied.

L'irritation de l'homme étant de plus en plus patente, Lally décida qu'il était temps de mettre un terme à la supercherie.

— Katy, demanda-t-elle posément, aurais-tu l'amabilité d'aller me chercher un verre d'eau ?

— Vous ne préférez pas un jus de fruits ? proposa l'enfant en se levant.

— Un verre d'eau conviendra très bien, merci.

Katy partie, le chiot abandonna son maître pour aller de nouveau s'affaler devant la cheminée, le museau à plat sur le sol.

— Est-ce que je me trompe, fit Webber, ou les chaussons de ma fille n'ont rien à voir avec votre visite ?

Lally sentit le feu lui monter aux joues.

— Est-ce si évident ?

— Probablement pas pour Katy.

— C'est à cause d'elle que je suis venue. Je m'inquiète à son sujet.

La porte du salon s'ouvrit violemment et Andrea Webber entra en titubant dans la pièce.

— Salaud, grommela-t-elle.

Dehors, les aboiements reprirent, plus audibles.

— Espèce de salaud... Tu oses me plaquer, moi, de cette façon.

Lally se figea au fond de son siège, Andrea ne lui avait pas encore adressé un regard. Elle avait les pieds nus et couverts de boue. Elle devait rentrer du chenil, même si dehors il faisait très froid et presque nuit. Pour tout vêtement, elle portait un vieux jean déchiré et un long gilet rouge avachi. Ses cheveux, pourtant très soignés lorsqu'elle allait chercher sa fille, étaient tout ébouriffés, et le mascara qui cernait ses yeux rougis de pleurs dégoulinait en rigoles noirâtres le long de ses joues.

En voyant les regards furieux qu'elle décochait à son mari, Lally voulut partir. Mélange de bière et de whisky, les exhalaisons d'alcool qui parvenaient jusqu'à elle lui apprirent qu'Andrea Webber était ivre, pas simplement grise ou un peu éméchée, mais complètement ivre.

— Andrea, temporisa son mari en se redressant, pâle comme un linge, nous avons de la visite. Mlle Duval est venue voir Katy au sujet de ses chaussons.

— Je me fous de Katy, rétorqua la femme en crachant chaque syllabe.

— Je dois m'en aller, annonça Lally.

— En ce qui me concerne, vous pouvez bien faire ce qui vous plaît, lança la femme, sans quitter des yeux son mari.

— Pourquoi ne t'assieds-tu pas ? proposa ce dernier.

47

— Et toi, pourquoi ne vas-tu pas au diable ? lui répliqua-t-elle.

— Andrea, je t'en prie, tenta Chris en s'approchant de sa femme.

Il tenta un geste apaisant, mais la femme le frappa durement à la poitrine.

— Fils de pute... renâcla-t-elle.

— Andrea, pour l'amour du ciel...

— Le pire, c'est que non content d'être un fils de pute, tu oses en plus faire la morale.

Se détournant de son mari, Andrea tituba en direction du vaisselier, contre lequel elle s'effondra à demi en renversant les objets qui s'y trouvaient.

— Tu avais l'habitude de prendre un verre avec moi, et pas de passer ton temps à me critiquer.

— Personne ne cherche à te critiquer, répondit Chris. Pourquoi n'essaies-tu pas de te calmer ; Lally pourra te...

— Ah ! Voilà que tu lui donnes du Lally, maintenant ?

Pour la première fois, elle daigna se tourner vers la jeune femme :

— Moi, c'est mademoiselle Parfaite que je vous appelle, le saviez-vous ?

— C'est assez, Andrea, l'interrompit Webber d'un ton sec.

— Je suppose que vous savez aussi que ma fille ne jure que par vous, mademoiselle Duval.

Lally ne savait que dire ni que faire. Pourquoi diable n'avait-elle pas suivi les conseils d'Hugo ? Qu'est-ce qui l'avait poussée à prendre une telle initiative, à se mettre ainsi en avant ? Et pour qui se prenait-elle pour s'imaginer être d'une quelconque utilité ?

— Je suis navré, bredouilla Chris. Il vaudrait peut-être mieux que vous partiez...

— Volontiers, dit-elle en se levant brusquement. J'ai eu tort de débarquer chez vous de cette façon.

— Vous n'auriez pas dû, en effet, aboya Andrea.

— C'est assez, Andrea, répéta Webber.

— Vraiment ? Te mettrais-je mal à l'aise, monsieur le bien-pensant ? Tu te crois supérieur à moi, peut-être ?

— Pourquoi, ce n'est pas le cas ?

— Mais bien sûr ! Vous m'êtes tous supérieurs ! s'écria la femme, au bord des larmes.

— Pourquoi ne montes-tu pas dans ta chambre ? proposa Chris, toujours aimable.

— Je ne veux pas aller dans ma chambre ! se récria Andrea, grondant de colère. Pour qui me prends-tu, pour ta domestique ? Je te rappelle que je suis ta femme ! Ta femme !

Chris tenta de nouveau de lui saisir le bras, mais elle se débattit, plus violemment que la première fois. Atterrée, Lally fit un pas en avant, puis s'immobilisa.

— Maman, non...

Les trois adultes se retournèrent d'un bloc. Katy se tenait devant la porte du salon.

— Je t'en prie, maman...

— Va-t'en, Katy...

Implorants, les yeux de l'enfant allaient de Lally à sa mère.

— Arrête, maman, je t'en prie.

— Je t'ai dit d'aller dans ta chambre ! répéta Andrea d'un ton cinglant.

Mais contre toute attente, Lally vit l'enfant se durcir. Elle comprit comme il serait plus facile à Katy d'obéir et de se réfugier dans sa chambre, loin de ces querelles d'adultes. Mais l'enfant ne bougea pas, décidée à affronter sa mère.

— Je veux t'aider, maman, reprit-elle.

— Quand j'aurai besoin d'aide, je te le ferai savoir.

— Katy, ma chérie, intervint Chris, pourquoi ne montes-tu pas dans ta chambre, plutôt ?

La gamine hésita puis, sous le regard étonné de Lally, marcha droit sur sa mère.

— Pourquoi tu ne viens pas avec moi, maman ? dit-elle, la main tendue.

— Vas-tu me laisser tranquille, à la fin ! tempêta la femme.

49

Sa jambe se détendit brusquement, atteignant Katy au tibia.

— Ça suffit comme ça ! s'interposa Webber en repoussant sa femme sans ménagement.

Katy éclata en sanglots, tandis que, près de la cheminée, Jade émettait un grondement.

— Viens, Katy, décida Lally, je vais te conduire là-haut.

— Oh, non ! Vous ne la conduirez nulle part ! s'écria Andrea en retenant sa fille par le bras. Vous ne me prendrez pas ma fille !

— Qui parle de vous la prendre ? Je n'en ai jamais eu l'intention ! s'insurgea Lally, incrédule.

— Vraiment ?

— Mais naturellement !

— C'est sans doute pour ça qu'elle ne cesse de parler de vous ! Vous devriez l'entendre, vous adoreriez !

Toute l'attention d'Andrea était à présent tournée vers Lally. Profitant de ce que sa mère se désintéressait d'elle, la fillette, éplorée, traversa la pièce en courant et monta précipitamment l'escalier.

— Je suppose que Chris vous a tout dit sur moi, cracha-t-elle en soufflant son haleine avinée au visage de Lally, sur la mère indigne que je suis.

— Il ne m'a rien dit, pas un seul mot.

— Pour l'amour du ciel, Andrea, vas-tu cesser, maintenant ? geignit Chris, le visage contrit. J'espérais que tu éviterais ce genre de scène à Mlle Duval.

— Alors, si j'ai bien compris, c'est Lally pour toi et Mlle Duval pour moi, renchérit Andrea, son visage écarlate écumant de rage. Inutile d'en dire davantage, n'est-ce pas ?

Tremblante, Lally s'empara fébrilement de son sac.

— Je m'en vais, annonça-t-elle à Webber. Et ne vous inquiétez pas pour moi : en ce qui me concerne, j'ai déjà tout oublié.

Elle se dirigeait vers la porte quand Andrea la retint par le poignet.

— Lâchez-moi, lui intima Lally d'un ton glacial.

— Comment osez-vous me donner des ordres ? rétorqua la femme en raffermissant sa prise. Vous êtes ici chez moi.

— Lâche-la, Andrea.

Chris s'interposa entre les deux femmes et à l'expression résolue de son visage, Lally comprit que sa patience était à bout.

— Lâche-la tout de suite !

Andrea obtempéra et, avec un gros sanglot, se précipita hors du salon. Un instant plus tard, la porte arrière claqua violemment. Chris se laissa tomber dans un fauteuil, la tête entre les mains.

— Est-ce que ça ira ? s'enquit faiblement Lally.

Chris acquiesça, la tête basse.

— Elle va rester quelque temps avec ses chiens. Quand elle se met dans de tels états, ce sont les seuls êtres au monde qu'elle supporte.

— Voulez-vous que je m'en aille ?

— Si vous le souhaitez.

— Puis-je faire quelque chose ?

Webber ne répondit rien. Se sentant impuissante, Lally l'observa un instant, puis se rassit sur un coin de fauteuil. Elle était bourrelée de remords, comme si son intrusion était seule responsable de cette violente altercation, tout en se doutant bien que, des scènes, Webber avait dû en connaître de pires, et que c'étaient ces scènes, justement, qui étaient à l'origine de son intrusion. Elle songeait à la pauvre Katy, toute seule là-haut, combien elle devait se sentir terrorisée, humiliée par le triste spectacle qu'avait donné sa mère.

Le peintre leva finalement la tête et posa sur Lally un regard accablé, empreint d'une infinie tristesse. Il parut évident à Lally qu'elle était la première à découvrir cette famille sous son aspect le plus sordide ; elle avait l'impression d'avoir été témoin d'un crime. À la manière dont Andrea l'avait apostrophée, aurait-elle voulu se dérober qu'elle ne l'aurait pas pu. Bon gré mal gré, elle était partie prenante dans une affaire qui ne la concernait pas. Chris Webber le sentait bien, lui aussi. À présent, elle ne pouvait plus se dérober, et en voyant le désespoir de l'homme assis en face d'elle, en pensant à Katy pleurant là-haut, dans sa chambre, elle ne le voulut plus.

Ils restèrent un instant face à face sans dire un mot. De temps à autre, un aboiement leur parvenait du chenil, et chaque fois, Jade penchait la tête sur le côté, attentive, mais restait immobile aux pieds de son maître. La vieille pendule ponctuait les secondes de son tic-tac régulier. Dehors, un voisin déblayait son chemin à grands raclements de pelle, tandis que sur la 102, la circulation poursuivait son grondement régulier.

— Je suis tellement navrée, fit enfin Chris.

— Ce n'est pas de votre faute, voulut le rassurer Lally. C'est moi qui ai fait irruption chez vous sans prévenir.

— Mais vous étiez quand même mon hôte, insista Webber, le regard douloureux. J'espère qu'elle ne vous a pas fait mal.

— Non, répondit Lally, le poignet encore douloureux. Mais vous aviez raison : je ne suis pas venue pour les chaussons, mais à cause des bleus que j'ai vus sur le corps de Katy.

— Je suis heureux que vous l'ayez fait.

— Pourquoi ? On ne peut pas dire que je vous ai particulièrement rendu service.

— Vous m'avez aidé à prendre une décision, hésita un instant Webber, et pour cela, j'ai besoin de votre aide, ce que je ne me sens aucunement le droit de vous demander.

— Autant que moi de venir ici, répondit Lally. Je suis prête à vous apporter toute l'aide nécessaire.

— Pensez-vous pouvoir garder Katy chez vous une heure ou deux ? Quitter cette maison lui fera du bien, le temps que la situation s'apaise. Je sais que c'est beaucoup vous demander mais...

— Très volontiers, mais croyez-vous qu'elle acceptera de me suivre ? Je serai très heureuse de l'avoir avec moi, mais est-ce vraiment la solution idéale ?

— Je le crois, articula lentement Webber. Il est grand temps que je réagisse et que je réfléchisse à la manière de régler ces problèmes. Cela me serait plus facile si Katy n'était pas dans la maison.

— Très bien, accepta Lally, si elle est d'accord.

— J'ai toujours espéré que cette situation finirait par s'arranger, du moins provisoirement. Mais elle s'est considérablement dégradée, ces derniers temps ; il est grand temps que j'agisse et que je m'occupe d'Andrea, elle a besoin d'aide.

— Je crois que c'est le cas pour Katy, aussi.

— Je le sais.

— Je suis navrée de ce qui vous arrive, conclut Lally.

— Et moi donc...

5

Le jeudi 7 janvier

Une heure à peine après qu'on eut procédé à l'autopsie du corps de Jack Long au People's Hospital de Boston – autopsie reportée depuis plus de trois jours en raison des nombreuses victimes causées par un gigantesque carambolage sur le Massachusetts Turnpike – commençait celle de Marie Ferguson au Memorial Hospital de Chicago.

Isolée du reste de l'hôpital, la salle d'autopsie était située au sous-sol, près du laboratoire de pathologie. C'était une salle d'une centaine de mètres carrés, faite de béton, de marbre et d'acier, et dont la lumière artificielle qui l'éclairait en permanence ajoutait à la froideur. D'emblée, le profane aurait cru entrer dans une salle d'opération, où des médecins s'affairaient dans un cliquetis d'instruments chirurgicaux. Mais en y regardant de plus près, il aurait pu constater l'absence d'infirmière, et le peu de hâte avec laquelle les médecins exécutaient leur besogne. Autre fait notable, il y avait non pas une, mais quatre tables d'opération. Il est vrai que le cas des patients qui s'y trouvaient était sans espoir et que, partant, rien ne pressait.

Aux environs de dix-huit heures quinze, après avoir achevé son examen externe, le jeune médecin légiste procéda à la première incision.

— Profondes lésions dans la cage thoracique, dit-il dans le micro suspendu au-dessus de la table. Morceaux de peau et de tissus sous-cutanés encore accrochés sur le côté gauche de la paroi.

La salle d'autopsie grouillait d'activité. Trois autres corps attendaient, mais le pathologiste poursuivait minutieusement son examen. Il portait des gants, un masque, et un grand tablier lui couvrait le torse et les jambes. Même ses chaussures étaient protégées par des housses de plastique.

— Peau noirâtre sur une partie du thorax. Lésions côté droit de la paroi, une partie des tissus intacte. Débris de stimulateur cardiaque visibles...

S'emparant d'un scalpel, le praticien se pencha en avant :

— Odeur de chair brûlée sur les tissus du torse.

Le personnel d'urgence dépêché la veille à la superbe demeure de North Lincoln avait cru de prime abord – tout comme les policiers, d'ailleurs – que Marie Ferguson était morte d'un coup de feu dans la poitrine. Après que l'on eut procédé aux constats préliminaires et que le mari de la victime, traumatisé au point que les médecins avaient dû le mettre sous médication, eut à cor et à cri protesté de son innocence, force avait été de constater que l'affaire prenait un tour différent de ce qu'on avait d'abord cru.

Le rapport du pathologiste confirmait l'état d'hystérie dans lequel se trouvait Sean Ferguson : sa femme n'avait pas été tuée d'un coup de feu, même si le cœur et le poumon gauche avaient éclaté et qu'il y avait hémorragie dans la cavité pleurale.

« Cause du décès : destruction du muscle cardiaque et de la zone péricardique » lut le commandant Isaiah M. Jackson au lieutenant Joseph Duval, peu avant vingt-trois heures, ce soir-là.

— Et c'est le stimulateur cardiaque qui en serait la cause ? s'enquit Joe, perplexe.

— C'est ce qu'on croit, lâcha Jackson en triturant son stylo en or.

Le commandant possédait des doigts longs et effilés, un

grand corps d'athlète et, au-dessus d'un visage rarement souriant, un crâne noir, luisant et complètement chauve.

— Ce genre d'accident est-il déjà arrivé ?

Se penchant en avant, Joe observa la preuve sanglante contenue dans deux bocaux posés sur le bureau de son supérieur, et bien qu'ils aient été scellés, ce dernier avait déjà demandé qu'on procédât à l'examen de ces pièces à conviction.

— Pas à ce que l'on sache, grimaça Jackson.

— S'il s'agit d'une mort accidentelle, il ne nous reste plus qu'à nous retourner contre le fabricant.

— Qui se trouve être Hagen Pacing, dont le siège se trouve à Logan Square... J'ai connu le père de Mme Ferguson, William Howe, un homme terrible...

— ...issu d'une puissante famille, ajouta Joe.

— Tout à fait. C'est pourquoi nous devons mener cette affaire rondement, Duval. Seigneur ! Ce que ces trucs peuvent puer !

Joe avait déjà gagné la porte.

— Les gens de chez Hagen vont nous certifier qu'il s'agit d'un cas rarissime, l'arrêta Jackson, un stupide accident.

— Pourquoi ? Pensez-vous que ce ne soit pas le cas, chef ? demanda Joe.

— Dieu nous en préserve...

Isaiah Jackson attendit que Duval eût refermé la porte pour regagner son bureau et se plonger dans la contemplation des bocaux. Il en était tourneboulé et l'odeur n'y était pour rien. Cela faisait trois ans qu'on lui avait posé un stimulateur cardiaque et, grâce à Dieu, il ne s'était jamais senti aussi bien de sa vie. Pourtant, accident ou pas, la mort de Marie Ferguson le troublait profondément. La dernière fois qu'il s'était trouvé dans un tel état d'esprit, c'était cinq ans plus tôt, quand, atteint de démence, un policier à la retraite s'était mis à tirer sur tout ce qui bougeait.

— Quant à moi, je me contenterai de mes brûlures d'estomac, murmura-t-il.

6

Le jeudi 7 janvier

Lally avait ramené Katy chez elle. Au début, la petite fille avait faiblement protesté, mais son père s'était rendu compte qu'en réalité, elle était soulagée de partager son secret avec une étrangère. Peut-être que, enfin, sa mère accepterait l'aide dont elle avait grand besoin.

Elles restèrent un moment assises à la table de la cuisine à jouer avec Nijinsky tout en buvant la limonade maison préparée par Lally. Puis, la nuit tombée, elles étaient allées faire un bonhomme de neige dans le jardin, avant d'aller à la grange-studio effectuer quelques exercices à la barre. Toutes les lumières allumées, Lally avait décidé qu'elles improviseraient sur une pièce de Prokofiev. Mais bientôt, oubliant leurs exercices, elles donnèrent libre cours à leur fantaisie, histoire d'oublier les émotions de la journée.

Brusquement, sans savoir pourquoi, Lally eut le souffle coupé. La poitrine oppressée dans un invisible étau, elle ouvrit de grands yeux effarés.

— Il faut que j'arrête, hoqueta-t-elle avec un rire forcé, pliée en deux contre le grand miroir. Tu m'épuises, ma pauvre Katy, je crois que je commence à devenir vieille.

Katy interrompit sa pirouette, et alla à son professeur, décontenancée.

— Est-ce que ça va ?

— Très bien, fit Lally, soudain gagnée par une grande lassitude. Mais je crois que ce sera suffisant pour aujourd'hui.

Elles éteignirent donc les lumières, enfilèrent leurs manteaux et leurs bottes, et regagnèrent la maison. Un message les attendait sur le répondeur. Il émanait d'Hugo et demandait à Lally de le rappeler. Mais Lally n'était pas d'humeur à se lancer dans des explications. Ce dont elles avaient besoin, expliqua-t-elle à Katy, c'était un bon chocolat chaud et des guimauves. Désireuse de se rendre utile, l'enfant aida à la préparation des boissons chaudes, puis joua avec le chat. Elles échangèrent quelques mots en évitant cependant de parler d'Andrea. C'était un sujet que Lally n'aborderait qu'en présence de Webber, et encore faudrait-il qu'il en parlât le premier. Dans cette sombre affaire elle devait se cantonner à son rôle de pédagogue, et faire en sorte que l'enfant ne courût aucun danger. Mais pour ce qui était du reste, cela ne la concernait en rien. Tout en écoutant son chat ronronner sous les caresses appliquées de l'enfant, Lally se demanda ce qui pouvait bien se passer dans l'autre maison, à quelques kilomètres de là.

Ce même soir, Chris arriva juste après vingt et une heures. Après qu'Hugo lui eut fait savoir qu'il passerait la soirée avec un ami, et vu l'état d'épuisement de Katy, Lally avait décidé de dîner tôt. Puis elle avait encouragé l'enfant à aller se coucher sur son lit, en lui promettant de la réveiller dès que son père serait arrivé.

— Entrez, murmura-t-elle.

L'homme avait l'air bouleversé, et portait au visage deux nouvelles égratignures. Se gardant de tout commentaire, Lally l'invita à entrer et à prendre place dans un fauteuil, près de la cheminée.

— Katy dort, chuchota-t-elle. Je lui ai promis de la réveiller sitôt que vous seriez arrivé.

— Cela vous dérangerait-il de la garder ?

— Bien sûr que non. Elle a grand besoin de repos. Voulez-vous que je vous prépare quelque chose à manger ? proposa-t-elle.

— Je n'ai pas très faim.

— C'est prêt, il n'y a qu'à réchauffer. Je crois que cela vous ferait du bien.

— Peut-être avez-vous raison, acquiesça timidement Webber.

Ils allèrent dans la cuisine s'installer à la grande table de pin ciré. Lally réchauffa du poulet en cocotte et de la purée de pommes de terre et, en dépit de sa détresse, l'homme montra un excellent appétit. Lally, qui n'avait dîné que légèrement, se joignit à lui. Après un bref instant d'hésitation, elle déboucha une bouteille de vin dont elle remplit deux verres.

Étrange dîner en vérité. Deux personnes qui ne savaient de l'autre que l'essentiel, comme il en va dans les petites communautés, se retrouvaient attablées face à face, sous prétexte qu'une petite fille se reposait là-haut.

Outre le fait qu'il était le père d'une de ses élèves, Chris était un homme marié et Lally n'avait aucune raison d'imaginer qu'ils pussent partager certaines confidences. C'était pourtant à quoi elle se sentait encline, et les événements de l'après-midi n'y étaient pour rien. Sans l'agression aussi surprenante qu'inattendue dont elle avait fait l'objet, Chris n'aurait jamais songé à lui demander son aide. Mais d'être assise là, à le regarder manger, à sentir sa détresse, Lally se rendit compte, avec un rien de culpabilité, qu'il émanait de cet homme une étrange et troublante séduction à laquelle elle était loin d'être indifférente.

— Verriez-vous du mal à ce que je vous parle un peu? demanda-t-il.

— Pas le moins du monde, répondit-elle. Du moment que vous ne vous y sentez pas obligé.

— J'aime parler, reprit Webber. Je crois qu'il est temps pour moi de m'ouvrir à quelqu'un, de me soulager de... Mais je ne veux pas vous ennuyer avec mes histoires.

— Je vous en prie, l'encouragea Lally.

Webber se confia simplement, avec candeur et retenue comme si les mots lui venaient un à un. Originaire de Philadelphie, il était arrivé dans les Berkshires treize ans plus tôt pour y prendre de longues vacances et était tombé amoureux à la fois du pays et d'Andrea. Au cours des six mois suivants, il l'avait épousée pour s'installer avec elle à Williamstown. Les débuts s'étaient, semblait-il, présentés sous les meilleurs auspices : un mariage d'amour, deux esprits pleins de franchise et de bonne volonté... jusqu'au jour où Andrea avait été sujette à d'inexplicables crises d'anxiété sur ce qu'elle appelait sa médiocrité, son inadéquation, et ses insuffisances socio-affectives. Malgré les efforts de Chris pour la rassurer, Andrea se disait un personnage renfermé et rébarbatif, convaincue d'être une piètre épouse. Elle n'avait jamais avalé une seule goutte d'alcool, auparavant, ayant grandi dans une famille où la moindre bouteille de bière était proscrite. Mais au cours d'une soirée, un an après son mariage, elle avait goûté à son premier verre de vin et, ce soir-là, la pauvre falote qu'elle croyait être s'était révélée un véritable boute-en-train. Chris en avait été fort aise ; les choses eussent été parfaites si elle s'en était tenue à ce verre, mais un verre en appelant un second, puis un troisième, elle avait finalement voulu tâter des spiritueux, éveillant du même coup l'agressivité qu'on lui connaissait.

— L'alcool l'a tellement changée, soupira Chris. D'obsédée de l'autocritique, elle est devenue revêche et acrimonieuse.

— Ça lui prend uniquement quand elle boit ?

— Absolument. Mais les choses se sont aggravées depuis. Il n'y a que pendant sa grossesse qu'elle a totalement cessé de boire.

— Et après ?

— Elle a repris de plus belle.

Avec un enfant, et consciente de l'impact négatif de l'alcool sur sa personne, Andrea ne buvait que rarement hors de chez elle. Elle souhaitait être aussi bonne mère que possible, et sur ce point, elle s'acquittait de sa tâche avec zèle. C'est seulement lorsque la famille avait migré à Stockbridge que la situation s'était dégradée.

— C'était mon idée, fit Chris d'un ton désabusé, mon grand

projet d'avenir. Depuis toujours Andrea adorait les chiens, aussi m'étais-je dit qu'en faire l'élevage saurait la rendre parfaitement heureuse. En fait, je me disais qu'une autonomie et un peu d'espace l'inciteraient à renoncer à boire.

Erreur profonde : des altercations, Andrea en était rapidement venue aux mains. Mais aussi longtemps qu'elle ne s'en était pas prise à Katy, Chris était parvenu à juguler sa propre colère. C'est quand elle avait commencé à battre sa fille que leur vie s'était changée en cauchemar.

Webber marqua une pause. Dans la cuisine de Lally, il faisait bon, on se sentait bien. Les seuls bruits qu'on y entendait, c'était le ronronnement du réfrigérateur et celui de Nijinsky, confortablement installé sur les genoux de sa maîtresse.

— Vous n'êtes pas obligé d'en dire davantage, fit Lally.

— Ça me fait tout drôle de m'en ouvrir comme ça à vous, reprit Chris. Je croyais être une personne plutôt secrète. En dépit de tout ce que je viens de vous raconter, je trouve déloyal de parler ainsi d'Andrea à une...

— Une étrangère ? sourit Lally. Mais n'est-ce pas pour cette raison, justement, que vous vous confiez à moi ? Parce que, même si je suis le professeur de danse de votre fille, je ne suis pour vous qu'une parfaite étrangère.

— Pour être franc, répliqua Chris, je n'ai pas l'impression de parler à une étrangère.

— Sans doute parce que j'étais là, cet après-midi, renchérit précipitamment Lally.

— Sans doute...

Lally avala une gorgée de vin, puis se remit à caresser son chat, tandis que Webber reprenait son récit :

— J'ai fait tout ce que j'ai pu pour inciter Andrea à renoncer à l'alcool. J'ai cherché tous les moyens possibles pour lui venir en aide, mais elle s'est toujours dérobée. Elle soutient qu'elle pourrait s'arrêter de boire si elle le voulait, mais elle ne le veut pas. Elle prétend que c'est la seule chose qui lui rend la vie à mes côtés supportable.

Même avant de découvrir les sévices dont sa fille faisait l'objet, Chris savait que son mariage était condamné et que, sans Katy, il serait parti depuis longtemps. Mais Katy était là, et il ne voulait pas l'enlever à sa mère, pas plus qu'il ne voulait s'en séparer.

— Et maintenant ? demanda Lally.

— J'ai compris que ça ne pouvait plus continuer ainsi.

— Non, en effet.

— Avant de venir ici, j'ai essayé de lui parler, mais elle était hors d'état d'entendre quoi que ce soit.

— Vous en portez d'ailleurs les marques. Voulez-vous de l'alcool et du coton ?

— Non, merci, ce n'est rien.

— Dans ce cas, que diriez-vous d'un café ?

— Bonne idée.

Lally posa Nijinsky par terre et entreprit de desservir. Comme Webber faisait mine de l'aider, elle l'arrêta d'un signe. À nouveau, le silence s'installa, mais empreint d'intimité, plutôt que de malaise. Lally fit du café et en remplit deux tasses.

— J'ai fini par comprendre trois choses, poursuivit Chris. La première, c'est que je dois protéger Katy, la seconde, que, bon gré mal gré, Andrea doit suivre une cure de désintoxication...

— Et la troisième ? demanda Lally en le voyant s'interrompre.

— Que mon mariage est fichu.

— En êtes-vous certain ?

— Andrea n'avait rien d'une éthylique, avant notre mariage ; elle n'était pas malheureuse. Si elle l'est aujourd'hui, c'est parce qu'elle m'a épousé. Ne croyez pas que je cherche à me fustiger, car je veux et je vais l'aider. Mais c'est notre mariage qui a changé Andrea, et il est grand temps d'y mettre un terme.

Chris demanda à Lally de garder Katy pour le reste de la nuit. C'était sans doute beaucoup demander, mais il lui semblait cruel de réveiller l'enfant pour la ramener chez elle. De plus, il

64

lui serait plus aisé, le lendemain matin, d'essayer de faire entendre raison à Andrea avant qu'elle ne se mît à boire.

Lally indiqua à l'homme la chambre où dormait Katy et, de loin, le vit déposer un baiser dans les cheveux de l'enfant profondément endormie.

— Je devrais peut-être lui écrire un petit mot, chuchota-t-il. Il ne faut pas qu'elle pense que je l'ai abandonnée.

— Jamais de la vie, voyons...

— Où allez-vous dormir ?

— Dans la chambre d'amis.

— Êtes-vous certaine qu'elle ne vous dérange pas ?

— Je peux dormir n'importe où. Et pour être franche, je préfère la savoir ici, demain matin, plutôt que...

— Je sais, l'interrompit Webber. Vous avez raison.

L'impression de vertige frappa de nouveau Lally devant la porte d'entrée. Une minute plus tard, elle se serait effondrée par terre ; mais, par chance, Chris était encore là pour la soutenir.

— Que vous arrive-t-il ?

— Je ne sais pas ; un simple étourdissement.

La soutenant par la taille, Webber ramena Lally jusqu'au salon et la fit asseoir sur un divan.

— Êtes-vous malade ? s'inquiéta-t-il. Vous me sembliez pourtant bien, tout à l'heure.

— Ça va déjà mieux, voulut le rassurer Lally. C'est peut-être la fatigue de la journée.

— Et vous vous êtes quand même donné la peine de venir jusque chez moi, pour vous faire agonir d'injures par ma femme, par-dessus le marché. Quand je pense que j'étais là à vous raconter mes problèmes...

Webber s'était levé et se dirigeait déjà vers l'escalier.

— Où allez-vous ? demanda Lally.

— Réveiller Katy.

— Non, surtout pas ! objecta Lally avec une tentative pour se lever.

— Un autre étourdissement ?

— Non, tout va bien, mais il ne faut pas réveiller Katy.

— Mais vous avez failli vous évanouir...

— C'est passé, maintenant. Ce n'était sûrement pas très grave.

— Facile à dire, vous ne vous êtes pas vue : vous êtes pâle comme un linge.

— Raison de plus pour que Katy reste ici. Hugo est absent pour une grande partie de la soirée, et j'aime à penser que je ne suis pas seule dans cette grande maison. Non pas que j'aie besoin de compagnie... s'empressa-t-elle d'ajouter.

— C'est sûr ?

— Certain.

— Puis-je faire quelque chose pour vous aider ? hésita encore Webber. Voulez-vous que je reste ?

— Non, décréta fermement Lally. On vous attend chez vous. Et puis, je me sens tout à fait bien, à présent. Mon étourdissement a complètement disparu. Je crois qu'il est temps que vous partiez.

— Je n'en suis pas certain.

— Vous voulez peut-être que je fasse des pirouettes pour vous en persuader ?

— Non ! Surtout pas !

— Dans ce cas rentrez chez vous, s'il vous plaît.

Dix bonnes minutes furent encore nécessaires à Lally pour rassurer son visiteur, le persuader qu'elle allait bien, très bien même, et qu'il pouvait donc rentrer chez lui en toute quiétude. Mais dans son for intérieur, elle devait bien admettre qu'elle se sentait plutôt mal, dans un état de faiblesse inhabituel. Si ces troubles se manifestaient encore, elle prendrait rendez-vous avec le Dr Sheldon, qu'elle n'avait au reste pas consulté depuis des années.

« Peut-être les événements de l'après-midi m'ont-ils perturbée plus que je ne croyais », se raisonna-t-elle.

Elle monta l'escalier à pas lents, la main sur la rampe au cas où un autre étourdissement la reprendrait. Entrant à pas de loup dans sa chambre à coucher, elle y récupéra les effets dont elle avait besoin, jeta un coup d'œil à l'enfant endormie, puis gagna silencieusement la chambre d'amis.

7

Le vendredi 8 janvier

Les cinq usines qui constituaient Hagen Industries s'étendaient sur plus de deux hectares, derrière Western Avenue, dans le district de Logan Square. La plupart des employés arrivaient entre sept et neuf heures du matin et partaient entre quatre et six heures du soir. Durant leurs huit heures de travail, ils n'avaient que peu de raisons de quitter le complexe industriel, Hagen Industries ayant fait en sorte que son personnel trouvât sur place tout ce dont il avait besoin : un restaurant, un café, une succursale bancaire, un bureau de poste, une épicerie doublée d'une pharmacie, et même un cabinet de médecin.

Hommes ou femmes, tous ceux qui œuvraient pour Hagen se targuaient de contribuer à la production d'articles d'utilité publique, a fortiori ceux qui faisaient partie de la division Hagen Pacing. Si cette usine était la plus petite des cinq, il était cependant unanimement admis au sein du consortium que les priorités de Hagen Pacing étaient moins de dégager des bénéfices que d'être toujours à la fine pointe de la technologie, car Albrecht Hagen, son président, se passionnait davantage pour ses dernières découvertes que pour toute autre production issue de son empire.

Son stimulateur cardiaque était réputé être l'appareil électronique le plus fiable jamais conçu. Il fallait qu'il le fût, puisqu'il devait corriger sans le moindre inconfort les faiblesses du cœur humain. Sa durée de vie ? Plus de trois cent cinquante millions de pulsations. Jusqu'à ce jour, trois cent cinquante mille stimulateurs avaient été implantés à travers le monde, et depuis ses débuts, au milieu des années soixante-dix, Hagen Pacing avait progressivement conquis le marché pour s'y tailler la part du lion.

L'usine de stimulateurs se scindait en deux secteurs : recherche et développement, que dirigeait le Dr Olivia Ashcroft, et production, sous la houlette de Howard Leary, un scientifique dont dix années de carrière avaient été consacrées à la conception de nouvelles armes, mais qui, en se joignant au groupe Hagen, avait soutenu avoir enfin trouvé sa véritable vocation. Bien qu'ils fussent entièrement dévoués à leur travail, Ashcroft et Leary, respectivement âgés de quarante-cinq et cinquante-deux ans, étaient conscients du fait que l'un et autre avaient atteint, selon le principe de Peter, leur seuil d'incompétence. Dans un domaine aussi « pointu » que l'ingénierie électronique, les carrières atteignent leur apogée bien plus tôt que dans tout autre champ de recherche. L'évolution se fait à une vitesse telle, qu'il est impossible de tout assimiler. En trois ans d'exercice, un ingénieur en électronique aura oublié la moitié de ce qu'on lui a enseigné, et ne pourra assimiler que la moitié des innovations survenues depuis la fin de ses études. Il n'existait rien sur les stimulateurs cardiaques qu'Ashcroft et Leary ne connussent, mais au moment où la « qualité » devenait l'élément prépondérant de mise en marché, ce fut Fred Schwartz, responsable de la qualité du produit, qui vola la vedette au sein de l'entreprise. Schwartz ne vivait que pour son travail. Si toutes les personnes sous sa responsabilité avaient pour mot d'ordre d'aspirer à la perfection, aucune d'entre elles n'avait un œil aussi exercé que Schwartz lui-même, et jamais ses compétences n'avaient été aussi sollicitées qu'aujourd'hui.

La réunion se tint dans le bureau du président à six heures du matin, alors que l'usine était encore plongée dans le silence, un silence toutefois moins lourd et moins tendu que celui qui planait sur l'assemblée. Un mobilier sévère dans un décor en noir et blanc conférait à la pièce une rare froideur. Les seuls ornements que l'on pouvait y voir consistaient en des photographies de paysages monochromes, sans grand intérêt. Seul objet d'agré-

70

ment, une chaîne stéréophonique encastrée de marque Bang & Olufsen, complétée de quatre haut-parleurs.

Hagen avait convoqué Ashcroft, Leary et Schwartz, dès l'instant où les services de sécurité lui avaient fait parvenir des télécopies émanant des services de police de Boston et de Chicago. Ashcroft et Leary s'étaient arrachés de leurs lits avec difficulté, alors que Schwartz, qui se targuait d'avoir besoin de moins de sommeil que n'importe qui, était déjà habillé de pied en cap. Le choc provoqué par la nouvelle annoncée par Hagen en personne présageait pour chacun d'eux un avenir des plus incertain.

— Et c'est vraiment arrivé comme on le dit ? s'enquit Schwartz.

— Je le crains.

Ni Ashcroft ni Leary ne soufflaient mot.

— Un mort, dimanche dernier à Boston, un autre mercredi, ici, à Chicago.

Derrière ses lunettes à monture d'acier, Hagen dévisagea chacun de ses collaborateurs de son regard polaire. L'homme était surtout connu pour sa capacité de travail et sa bienveillance paternaliste. Cinquante et un ans, un mètre quatre-vingt-trois, des épaules voûtées surmontées d'un crâne aux cheveux gris coupés en brosse, il aimait à se vêtir comme un vieux collégien. Il arborait donc des cravates rayées et des chaussettes blanches, complétées en hiver de grandes écharpes écossaises. Balançant entre la stupeur et le courroux, son visage exprimait, ce matin-là, tout sauf de la bienveillance.

— A-t-on des détails ? demanda Olivia Ashcroft, le premier choc passé.

Élégante, vive et posée à la fois, Olivia n'apparaissait à l'usine qu'en tailleur, le visage discrètement maquillé. Or, aujourd'hui, c'est en jeans et chandail qu'on pouvait la voir. Avec ses cheveux encore ébouriffés, elle avait l'air de quelqu'un qu'on venait de prendre, si l'on ose dire, au pied levé.

Hagen fit circuler les fac-similés :

— Constatez vous-mêmes.

Dans l'emportement du moment, Ashcroft en avait oublié ses lunettes. Elle tint le document assez loin de ses yeux, en sorte que, le cou tendu, Howard Leary et Fred Schwartz pouvaient lire par-dessus son épaule.

— Mooon Dieu...

Malgré l'incongruité de l'heure, Leary arborait son ensemble costume-cravate quotidien. C'était un rouquin aux yeux verts, prompt à la répartie, mais dont le teint cireux dénotait une digestion difficile. En lisant le rapport de la police de Chicago, son teint devint encore plus blafard qu'à l'accoutumée.

— Que se passe-t-il ? demanda Ashcroft.

— Vous n'avez pas reconnu le nom ?

— Marie Ferguson ? Et alors ?

— Il s'agit de Marie Howe Ferguson, intervint Hagen, dont le ton, habituellement affable était à présent froid et cassant. Propriétaire de la clinique Howe, à Rogers Park, et fille de William B. Howe, immense fortune et très grande notoriété.

— Grand Dieu !

Schwartz, lui, était du genre tranquille et effacé.

— J'ai tenté de retracer les deux envois, fit-il d'une voix mal assurée. Mais si les numéros de série sont illisibles...

— Tâchez de recueillir le plus d'informations possible, déclara Hagen.

— Les médecins doivent bien avoir les bordereaux d'expédition de ces appareils dans leurs dossiers, suggéra Ashcroft.

— Ces deux stimulateurs peuvent très bien avoir fait partie du matériel en stock à l'hôpital, objecta Schwartz. Si c'est le cas, inutile de dire que les bordereaux d'expédition ne nous éclaireront pas beaucoup. De nombreux envois comportent des produits issus de séries différentes, et si les stimulateurs de M. Long et de Mme Ferguson étaient du modèle le plus répandu...

Schwartz s'interrompit, passant mentalement au crible les différentes possibilités.

— Cela dépend beaucoup de l'époque à laquelle ces appareils ont été fabriqués, poursuivit Hagen, de plus en plus conscient de l'immensité de la tâche qui les attendait. Il est fort possible que les stimulateurs de la même série aient été tous implantés.

— Il nous reste quand même les échantillons, fit Schwartz.

— Grand Dieu ! fit à nouveau Leary.

Tous les regards convergeaient sur Schwartz. Depuis dix ans qu'il travaillait pour Hagen Pacing, personne ne l'avait jamais pris en porte-à-faux. Il avait beau être un homme tranquille, la sérénité dont il faisait preuve en toutes circonstances rassurait son entourage. C'était un ingénieur doué, doublé de grandes qualités d'adaptation. Pourtant, sa personnalité ne reflétait a priori rien de remarquable, ni dans le visage ni dans le costume. Seuls ses doigts longs et agiles et sa vue exceptionnelle témoignaient de sa grande intelligence et de son savoir. Aussi longtemps que Schwartz était là, Hagen et les autres étaient persuadés que tout finirait par s'arranger, ou du moins en avait-il été ainsi jusqu'à présent.

— C'est une vraie catastrophe, dit Leary d'un ton neutre.

— Comment cela a-t-il pu arriver, Fred ? s'enquit plus aimablement Ashcroft.

— En théorie, cela n'aurait pas dû arriver, répliqua Schwartz.

— Mais selon les allégations de la police de Boston et de Chicago, c'est bel et bien arrivé, articula Hagen, les traits tendus, et les médecins légistes sont là pour le confirmer.

Depuis que Schwartz avait pris en main le contrôle de la qualité, pas le plus petit défaut non plus que l'incident le plus bénin n'avaient échappé à sa vigilance. Cela ne l'avait pourtant pas empêché de mettre sur pied une procédure à la fois simple et directe en cas d'accroc. Pour commencer, chaque composant qui entrait dans la fabrication d'un stimulateur comportait un numéro de série. De surcroît, fabriqués sur place ou provenant de l'extérieur, tous ces composants étaient stockés par paquets de cent. De ce cent, trente-trois servaient à la fabrication en cours, et trente-trois à celle qui se ferait trois mois plus tard, les derniers trente-trois devant être utilisés avant la fin de la même année. Pour ce qui était du centième composant, il était gardé comme échantillon de référence, advenant le cas où une inspection s'avérerait nécessaire, nonobstant le fait que le risque était divisé par trois.

Étant donné que les rapports établissaient clairement que l'explosion avait détruit jusqu'aux électrodes du générateur de l'appareil, Schwartz n'avait d'autre choix que d'attendre d'avoir pris connaissance des documents indiquant la provenance et la date de mise en circulation des stimulateurs. Sans cela, quand bien même Hagen Pacing aurait pu déterminer combien il en avait été expédié dans le Massachusetts et dans l'Illinois au cours des deux derniers mois, rien ne garantissait qu'un des deux appareils n'était pas disponible à Boston ou à Chicago depuis un an ou même davantage.

— Dans combien de temps pourrons-nous récupérer ce qu'il reste des appareils ? voulut savoir Schwartz.

— Nous recevrons celui de Mme Ferguson dans la matinée, déclara Hagen. Quant à celui de Boston, on nous l'expédie par courrier spécial dans les plus brefs délais. Si cette affaire venait à s'ébruiter, Dieu nous préserve des journalistes, ajouta-t-il en secouant tristement la tête.

— Nous devons faire en sorte que ça n'arrive pas, dit Leary.

— Où en est-on, de ce point de vue ? s'enquit Ashcroft. Que savent les familles des victimes, exactement ?

— Ça, c'est encore un problème que nous avons sur les bras, dit Hagen. Figurez-vous que Sean Ferguson, le mari, est journaliste.

— Merde, grommela Leary.

— Selon la police, ils étaient ensemble au moment où c'est arrivé, je veux dire *vraiment* ensemble, insista Hagen, visiblement secoué. Le pauvre homme a vu comment le drame est arrivé. Qu'il lise le rapport d'autopsie ou pas, il a vu sa femme mourir sous ses yeux par la faute d'un de nos stimulateurs.

— Il ne faut pas que cette affaire soit connue du grand public, répéta lugubrement Leary. Ce serait l'anarchie, un épouvantable chaos, des gens exigeraient qu'on leur retire sur-le-champ leur appareil...

— Ça suffit, Howard, l'interrompit Ashcroft.

— Grand Dieu, Olivia ! près de douze mille personnes remettent leurs vies entre nos mains chaque année.

— Mais ce n'est pas en perdant notre sang-froid que nous y changerons quoi que ce soit.

— Alors, que suggérez-vous ? se défendit Leary.

Schwartz se leva.

— Je n'ai qu'une remarque à faire à ce sujet, déclara-t-il. En l'absence d'informations supplémentaires, je vais faire mon enquête de mon côté.

— Et cela demandera combien de temps ? interrogea aussitôt Hagen.

— Je ne saurais le dire.

— Vous avez peut-être une petite idée, lança Leary, sarcastique.

— Comment voulez-vous ? intervint à nouveau Ashcroft. Il n'a aucun point de départ.

— Je veillerai à ce qu'on vous procure tout ce dont vous pourriez avoir besoin, trancha Hagen.

— Je ne pourrais pas faire grand-chose aujourd'hui, le prévint Schwartz en ignorant les remarques de ses confrères. La production doit se poursuivre. Je devrai commencer mes recherches après les heures de travail.

— Encore une chance que la semaine s'achève, ricana Leary.

— En envisageant le pire, c'est-à-dire que nous n'ayons pas trouvé la réponse avant lundi, faudra-t-il interrompre la production ? s'inquiéta Ashcroft.

— Une fois que la FDA[1] aura mis le nez dans cette affaire, je doute que nous puissions faire autrement, lâcha Hagen, maussade. Mais j'y pense... Ce peut être dangereux pour vous, Fred.

_____

1. *Food and Drug Administration*

Et si les échantillons que vous vous apprêtez à examiner vous explosent à la figure ?

— Je suis certain que ça n'arrivera pas, déclara ce dernier d'un ton catégorique. Je suis prêt à miser ma réputation là-dessus.

— Il est question de votre vie, insista Ashcroft. Et quelles que soient vos certitudes, nous devons veiller à la sécurité de notre personnel.

— Olivia a raison, acquiesça Hagen.

— Mais cela implique d'interrompre la production, renchérit Leary, et, par conséquent, le traitement de centaines de patients. Sans parler du vent de panique qui va souffler sur l'usine, quand nos employés vont apprendre le danger qu'ils courent à travailler ici. Ce serait signer l'arrêt de mort de Hagen Pacing.

— Au risque de vous surprendre, déclara Schwartz, le fait qu'il n'y ait eu que deux morts risque grandement de nous faciliter la tâche. Dans la mesure où nous disposons d'éléments suffisants pour les faire analyser par nos ordinateurs, le problème peut rester très limité... si le problème est vraiment de notre ressort.

— Comment cela ? s'étonna Hagen. Croyez-vous qu'il y ait la plus petite chance que ces décès ne soient pas imputables à des problèmes de fabrication ?

— J'en suis convaincu, répliqua Schwartz d'un ton catégorique. Tout simplement parce qu'aucun des composants ne peut provoquer une telle explosion.

— Les piles sont hautement combustibles, observa Leary.

— C'est la raison pour laquelle elles sont hermétiquement scellées. Depuis le temps que nous les utilisons, ces piles ne nous ont pas causé le moindre ennui ; et en ce qui me concerne, je sais que je peux examiner les échantillons en toute quiétude.

— Cependant, objecta Hagen, je tiens à ce que vous preniez quand même toutes les mesures de sécurité.

— Naturellement.

— Très bien, conclut le quinquagénaire. Jusqu'à plus ample information, je vais tenter de faire en sorte que cette affaire ne soit pas ébruitée. Inutile de vous dire que j'attends de vous trois la plus grande discrétion.

— Je n'en soufflerai pas un mot, acquiesça Leary, mais Schwartz devra se montrer extrêmement vigilant, c'est lui qui a le plus de contacts avec le personnel.

En entendant ces mots, Schwartz ne chercha pas à cacher sa rancœur :

— Vous croyez peut-être que je ne suis pas conscient des conséquences que pourrait avoir une fuite ?

— Allons, messieurs, intervint Hagen, conciliant, essayons de garder notre calme.

Olivia se leva la première.

— Je rentre me changer, à moins que vous ayez besoin de moi, Fred. Je sais que vous préférez travailler seul, mais deux paires d'yeux valent quelquefois mieux qu'une seule.

— Merci, sourit Schwartz, si j'ai besoin d'aide, je ne manquerai pas de vous le faire savoir.

— Si vous n'y voyez pas d'inconvénient, j'aimerais vous dire deux mots en particulier, Al.

— Naturellement... Alors, que se passe-t-il, Howard ? demanda Hagen après que Schwartz et Ashcroft eurent quitté la pièce.

— Croyez-vous qu'il soit vraiment à la hauteur de la tâche ?

— Vous voulez parler de Schwartz ? Naturellement ; plus que quiconque.

— Je sais que vous le tenez pour une sorte de magicien, et que depuis qu'il est parmi nous, nous n'avons pas connu le moindre problème, expliqua Leary sans cacher son scepticisme. Mais regardons les choses en face : tout le système était déjà parfaitement rodé bien avant son arrivée ; et s'il n'a jamais connu de problème, c'est bien grâce à cela.

— À cet instant, Howard, rétorqua Hagen d'un ton crispé, je ne suis plus sûr de rien, sauf que je crois très bien connaître Schwartz et tout ce que Hagen Pacing représente pour lui.

— Je crois que cette réflexion s'applique à nous tous, lança

Leary d'un air désabusé. Peut-être suis-je simplement un peu jaloux de lui. Il y a encore quelques années, c'est à moi qu'aurait échu cette enquête, et accepter de se faire évincer dans une tâche n'est pas toujours facile.

— Schwartz n'a sans doute pas votre flair, Howard, ni même vos compétences, dit Hagen sur le mode aimable, mais admettez avec moi que c'est l'homme le plus minutieux et le plus conscencieux que nous puissions espérer.

— Ainsi, vous entendez le laisser mener cette enquête sans aide extérieure ?

— Oui, pour le moment du moins. Dieu sait qu'il y a déjà trop de monde au courant de cette sombre histoire. Dans les heures à venir, j'ai l'intention de convaincre la police de Boston et de Chicago ainsi que les familles des victimes que nous remuons ciel et terre pour élucider cette affaire.

— Ça ne va pas être facile, Al.

— Prions le ciel que j'y parvienne, parce que dans le cas contraire, nous allons vivre un véritable enfer.

— Je vois ça d'ici, fit Leary.

8

Le samedi 9 janvier

Au département de police de Chicago, les plaisanteries étaient monnaie courante, tout comme aller boire un verre avec les collègues à la fin de son quart. Mais après que le lieutenant Joseph Duval eut à lui tout seul arrêté le tueur pyromane connu sous le nom de *la torche inhumaine,* rares étaient ceux qui se gaussaient de ses intuitions. Il arrivait, bien sûr, qu'on le taquinât sur sa maigreur malgré son solide appétit, ou sur le fait qu'une bière suffisait à l'enivrer. Tout le monde s'accordait cependant à dire que son opiniâtreté et son flair inspiraient le respect.

Quand, la veille, il s'était rendu à la Hagen Pacing, il n'avait pas fallu plus de dix minutes pour que son sixième sens, qui, en général, se manifestait par un picotement le long de la moelle épinière, l'avertît que l'affaire n'était pas seulement d'importance, mais aussi d'une extrême gravité.

— Je déteste les scientifiques, confia-t-il le lendemain à Jackson. On dirait qu'ils vivent sur une autre planète. Nous avons deux cadavres, la poitrine déchiquetée par des stimulateurs cardiaques de leur fabrication, et tout ce qu'ils trouvent à dire c'est que cela ne se peut pas.

— C'est ce que prétend Al Hagen, corrigea Jackson.

— Pourtant, c'est bel et bien arrivé. Une pomme, ça ne peut pas exploser, non plus. Mais si un rapport dûment établi par des personnes compétentes me dit qu'elle s'est désintégrée, j'y crois sans hésiter. Eh bien, pas ces gens-là, avec tous leurs calculs et leurs listes de composants...

— Des composants censés prouver qu'une explosion est impossible...

— Ce qui signifie que soit ils se trompent, et qu'il s'est produit une réaction chimique qu'ils n'avaient pas envisagée...

— Impossible, selon Hagen.

— ...soit, poursuivit Joe, que ces deux stimulateurs n'étaient pas comme les autres.

— Évoqueriez-vous la possibilité d'un sabotage, Duval ?

— Je parle d'homicide.

— Donc de bombes que l'on aurait placées dans la poitrine de ces pauvres gens.

— On peut dire ça comme ça.

— Ça reste à prouver.

— En effet.

— Je préférerais que vous vous trompiez, Duval.

— Moi aussi, chef.

— Mais vous ne le pensez pas.

— Non.

— Mon Dieu...

— La seule chose dont ils semblent être sûrs, c'est que ces appareils ont été fabriqués depuis plusieurs mois, annonça Joe. Le responsable de la qualité, un certain Schwartz, jure que le personnel de l'usine est à l'abri de tout soupçon.

— De son côté, Hagen demande qu'on lui laisse un peu de temps, ajouta Jackson.

— Et combien de temps peut-on leur accorder, chef ? Voilà presque une semaine que Long est décédé.

Les deux hommes se turent. Il n'était pas rare qu'un grand calme régnât dans le bureau lambrissé de bois sombre du commandant. Avec les diplômes et les photographies accrochés au mur, son atmosphère contrastait violemment avec le brouhaha du grand espace paysager dans lequel s'activaient secrétaires et policiers. Toujours tiré à quatre épingles, Isaiah Jackson détestait le bruit, et concevait une véritable aversion pour les gens qui tentaient de lui tenir tête en parlant plus fort que lui, et en dépit de sa voix forte et profonde, il était réputé clouer le bec de n'importe qui d'un simple murmure.

— Faites-vous confiance à Hagen ? demanda Joe.

— Je ne l'ai jamais rencontré, mais j'ai bien connu William Howe. Tenez, c'est lui, ajouta le commandant en montrant une photographie accrochée au mur et sur laquelle on le voyait en compagnie d'un personnage de haute taille. S'il était encore en vie, à l'heure qu'il est, je ne donnerais pas cher de la peau de Hagen.

— Les gens de chez Hagen sont inquiets quant aux réactions de Sean Ferguson. Saviez-vous qu'il était journaliste indépendant ?

— Oui, et je partage leurs inquiétudes.

— Sans doute, surtout en sachant quel tollé il risque de provoquer en écrivant son article. Mais au cours de mon entretien avec Howard Leary, le directeur de la production, j'ai eu la nette impression qu'il tenait plus que tout autre à ce que le scandale soit évité à tout prix.

— Je crois comprendre que vous ne le portez pas dans votre cœur...

— C'est un personnage d'une arrogance extrême, mais je crois qu'il a probablement raison. Il faut tenir la presse à l'écart de cette sombre affaire.

— Si ce que vous dites est vrai, cela fait de lui le suspect numéro un.

— Pas plus que toutes les personnes employées à la Hagen Pacing. Mais vous, qu'en pensez-vous, commandant ? Doit-on faire intervenir la brigade des explosifs et boucler l'usine ?

— Hagen et Schwartz demandent qu'on leur laisse un peu de temps.

— Je crois que nous n'avons pas le choix, surtout si nous voulons garder l'affaire sous le manteau. Après tout, ce sont eux les experts, fit Joe avant de se reprendre : Et si, tout en leur accordant le reste du week-end, nous entamions discrètement notre enquête ? Nous pourrions les aider, tout en gardant un œil sur eux.

— Que vous faut-il ? demanda alors le commandant.

— Je voudrais pouvoir me promener librement dans l'usine aujourd'hui et demain. Ensuite, dès lundi, nous pourrions approfondir nos recherches en agissant sous le couvert d'un quelconque service d'inspection gouvernemental. Je vois très bien Lipman dans le rôle de l'experte, si elle est disponible.

— J'en toucherai deux mots au chef Hankin, puis j'appellerai Hagen pour le mettre au courant.

— Seules le seront les personnes concernées, poursuivit Joe : Leary, Olivia Ashcroft et Schwartz. Schwartz m'a fait excellente impression. Il était trop occupé pour que nous ayons un véritable entretien, mais j'ai le sentiment qu'il prend cette affaire très à cœur.

— Et Ashcroft ?

— Elle était absente.

— Et que pensez-vous de Hagen ?

— Il me fait penser à un de mes anciens professeurs. De prime abord, on peut dire qu'il se fait énormément de souci, et pas seulement à cause de son affaire.

Le commandant scruta son lieutenant d'un regard perçant :

— Vous savez, Duval, tout ceci n'est peut-être qu'un affreux accident.

— Plaise à Dieu que vous ayez raison, monsieur.

— Mais ce n'est pas ce que vous dit votre fameuse intuition, n'est-ce pas ?

Joe sourit et se leva pour se retirer.

— Non, mais, fort heureusement, je ne suis pas infaillible.

9

Le dimanche 10 janvier

Après que Chris Webber eut raccompagné Katy à l'école, le vendredi matin, Lally avait trouvé sa maison étonnamment vide. Afin de pouvoir échanger quelques mots avec sa fille, le peintre était arrivé tôt, et Lally avait trouvé leur conversation terriblement poignante.

— Maman va très bien, ce matin, avait-il commencé. Mais nous savons bien toi et moi qu'elle peut encore tomber malade, et je pense qu'il est temps qu'elle suive un traitement approprié.

— Mais maman n'est pas vraiment malade, n'est-ce pas, papa ? avait argué Katy. Ça lui arrive seulement quand elle a trop bu.

— C'est justement ça, sa maladie, Katy, expliqua Webber, le regard brouillé de détresse. Nous en avons déjà parlé, t'en souviens-tu ?

— Oui, répondit Katy. Même qu'il y a des gens qui tombent gravement malades, et d'autres qui peuvent devenir fous.

— D'habitude, continua Webber, c'est pénible pour la famille, mais rien de plus. Mais pour certains, l'alcool peut changer leur personnalité du tout au tout. Des gens très normaux et très gentils peuvent tout à coup devenir très méchants.

— Comme maman, ajouta la petite fille.

— Exactement.

— Mais alors, comment va-t-on faire pour la guérir, papa ? Est-ce que les médecins ont des médicaments pour ça ?

Webber prit la main de sa fille.

— Être alcoolique, ce n'est pas comme avoir la grippe ou la varicelle, Katy. Il est fort possible que maman doive rester à l'hôpital un certain temps.

— Combien de temps ?

— Je ne le sais pas encore.

— Deux jours ?

— Plus que ça, je le crains.

— Une semaine entière ?

— Peut-être un peu plus. Mais tu pourras la voir très souvent, s'empressa d'ajouter l'homme en voyant l'air chagrin de sa fille. La guérison de maman vaut bien quelques sacrifices, ne crois-tu pas ?

— Je crois... hésita la petite fille.

Restée seule, Lally s'était occupé l'esprit en confectionnant des gâteaux pour le café, mais le cœur n'y était pas. Il arrivait souvent à Hugo de passer la nuit avec ses amis, et Lally se faisait un devoir de se suffire à elle-même. Mais après les péripéties de la veille, un climat d'intimité inattendu s'était installé entre elle et ses hôtes. D'eux, elle ne savait que peu de chose, et pourtant, elle ne pouvait le nier qu'à son corps défendant, leur problème était aussi devenu le sien.

Le voulait-elle vraiment ? se demandait-elle en pétrissant sa pâte. La réponse n'était pas aussi simple. L'idée qu'une enfant de dix ans fût exposée aux exactions d'un adulte, fût-il sa mère, l'exaspérait. Ce n'était pas non plus sans répugnance qu'elle avait pris acte de l'éthylisme avancé d'Andrea, et du désarroi de son mari. Pourtant, elle devait bien admettre que les moments passés avec l'enfant et son père lui avaient semblé agréables et, pour être tout à fait honnête, l'idée que Chris ne se fît plus d'illusions sur son mariage ne lui avait pas déplu, même s'il s'était gardé d'en souffler mot à sa fille le lendemain matin.

Soudainement rongée de culpabilité, Lally s'ébroua mentalement. Il n'y avait rien entre elle et Chris Webber, et quand même elle aurait perçu quelque attirance pour lui, il n'existait pas le plus petit signe lui permettant de penser que c'était réciproque.

L'homme avait assez de préoccupations sans qu'il lui fût nécessaire de s'en créer d'autres. De surcroît, en ce qui concernait le ménage des Webber rien n'était changé, du moins en apparence. Et ne valait-il pas mieux pour Katy que sa famille fût sauvée du naufrage ?

« C'est certainement ce que pense Katy, songea Lally, et c'est ce qui importe le plus. »

Cet après-midi-là, personne ne vint la voir à la fin des classes ; et Lally, qui n'avait donné qu'un cours le matin, avant de se rendre directement au *Hugo's,* devait admettre en son for intérieur sa déception que Chris ne lui eût pas téléphoné pour la tenir au fait des événements. Peut-être regrettait-il de s'être ainsi ouvert à une étrangère, s'était-elle dit ; car c'est bien ce qu'elle était pour lui : le professeur de danse de sa fille qui, en mettant son nez dans les affaires d'autrui, en avait appris plus qu'elle n'en demandait.

Reste que Chris téléphona vers vingt et une heures, le soir même, alors que Lally et Hugo regardaient un vieux film à la télévision.

— Désolé de vous déranger si tard, hésita-t-il, mal à l'aise, je viens à peine de coucher Katy.

— Il ne fallait pas vous sentir obligé, répondit poliment Lally. J'ai eu grand plaisir à garder votre fille, ajouta-t-elle, consciente de ce qu'à quelques pas de là, Hugo n'en perdait pas une miette.

— Je voulais quand même vous dire ce qui s'était passé, ajouta Chris.

— Ce n'était pas la peine, réitéra Lally malgré le regard réprobateur d'Hugo, à moins que je puisse encore faire quelque chose pour elle, ce dont je serais ravie, sinon...

— À moins que cela ne vous dérange... hasarda Webber.

— Non, bien sûr que non.

— Parce que pour être franc, vous parler m'a fait beaucoup

de bien. C'est à peu près la seule chose sensée que j'ai accomplie dans la journée.

Ainsi, Chris apprit à Lally qu'il avait réussi à persuader Andrea de suivre une cure de désintoxication dans une clinique de Springfield. Bien qu'il ne s'étendît pas sur la façon dont il s'y était pris, Lally en conclut que sa nuit avait dû être un vrai cauchemar. Après cela, l'homme lui demanda de ses nouvelles, et bien que la conversation se terminât sur une note chaleureuse, Lally fut convaincue de s'être méprise sur le climat particulier de la soirée de la veille. Il n'y avait rien entre eux, et probablement n'y aurait-il jamais rien.

— Attention, Lally, fit Hugo après qu'elle eut raccroché.
— Attention à quoi ?
— Tu le sais bien.
— Vraiment ?
— J'en suis persuadé.

Ce fut le seul commentaire d'Hugo, quoique Lally sût qu'il lisait en elle comme dans un livre ouvert. Phénomène plus aggravant, les mises en garde d'Hugo se révélaient habituellement justifiées. Souvent, elle lui reprochait sa méfiance excessive, surtout en ce qui avait trait à la nature humaine. Au demeurant, Hugo restait son meilleur ami, plus fidèle que toutes les personnes qu'elle avait connues, à l'exception de son frère Joe. Aussi accordait-elle à ses conseils plus d'importance qu'elle ne voulait le laisser croire.

Pour tout dire, Chris Webber était un homme aimable, qui éprouvait désespérément le besoin de se confier à quelqu'un. Lally ne pouvait se cacher que s'il l'avait choisie, elle, c'était uniquement par un concours de circonstances. Elle avait accompli ce que lui dictait sa conscience, mettre un terme au cauchemar d'une enfant. Andrea était en de bonnes mains, à présent. Avec un peu de chance, elle guérirait très vite et rejoindrait bientôt sa famille.

À présent, par cette grise matinée de samedi, Lally devait reconnaître que Chris et Katy Webber étaient le moindre de ses soucis. Ses vertiges l'avaient reprise, le premier au lever, le second, moins d'une demi-heure plus tard au pied de l'escalier. Hugo, qui sortait de la cuisine, faillit en lâcher sa tasse de café. Puis, ignorant ses protestations, il la souleva dans ses bras et l'allongea sur le divan du salon.

— Je ne bougerai pas d'ici tant que tu ne me diras pas depuis combien de temps tu as ce genre de malaise, déclara-t-il péremptoirement.

— Ce n'est rien, fit-elle, trop faiblement cependant pour qu'il la crût.

— Fadaises...

— Voilà qui n'est pas très aimable, surtout pour un dimanche matin.

Hugo était en robe de chambre. Avec ses cheveux tombant sur les épaules, sa maigre silhouette et son nez en bec d'aigle, on aurait dit un personnage biblique.

— Je n'ai pas envie d'être aimable, rétorqua-t-il, surtout quand la personne qui m'est chère perd connaissance.

— A *failli* perdre connaissance, corrigea Lally, mais elle se sent déjà beaucoup mieux.

— Peut-être bien, mais tu viens d'admettre que ce n'est pas la première fois ; et je veux savoir pourquoi diable tu ne m'en as rien dit.

— Parce que je savais que tu en ferais une affaire d'État, répliqua Lally en faisant mine de se lever.

— Je te conseille de ne pas bouger... Si tu ne me dis pas immédiatement de quoi il retourne, je téléphone au Dr Sheldon.

— D'accord, d'accord, je vais te le dire, mais il n'y a pas matière à t'inquiéter. Il s'agit de simples étourdissements ; j'ai dû attraper je ne sais trop quel virus.

— T'est-il arrivé de perdre complètement connaissance ? voulut savoir Hugo.

— Non.

— C'est sûr ?

— J'ai dit non.

— Combien de fois as-tu déjà eu ce genre de malaise ?

— Écoute, Hugo, si tu me laissais parler, je pourrais peut-être tout te raconter d'une seule traite.

Cinq minutes plus tard, Hugo téléphonait quand même à Charlie Sheldon, insistant pour qu'il reçût Lally sur-le-champ ; et bien qu'il parût très calme, le fait que Lally n'émît aucune protestation ne fit qu'ajouter à son angoisse.

Le cauchemar commença environ un quart d'heure après que le praticien eut commencé à l'examiner. Âgé de soixante-trois ans, peut-être plus, Sheldon se singularisait par ses costumes de coupe ancienne, la rareté de ses cheveux blancs, et l'odeur de pipe qui s'exhalait de sa personne. Son air pensif trahissait l'homme peu enclin aux décisions hâtives et aux diagnostics prématurés. Mais ce matin-là il apparut à Lally plus pensif qu'à l'accoutumée, lâchant à peine un grognement ou deux, tandis qu'il prenait sa tension artérielle, lui examinait les yeux et les oreilles, qu'il auscultait son cœur et ses poumons, vérifiait ses réflexes et prenait son poids. À l'issue de cela, il lui fit une prise de sang et l'envoya dans la salle de bains pour un prélèvement d'urine.

Le praticien était au téléphone quand elle réapparut. Quelques instants lui furent nécessaires pour comprendre que le rendez-vous qu'il prenait dans l'heure pour une série d'analyses la concernait.

— Que se passe-t-il, Charlie ? s'inquiéta-t-elle.

— J'ai simplement demandé à ce qu'on procède à certaines analyses.

Retirant ses lunettes, le Dr Sheldon se massa longuement l'arête du nez.

— J'ai entendu, insista-t-elle en cherchant le regard de l'homme. Mais pourquoi tant de hâte, Charlie ? Et pourquoi toutes ces analyses ?

— Je suis inquiet, Lally, répondit-il enfin. À d'autres patients je dirais que ces malaises sont le fait d'hypertension, mais je te connais depuis trop longtemps pour ça.

— Alors ?

— Alors, je vais être franc : les battements de ton cœur ne me plaisent pas du tout.

— Que se passe-t-il ? s'inquiéta brusquement Lally.

— Je ne peux rien affirmer encore ; c'est pourquoi j'ai demandé ces analyses, d'accord ?

— Pas réellement...

— Je te ferai parvenir les résultats.

— C'est vous le médecin, Charlie, se résigna Lally avec un haussement d'épaules fataliste.

Hugo, qui l'avait accompagnée, devint livide quand Lally lui apprit qu'elle se rendait directement à l'hôpital Taylor-Dunne de Holyoke pour y subir une batterie de tests.

— Tout de suite ? s'étonna Hugo, cependant que, du seuil de son bureau, Sheldon lui adressait un signe d'acquiescement.

— Je crois que Charlie en a assez de travailler le dimanche, tenta de plaisanter Hugo.

— Non, le reprit gravement le vieux médecin, j'essaie de m'acquitter de ma tâche du mieux que je peux en éclaircissant certains points.

— Quels points ? voulut savoir Hugo.

— Il ne te le dira pas, intervint Lally en s'accrochant au bras de son ami. C'est un médecin, il a travaillé des années pour savourer des moments comme celui-ci ; cela lui permet de faire croire qu'il sait des choses, alors qu'en fait il ne sait rien du tout.

— Qu'avez-vous à répondre à cette tirade, Charlie ? se moqua gentiment Hugo.

— De vous rendre simplement à Holyoke. Ils sont trop occupés là-bas, pour recevoir en plus des gens qui arrivent en retard à leur rendez-vous.

Alors qu'ils regagnaient leur voiture, Lally remarqua une lueur apeurée, à peine voilée, dans le regard d'Hugo et se rappela aussitôt la phobie qu'il éprouvait pour les hôpitaux depuis son accident.

— Et si j'y allais en taxi ? proposa-t-elle.

— N'y compte pas.

— Écoute, Hugo, fit-elle, espérant lui faire entendre raison. Je suis certaine qu'il n'y a pas matière à s'inquiéter. Tu ferais mieux d'aller ouvrir le café. À quoi bon un associé s'il ne s'occupe pas de la bonne marche des affaires quand on est malade ?

— Belle tentative, Lally.

— Peut-être que j'aime mieux m'y rendre toute seule...

— Non, je ne le crois pas.

Lally s'abandonna contre l'épaule de son ami.

— Tu as raison, murmura-t-elle, je préfère que tu m'accompagnes.

Lally subit un examen comme cela ne lui était jamais arrivé de toute sa vie. Après qu'on lui eut posé une foule de questions, elle se soumit à une nouvelle prise de sang, à un scanner du cerveau, ainsi qu'à un électrocardiogramme au cours duquel on lui appliqua des électrodes à la poitrine, aux chevilles et aux poignets. On procéda également à un examen radiologique du torse et de la colonne vertébrale, ainsi qu'à un test calorifique consistant à lui remplir momentanément le canal auriculaire d'eau, et à vérifier ses réflexes oculaires au cas où elle souffrirait de labyrinthite. Malgré la gentillesse et l'attention des spécialistes, efficaces et rassurants à la fois, Lally ne s'était jamais sentie aussi seule et apeurée. Elle regrettait d'avoir dit à Hugo de rester dans la salle d'attente ; sa main secourable lui aurait fait le plus grand bien. C'est à quoi elle songeait quand s'imposa à son esprit le visage de Chris Webber, son regard d'un bleu profond comme l'océan, ses cheveux blonds et bouclés, son nez fort et droit. Elle se complut quelques instants dans la contemplation imaginaire de cette image, jusqu'à ce qu'elle s'en allât comme elle était venue, jusqu'à ce qu'elle fût seule à nouveau, et c'était très bien comme ça.

Rien à signaler au cerveau ni ailleurs, sauf en ce qui concernait le cœur, ainsi que le craignait le Dr Sheldon. Malgré ses protestations, Lally fut installée dans un fauteuil roulant et conduite jusqu'au bureau du Dr Lucas Ash, cardiologue, où elle attendit environ trois quarts d'heure qu'il eût terminé la tournée de ses malades.

— Désolé, fit-il en entrant.

— Il n'y a pas de quoi, répliqua Lally.

Le cardiologue n'était pas encore installé à son bureau qu'elle le regardait déjà avec fascination. Blond, quarante-cinq ans tout au plus, elle le trouvait presque trop beau, avec ses yeux d'un bleu violacé, son nez grec et sa peau si parfaite qu'on aurait cru à un masque de cire.

— Voulez-vous m'excuser le temps que je consulte votre dossier ? fit-il avec un sourire désarmant.

Immobile sur son siège, Lally le vit se pencher sur le dossier en mettant de temps à autre des lunettes pour les retirer aussitôt, comme pour prouver qu'il était réellement cardiologue, et non un médecin de comédie.

Elle n'eut pas à attendre bien longtemps qu'il lui fît part de son diagnostic. Le Dr Ash l'ausculta quelques instants, prit sa tension artérielle, vérifia ses antécédents familiaux, après quoi il lui demanda de façon claire et intelligible si elle avait absorbé une drogue quelconque au cours des dernières semaines.

— Pas même un comprimé d'aspirine, dit Lally.

— Bien.

Elle attendit, les yeux rivés sur la fenêtre du bureau. Il neigeait encore. Les jardins de l'hôpital, le monde entier semblaient se fondre sous un épais voile gris.

— Vous souffrez de bradycardie. En clair, cela signifie simplement que votre rythme cardiaque est anormalement bas. Cela arrive en cas de baisse de tension artérielle, d'où perte d'énergie, faiblesse et étourdissements. Vous a-t-on déjà parlé d'arrêts cardiaques ?

Lally fit signe que non. Elle avait les mains glacées.

— En termes simples, il s'agit d'une interruption ou d'un blocage du passage du sang dans votre cœur. Les contractions des oreillettes et des ventricules ne sont pas correctement synchronisées, et si, dans certains cas, le problème n'est que partiel, dans le vôtre, il s'agit d'un blocage cardiaque. Mais je vous rassure tout de suite : ce n'est pas aussi alarmant qu'il y paraît.

— C'est quand même sérieux ? s'enquit Lally d'une petite voix.

— Très sérieux. Sans traitement, vous pourriez avoir un arrêt cardiaque.

— Voulez-vous dire que cela pourrait m'être fatal ?

— Seulement si nous ne faisons rien.

— Je n'arrive pas à y croire, articula lentement Lally. Je suis danseuse ; je fais constamment de l'exercice, et j'ai toujours eu de l'énergie à revendre. Je me considère comme une personne robuste.

— Depuis quelque temps, pas si robuste que ça, corrigea Ash.

— C'est vrai. Mais cela ne pourrait-il être causé par un de ces étranges virus qui courent en ce moment ? Aucun membre de ma famille n'a jamais connu de problème cardiaque, du moins à ma connaissance.

— Vos parents sont morts jeunes dans un accident, objecta Ash, et je doute que, de leur vivant, les maladies cardiaques aient été un fréquent sujet de conversation. Ça ne l'est jamais, d'ailleurs, jusqu'à la première alerte.

— Et c'est le cas aujourd'hui...

Lally sentait la peur lui nouer les entrailles. Tout à coup, elle eut envie de pleurer comme une enfant, de se blottir dans les bras de quelqu'un qui la rassurerait en lui disant que tout va bien.

— Mais il n'y a pas lieu de s'inquiéter, mademoiselle Duval, reprit le médecin. Il n'y a problème que si nous ne prenons pas les mesures qui s'imposent.

— Et en quoi consistent-elles ?

— À implanter un stimulateur cardiaque dans votre poitrine.

— Un pacemaker ?

Le petit soulagement qu'elle éprouva en apprenant qu'elle n'était pas à l'article de la mort fut en un instant balayé par des images de cœur artificiel. Elle s'imagina sur son lit de douleur entourée de tubes et d'appareils, imagina Hugo la poussant dans un fauteuil roulant jusqu'au studio de danse où elle annoncerait à ses élèves que les cours n'auraient plus lieu, et qu'ils ne devaient surtout pas s'inquiéter de son sort... La voix du praticien la ramena sur terre :

— Que savez-vous des stimulateurs cardiaques ?

— Pas grand-chose, je crois, bredouilla-t-elle en rosissant. J'en ai entendu parler, bien sûr, mais je n'ai jamais connu de personne qui en avait un.

— Quelle taille croyez-vous que cela peut avoir ?

Lally haussa les épaules.

— La grosseur d'une orange ?

Avec un sourire bienveillant, le médecin ouvrit un tiroir.

— Voici un pacemaker tel qu'il se conçoit aujourd'hui, déclara Ash en exhibant un boîtier pas plus grand qu'une boîte d'allumettes. Étonnant, n'est-ce pas ? Tenez, soupesez-le. Ça ne pèse presque rien.

— C'est étonnant, bredouilla Lally, partagée entre la surprise et la crainte. Et c'est ce genre d'appareil qu'on va fixer sur mon cœur ? Comment pourrai-je bouger avec ça dans le corps ?

— Très aisément, croyez-en mon expérience.

Après s'être emparé d'un objet au fond d'un tiroir, le cardiologue alla prendre un livre sur une étagère et, d'un geste, invita Lally à prendre place sur un sofa.

— Asseyez-vous, Lally – car c'est bien ainsi que l'on vous appelle, n'est-ce pas ? – et écoutez-moi attentivement. Au moment où l'on a commencé à implanter des stimulateurs cardiaques, voici le genre d'objet que l'on greffait aux patients. Allez-y, prenez-le.

Tendant machinalement la main, la jeune femme s'empara de l'objet. Il était environ sept fois plus grand que le premier.

— Il semble si lourd, fit-elle, abasourdie.

— Pourtant, la première personne à qui l'on a implanté cet appareil est toujours en vie.

— Vraiment ? s'étonna Lally, manifestement soulagée.

— Et quand vous saurez le niveau de perfectionnement qu'ont atteint ces appareils au cours des trente dernières années, vos dernières craintes seront, j'en suis sûr, dissipées.

— Peut-être... fit Lally sans conviction.

Lucas contempla sa patiente d'un air attendri.

— Je comprends votre anxiété, Lally. Les symptômes dont vous souffrez en effraieraient plus d'un. En l'espace de quelques heures, on vous a fait subir toute une série d'examens, et voilà que débarque devant vous quelqu'un qui vous est parfaitement étranger et qui vous annonce que vous souffrez de sérieux troubles cardiaques.

— Mais que ma vie n'est pas en danger, c'est bien cela ?

— Tout à fait, acquiesça le médecin en récupérant le stimulateur. Et cependant, vous êtes toujours effrayée.

Lally opina de la tête.

— Dans ce cas, la seule façon de faire disparaître cette crainte, c'est de vous expliquer la manière dont nous allons procéder.

— Quand cela ?

— Tout de suite.

— Vous voulez dire... aujourd'hui ?

— En effet, sourit Ash. C'est une intervention relativement simple, Lally, et non pas une vraie chirurgie. Il n'y aura même pas d'anesthésie générale. Après quelques jours de repos à l'hôpital, vous pourrez rentrer chez vous et reprendre une vie normale.

— Normale, jusqu'à quel point ?

— Normale, tout à fait normale.

— Mais selon quels critères ?

— Aucun.

— Même pour une danseuse ?

— Écoutez-moi bien, Lally, fit le médecin en se penchant

vers la jeune femme, je n'ai pas l'habitude de mentir à mes patients, d'accord ?

— D'accord, répéta piteusement Lally.

— Pendant les deux ou trois jours qui suivront l'intervention, vous éprouverez quelques douleurs à la poitrine, juste au-dessus du sein gauche, là où l'on aura pratiqué l'incision. Étant droitière, vous devrez également faire attention à vos gestes durant une semaine, bien que, le temps passant, vous aurez sûrement envie d'esquisser quelques pas de danse. Et après cela, si tout va bien, vous pourrez reprendre vos activités exactement là où vous les avez laissées.

— Qu'entendez-vous par « si tout va bien » ? demanda-t-elle précipitamment.

— Rien de bien grave, croyez-moi. Il arrive que quelques réglages soient nécessaires de sorte que l'appareil fonctionne parfaitement bien, et sans le moindre risque.

— Vous en parlez comme si c'était une affaire de rien du tout.

— Ça l'est.

— Mais est-il bien nécessaire que ce soit fait aujourd'hui ? C'est que j'ai des responsabilités, mon cours de danse, le café. Hugo et moi (Hugo c'est l'ami qui m'a conduite ici) possédons un café, à West Stockbridge ; il compte sur moi pour faire les pâtisseries et...

— Je suis certain qu'Hugo s'en tirera très bien tout seul.

— Peut-être, mais...

— Il n'y a pas de mais, l'interrompit brutalement le cardiologue. Nous devons procéder immédiatement, Lally. Il est probable que dans le cas contraire, tout peut très bien aller. Mais à quoi bon courir des risques inutiles ?

— Vous pensez que je pourrais avoir une crise cardiaque ?

— Je veux dire que, en mettant les choses au pire, vous pourriez y laisser la vie, ce qui serait, vous me l'accorderez, bien dommage, n'est-ce pas, sachant qu'un stimulateur cardiaque réglerait le problème sur-le-champ.

Lally resta un instant silencieuse, puis déclara :

— D'accord.

— Avez-vous bien compris ce que je viens de vous expliquer ?

— Je crois.

— Si vous désirez un autre avis que le mien, je n'y vois pas d'objection. Je peux faire appel à un de mes collègues pour confirmer mon diagnostic.

— Je n'en ai pas besoin, répondit Lally, j'ai confiance en vous.

— Confiance en lui ? s'insurgea Hugo, pâle comme un linge, après qu'elle l'eut rejoint dans la salle d'attente.

— Oui, et, plus important, il a aussi la confiance du Dr Sheldon.

— Et tu n'as pas l'intention de demander une confirmation de son diagnostic ?

— Non, ce n'est pas nécessaire, fit posément Lally. D'une certaine façon, il n'a fait que confirmer les craintes qu'éprouvait le Dr Sheldon à mon égard.

— Mais pourquoi tout de suite, maintenant ?

— Parce qu'il est inutile que je risque plus longtemps une crise cardiaque.

— Ne dis pas des choses comme ça ! regimba Hugo.

— Seulement si tu me promets de ne plus t'inquiéter, sourit faiblement Lally. Tout ira bien, Hugo, tu verras.

Hugo la contemplait d'un regard plein de tendresse mâtinée d'effarement.

— Mais toi, tu n'as pas peur ?

— Qu'est-ce que tu crois ?

— Je ferais mieux de prévenir Joe.

— Non, objecta Lally.

— Tu dois le prévenir.

— Non, répéta-t-elle en secouant la tête avec véhémence. Joe en a bien assez comme ça avec Jess et le bébé. La situation aurait été différente si l'intervention s'était passée la semaine prochaine.

— C'est quand même ton frère, Lally, insista Hugo. Il a le droit de savoir.

— Et moi, j'ai celui de ne pas l'inquiéter inutilement, rétorqua la jeune femme, inébranlable. Et je t'interdis de lui téléphoner, Hugo. Un policier inquiet est un policier vulnérable, c'est lui-même qui me l'a dit, et je ne tiens pas à me ronger les sangs pour lui. Promets-moi de ne pas le prévenir.

— Si c'est ce que tu veux. Mais je ne suis toujours pas d'accord.

— Promets, Hugo.

— Très bien, tu as ma promesse, céda Hugo, pour proposer, après un instant de réflexion, et si je restais près de toi pour te tenir la main ?

— Pour te voir perdre connaissance en plein milieu de l'inter-vention ? Non, merci, rétorqua Lally d'un ton léger. Je veux que l'attention de Lucas Ash me soit totalement dévolue.

— Tu sais très bien que je ne m'évanouirai pas.

— Peut-être pas, mais je ne crois pas que le spectacle te plaira, et tu as mieux à faire que de t'apitoyer sur moi.

— Tu me parles comme si j'étais une mauviette...

Lally entoura de ses bras le cou de son ami.

— Tu es tout sauf une mauviette, Hugo. Tu es fort, sensible, merveilleusement masculin, et je ne sais pas ce que je devien-drais si je ne t'avais pas.

Pour toute réponse, Hugo rougit violemment.

Le processus commença à seize heures. Lally fut conduite en fauteuil roulant dans le service de cardiologie, pleinement cons-ciente et aussi informée que possible de ce qui l'attendait. Que Charlie Sheldon se fût déplacé jusqu'à Holyoke pour venir la voir lui avait procuré une manière de soulagement. Sheldon n'était pas un menteur. Quand il disait que l'implantation d'un stimulateur cardiaque n'était pas une partie de plaisir, mais n'était guère plus terrible que de se faire arracher une dent, Lally inclinait à le croire. Et puis, elle faisait confiance à Lucas Ash, même s'il était trop beau pour être réel. Deux autres personnes se trouvaient aussi dans le laboratoire.

— Bonjour, Lally, je m'appelle Joanna King, dit la femme de couleur au corps de déesse venue lui serrer la main. Je suis radiologue, c'est moi qui vais contrôler l'implantation de votre appareil sur mon écran.

— Merci, bredouilla Lally, ne sachant trop que dire.

En dépit de sa blouse blanche, la femme ressemblait davantage à un mannequin parisien qu'à une radiologue, et Lally se demanda ce que cet endroit avait de particulier pour qu'il s'y rassemblât autant de ravissantes personnes.

— Et voici Bobby Goldstein, ajouta Ash en désignant un jeune technicien dont le visage poupin s'ornait de lunettes cerclées de métal. C'est Bobby qui va se charger du bon fonctionnement de votre appareil.

Manifestement occupé à quelque sombre besogne, ce dernier ne lui adressa qu'un signe de la main.

— Très bien, dit Lally d'une voix enrouée.

Assise dans son fauteuil roulant, mi-soulagée, mi-inquiète de n'avoir pas été amenée dans une salle d'opération traditionnelle, Lally rongea patiemment son frein. L'endroit était rutilant de propreté et, si l'on n'y voyait aucune table d'opération, elle nota, sous l'éclairage tamisé, la présence d'un chariot sur lequel s'alignaient des scalpels et autres instruments chirurgicaux. Fort heureusement, ne flottaient pas dans l'air ces remugles médicinaux qu'elle abhorrait. Qu'on détendît l'atmosphère en diffusant du Mozart, c'était bien joli, mais où se trouvait le matériel de réanimation, au cas où les choses tourneraient mal ?

Un stimulateur cardiaque, cela consiste en un petit générateur contenu dans un boîtier du genre de celui que le Dr Ash avait montré à Lally. Il comporte deux fils isolés destinés à acheminer les pulsions électriques jusqu'au cœur. À l'extrémité de ces fils se trouvent deux électrodes qui sont insérées dans l'oreillette droite, la cavité supérieure, et le ventricule droit, la cavité inférieure. À part la piqûre de l'anesthésie locale qui insensibiliserait le point d'entrée dans la poitrine, le Dr Lucas Ash avait assuré à Lally qu'elle ne ressentirait aucune douleur, juste quelques sensations inhabituelles, mais rien de bien significatif. L'incision se ferait sur la poitrine, non loin de l'aisselle gauche, et les fils seraient introduits dans la veine sous-clavière et, sous le contrôle de Joanna King, précautionneusement acheminés jusqu'à destination.

— Une fois que les deux électrodes seront à leur place, lui apprit Goldstein, je prendrai quelques instants la relève, et procéderai à quelques tests afin de m'assurer que l'appareil est parfaitement positionné et de procéder à quelques mesures.

— Et quand M. Goldstein aura terminé, enchaîna Ash, je relierai les deux fils au générateur. Après quoi, je ferai une légère incision sous votre sein gauche dans laquelle j'insérerai le boîtier. Une fois la suture achevée, l'appareil sera programmé exactement en fonction de votre corps...

— N'oubliez pas que je suis danseuse, l'interrompit Lally.

— Justement, comme je vous l'expliquais plus tôt, votre stimulateur se conformera exactement à vos besoins physiologiques. Voulez-vous que je vous explique à nouveau depuis le début ?

— Non, j'ai très bien compris.

— En êtes-vous sûre ? Il n'y a pas de hâte, je peux recommencer.

— J'en suis sûre, de cela, en tout cas...

— De quoi n'êtes-vous pas sûre ?

— Je ne suis pas sûre d'avoir eu raison de quitter mon lit, ce matin.

Lally ne croyait pas au mot « gêne ». Selon ses convictions, quand un médecin ou un dentiste utilisent ce mot, mieux vaut se préparer à souffrir. De même que lorsqu'ils affirment que cela va faire « un peu » mal, il faut s'attendre au pire.

Alors que commençait l'intervention, le Dr Ash s'évertuait à détendre Lally en lui parlant de Mozart, mais en vain : elle restait crispée sur son siège, les muscles tendus, la respiration haletante. Elle n'était pas de nature à transpirer, mais elle sentait la sueur ruisseler le long de son dos. Joanna King était trop à sa besogne pour remarquer l'expression de son visage, mais l'éclat terrorisé de son regard n'échappa pas à Goldstein qui, en attendant d'intervenir, vint s'asseoir auprès d'elle. Quand, saisie d'une étrange sensation, elle laissa échapper un gémissement, il lui prit aussitôt la main et la serra dans la sienne. À ce moment-là, pour la deuxième fois de la journée, le visage de Chris Webber apparut à l'esprit de Lally qui, durant de courts mais précieux instants, oublia les fils qu'on lui insérait jusqu'au cœur.

Tout fut réglé en moins d'une heure.
— C'est tout ! lança gaiement Ash.
— Est-ce que ça marche ?
— À la perfection.
— Pourquoi retenez-vous votre respiration ? demanda Goldstein.

Lally rougit et essaya de respirer normalement.
— Je vous avais bien dit que vous ne sentiriez rien, sourit le Dr Ash en lui tapotant la main, ni maintenant ni plus tard, Lally.
— Ça y est, tout est fini ? demanda-t-elle, sans oser y croire.
— Vous pouvez vous détendre, reprit Goldstein, votre cœur fonctionne parfaitement.
— Et il en sera ainsi pour les dix années à venir, ajouta le médecin. Et même après, la seule chose à faire sera de remplacer le petit boîtier, ce qui n'est pas une grande affaire.

Lally sentit son corps s'abandonner un peu, s'avisant dans le même temps de l'état de tension dans lequel elle s'était trouvée durant l'opération. Elle voulut soudain pleurer de soulagement et, à son grand désarroi, elle sentit basculer sur ses joues des larmes qu'elle effaça vivement du revers de la main.

— Tenez, servez-vous, lui dit Joanna King en lui tendant une boîte de mouchoirs en papier.

— Excusez-moi, larmoya Lally.

— Des tas de patients se mettent à pleurer quand c'est fini.

— Et comment ! renchérit la radiologue, j'ai vu des hommes en apparence très calmes éclater en sanglots aussitôt l'opération terminée.

— Mais ça ne fait même pas mal, sanglota Lally, éberluée.

— Ne vous l'avais-je pas dit ? fit Ash.

— Oui, mais je n'y croyais pas tellement. Comment peut-on passer des fils dans une veine jusqu'au cœur sans que ce soit douloureux ?

— Eh bien, dès que les effets de l'anesthésie se seront dissipés, votre plaie va commencer à vous faire souffrir. Mais je vous ai prescrit un médicament qui enrayera la douleur et, dans un jour ou deux, vous n'y penserez pratiquement plus. Mais le principal, c'est que tout se soit bien passé, et que vous puissiez vous détendre.

— Je viendrai vous voir plusieurs fois durant votre séjour à l'hôpital, expliqua Goldstein. Il sera seulement question d'effectuer quelques relevés pour les ultimes corrections qui pourraient s'avérer nécessaires.

— Tout cela, enchaîna le Dr Ash, pour que vous puissiez rentrer chez vous sans craintes ni séquelles.

Lally se moucha bruyamment.

— Est-il arrivé qu'un stimulateur se révèle défectueux ? demanda-t-elle.

— Plus depuis de nombreuses années, répliqua spontanément le médecin. À l'époque – et ce fut rarissime – il est arrivé qu'un générateur recèle un petit défaut. Il arrive aussi qu'un fil se coupe, mais ces problèmes sont si rares, qu'on peut les considérer comme négligeables. Pour relativiser les choses, je vous dirai que vous avez infiniment plus de chances de vous faire renverser par un autobus que de connaître un incident de la sorte... Comme dans toute intervention chirurgicale, bien sûr, il y a risque d'infection. Mais pendant l'intervention, je vous ai injecté un antibiotique qui vous met à l'abri de ce genre de problème.

— Tout ce que vous avez à faire, renchérit Joanna, c'est de vous laisser conduire à votre chambre en sorte que nous puissions veiller sur vous pendant quelques jours.

— Puis vous prendrez quelques jours de repos au cours desquels nous procéderons aux derniers contrôles, et si tout se passe aussi bien que jusqu'à présent – et je ne vois pas de raison pour qu'il n'en soit pas ainsi – cette intervention ne sera bientôt plus qu'un lointain souvenir.

— Et tout reviendra à la normale, fit Lally en souriant pour la première fois.

— Absolument.

10

Le lundi 11 janvier

Joe Duval et Linda Lipman débarquèrent chez Hagen Indus-tries dès huit heures et demie du matin. Lipman avait exactement l'allure qu'il attendait d'elle, celle d'une personne dénuée de toute coquetterie portant des tailleurs aussi stricts que démodés, des chaussures confortables mais sans la moindre élégance, un ma-quillage inexistant, et le cheveu à peine coiffé ; l'image même de la statisticienne efficace, trop occupée pour se soucier de futilités vestimentaires.

— J'adore vos lunettes, ironisa-t-elle en contemplant celles à grosse monture d'écaille dont s'était affublé Joe. Pouvez-vous voir à travers ?

— Les verres sont neutres.

— Dans ce cas, il serait préférable que vous ne les laissiez pas traîner.

— Avez-vous votre chrono ? demanda-t-il en coupant le moteur de sa voiture.

— Et vous votre bloc-notes ?

— Oui.

— Eh bien alors, allons-y.

— Comme vous le savez, nous avions espéré que Schwartz pourrait confirmer que les deux appareils étaient issus de la même série, leur annonça Hagen en guise d'introduction. Cela nous aurait donné une chance de retracer tous les appareils potentiellement dangereux.

— Et cela ne s'est pas révélé possible ? demanda Joe.

— Hélas, non. D'abord, M. Long avait un stimulateur à cavité simple, alors que celui de Mme Ferguson était à cavité double, ce qui signifie que si le problème se situe au niveau de la production, nous devons étudier deux séries de produits au minimum.

— Mais vous n'avez pas encore réussi à les retracer, c'est bien cela ? s'enquit Lipman.

— Nous y parvenons, mais lentement, répliqua Hagen. Nos documents comportent les détails de chaque série de production, y compris leur destination ; c'est pourquoi, bien que nous ne disposions pas des numéros des appareils, nous avons réussi à circonscrire nos recherches sur trois séries pour Boston et deux pour Chicago.

— Je présume que c'est une bonne nouvelle, fit Joe.

— J'aimerais pouvoir l'affirmer, grimaça Hagen. Nos stimulateurs sont produits par séries de cent, que nous divisons en trois tranches, réparties sur l'année à trois mois d'intervalle. Deux des cinq séries en question ont été fabriquées en septembre, une en octobre, et les deux autres en décembre. En tenant seulement compte des séries produites en septembre, tous les appareils appartenant à la première tranche peuvent être considérés comme « à risque », mais seulement quelques-uns pour ce qui est de la seconde.

— Vous n'aurez sans doute aucun mal à les retrouver, dit Lipman.

— Jusqu'à ce que nous soyons en mesure de rétrécir le champ de nos recherches, inspecteur, c'est plus de deux cents unités qu'il nous faut retracer, parmi lesquelles bon nombre ont déjà été implantées à travers tous les États-Unis et peut-être même à l'étranger.

— Mais il vous reste quand même les trente-trois unités de chaque série, plus les échantillons, observa Joe.

— C'est vrai, et, logiquement, quelle que soit la cause de ces deux tragédies, nous aurions dû être en mesure de la détecter en vérifiant ces échantillons.

— Et ce n'est pas le cas ?

— Non. Nous n'avons pas décelé la moindre défaillance dans leur système de fonctionnement. Il ne nous reste plus qu'à vérifier chaque appareil, l'un après l'autre, ce qui risque d'être long et fastidieux. D'un côté, le fait que les échantillons soient en parfait état de fonctionnement a quelque chose de rassurant, en ce sens que cela nous laisse présager que les autres appareils le sont aussi. D'un autre, cela m'inquiète beaucoup parce que cela ne nous laisse plus aucune piste.

— J'imagine que vous devez pouvoir aisément récupérer les appareils qui n'ont pas encore été utilisés... suggéra Lipman.

— Ce n'est pas aussi simple que vous le croyez, inspecteur.

— Et pourtant, je ne vois pas où est le problème, rétorqua sèchement Lipman. Sans parler que la FDA va exiger leur rappel.

— Inspecteur Lipman, la FDA comprendra qu'il est trop tôt pour quantifier les risques réels. Ces deux cent et quelques appareils suspects pourraient n'être, à Dieu ne plaise, que la partie visible de l'iceberg ; car en vérité, ce sont des milliers de stimulateurs qu'il faudra peut-être vérifier. Saisissez-vous à présent l'ampleur du problème, inspecteur ?

— Nous pouvons l'imaginer, intervint Joe.

— Je suppose que vous imaginez aussi ce qui se passerait si nous lancions une mise en garde à tous les hôpitaux, les médecins et les cardiologues, le chaos qui s'ensuivrait si la presse s'emparait de l'affaire.

— Évidemment, fit laconiquement Lipman.

— Supposez, inspecteur, que vous portiez un stimulateur cardiaque et que vous ayez vent de cette affaire par les journaux ou la télévision, que feriez-vous ? demanda Hagen en s'adressant directement à Lipman.

— Je me précipiterais chez mon médecin.

— Et qu'attendriez-vous de lui ?

— Qu'il me dise que mon stimulateur ne comporte aucun risque.

— Et s'il ne peut en être sûr, vous lui demanderiez alors de vous retirer celui que vous portez pour vous en implanter un autre, continua Hagen.

— Je le crois.

— Pouvez-vous imaginer ce que nécessiterait le retrait d'un engin potentiellement explosif de la poitrine d'un être humain ? Si vous étiez chirurgien, accepteriez-vous de courir le risque de le voir vous exploser en pleine figure ? Et si vous siégiez au conseil d'administration d'un hôpital, accepteriez-vous que vos salles d'opérations soient utilisées à cet effet ?

Le visage blême, Lipman semblait incapable d'articuler un mot.

— Je peux élaborer plus avant sur le thème, si vous le désirez, laissa tomber Hagen.

— Inutile, je crois que nous appréhendons l'ampleur de la situation, répondit Joe.

— Ce n'est pas comme annoncer à la population de ne plus absorber tel ou tel médicament, lieutenant Duval. C'est pourquoi nous devons prier le ciel que les recherches de Fred Schwartz aboutissent au plus tôt. Si nous parvenons à repérer avec précision deux séries défectueuses, ce qui, de l'avis général, est pratiquement impossible, au moins pourra-t-on éviter le scénario cauchemardesque d'une panique généralisée.

Cette déclaration jeta un froid et chacun ne dit mot durant un long moment.

— Que fait M. Schwartz en ce moment ? demanda enfin Joe.

— Il a commencé la vérification du matériel faisant partie des séries dont nous venons de débattre. Ensuite il compte procéder à l'examen des échantillons des séries produites au cours des six derniers mois. Je tiens à vous prévenir qu'il est persuadé de procéder à ces contrôles en pure perte. Pour lui, notre matériel est d'une fiabilité totale.

— Et vous, qu'en pensez-vous, monsieur Hagen ? demanda Lipman.

— Je ne sais plus trop que penser, à présent, fit Hagen avant d'ajouter, mais puisque le lieutenant Duval et vous faites partie de la brigade des homicides, il me semble clair que vous ne croyez pas à la thèse de l'accident.

— Attendu que MM. Leary et Schwartz s'entendent sur le fait qu'aucun composant de vos appareils ne peut exploser, nous devons envisager la possibilité d'un acte criminel, répliqua posément Joe.

— Vous rendez-vous compte à quel point cela me semble inconcevable ? s'insurgea Hagen en rougissant violemment.

— Il faudra pourtant bien vous y faire, rétorqua Lipman en produisant un sourire faussement amical.

— Nous ne sommes pas seulement ici pour enquêter, ajouta Joe, conciliant, mais pour vous apporter toute l'aide possible.

— Ce dont je vous sais gré, poursuivit Hagen, comme je l'ai dit à votre supérieur.

— Bien, je crois que nous pouvons nous mettre à l'œuvre, conclut Joe en se levant. Nous allons interroger vos gens et prendre quelques notes. Les a-t-on prévenus de la visite d'inspecteurs des normes du travail ?

— Naturellement, les seules personnes qui connaissent votre véritable identité sont Leary, Ashcroft et Schwartz ; mais je crois qu'il serait bon que mon assistante personnelle, Cynthia Alesso, soit aussi mise au courant ; elle travaille dans cette entreprise depuis sa création, et j'ai totalement confiance en elle.

— Je préfère quand même que vous vous en teniez au strict minimum, objecta Joe en mettant ses fausses lunettes.

— Je suis d'accord.

Quittant son bureau, Hagen conduisit les deux policiers dans celui de son assistante. Cynthia Alesso frôlait la cinquantaine. Avec ses cheveux bruns et son regard ténébreux, ses gestes vifs et précis, sa voix claire et haut perchée, elle ne pouvait être comparée qu'à un merle. Les présentations faites, Hagen regagna son bureau en refermant la porte derrière lui. Quelques instants plus tard, les accords vibrants et profonds d'une musique se firent entendre.

— Du Wagner, lâcha la femme avec un sourire triste. J'ai toujours détesté Wagner mais M. Hagen en raffole ; il affirme qu'il n'y a rien de tel que sa musique pour lui faire oublier ses soucis ; et plus les soucis sont grands, plus la musique est forte.

Joe n'ignorait pas que son enrôlement parmi les forces de police étaient, en grande partie, dû au fait que Tom Harris, son meilleur ami, avait été tué au cours d'un hold-up perpétré contre une pharmacie, alors qu'il faisait des courses avec sa mère. Joe et Tom étaient amis intimes depuis le lycée. Cette perte l'avait plongé dans un profond désarroi, que les policiers du pays semblaient comprendre. Partageant la consternation générale, ils avaient mené leur enquête avec une telle célérité qu'en moins de quinze jours les deux meurtriers avaient été appréhendés.

Mis à part les terribles mois de solitude qui avaient suivi, Joe avait connu une enfance heureuse, même s'il savait depuis son plus jeune âge qu'il ne passerait pas le restant de sa vie dans les Berkshires. Il partageait avec Lally la même carnation, les mêmes cheveux bruns et les mêmes yeux gris, et ils se vouaient l'un l'autre un amour aussi fraternel qu'absolu. À bien des égards pourtant, d'incommensurables différences les séparaient. Lally était une personne profondément attachée à ses racines, alors que pour Joe, quitter West Stockbridge pour le collège John Jay où il étudia le droit criminel et la psychologie avait été un des plus beaux moments de sa vie. D'ailleurs, tout s'était déroulé selon ses espérances : d'abord au collège, puis à l'académie de police. Ses premières années d'exercice s'étaient déroulées à New York, jusqu'au moment où il était tombé amoureux de Jess et avait demandé à être muté à Chicago afin de pouvoir l'épouser. En fait, rien de marquant n'était survenu dans sa vie d'adulte, jusqu'au décès accidentel de ses parents, et la fausse couche de Jess, l'année précédente. De ces événements il avait gardé une certaine amertume, bien sûr, mais en même temps, en les considérant de loin, il éprouvait un bizarre sentiment de gratitude parce qu'ils lui apprenaient combien fragile et précieuse était la notion de famille, et à quel point elle lui importait. Le travail, l'ambition, l'accomplissement de soi, la réussite, tout cela avait sa place dans l'existence, bien sûr, mais ce n'était pas ce qui comptait le plus à ses yeux.

Il est difficile, parfois impossible quand on est policier d'être à la fois un bon père et un bon mari. Mais il faut croire que Joe avait plus de chance que les autres, car bien que sachant que Jess craignait pour sa vie autant que n'importe quelle autre épouse de policier, elle n'avait jamais réprouvé les situations dangereuses auxquelles il était souvent confronté, n'avait jamais fait la moindre allusion sur ses absences prolongées.

— Je le savais en t'épousant, lui disait-elle simplement.

— Et tu ne détestes pas cela ?

— Comment le pourrais-je puisque ça fait partie de toi ?

Joe était un homme heureux de bien des façons. Peu après qu'il eut été promu sergent, il avait été choisi pour suivre un stage de dix mois au FBI, à l'unité d'étude des comportements, une section du NCAVC, le centre national d'analyses des crimes violents, ce qui, par la suite, lui avait permis de résoudre sa première importante affaire. Le tueur pyromane qui terrorisait Chicago depuis presque quatre mois, et qui, dans une lettre tout d'abord adressée au *Chicago Tribune,* puis, à mesure que progressait l'enquête, à Joe Duval lui-même, s'était fait connaître sous le pseudonyme de « La torche inhumaine », car il se plaisait moins à mettre le feu aux propriétés qu'à leurs propriétaires. Non seulement ses victimes étaient-elles vivantes, mais elles devaient être aussi conscientes, et le fait qu'elles lui fussent totalement étrangères ne faisait qu'accroître son plaisir. Un travail d'équipe étroitement dirigé, des techniques d'avant-garde et une bonne part de chance avaient favorisé l'arrestation de la Torche, mais seulement après que le tueur eut ourdi un incendie visant à faire une centaine de victimes. Joe avait procédé sur l'individu à un interrogatoire serré, et pas toujours orthodoxe, de sorte que l'incendie, qui aurait dû éclater dans un hôpital pour enfants, avait pu être évité de justesse. Dans les trois mois qui avaient suivi, Joe avait été promu lieutenant.

Toutes les données changèrent moins d'une heure après l'arrivée de Joe et de Lipman à la Hagen Pacing, au moment où, sur les instances de son patron, Cynthia Alesso demanda à Joe de retourner au bureau de Hagen pour répondre à un appel du commandant Jackson.

— Le médecin légiste a découvert des traces de plastic dans le torse de Mme Ferguson.

— Je croyais pourtant que cette hypothèse était exclue, répondit Joe en choisissant ses mots, sous l'œil hagard de Hagen.

— Je le croyais aussi, lui retourna Jackson. Hagen est-il encore près de vous ?

— Oui.

— Il est au courant.

Joe regarda Hagen : il semblait sincèrement abasourdi.

— Voulez-vous que nous rentrions, commandant ?

— Inutile de perdre du temps, fit Jackson d'un ton sec. En parlant au chef Hankin, de Boston, j'ai appris que le FBI et la FDA étaient sur l'affaire. Compte tenu des circonstances, l'affaire reste sous notre juridiction. Une force spéciale est créée, incluant la brigade des explosifs et des incendies criminels. Le FBI est disposé à nous laisser le libre accès à ses ordinateurs, à ses moyens de transport et tout ce dont nous aurons besoin.

— Qui va diriger cette force spéciale ?

— Vous.

Joe ne répondit rien. Une bouffée d'exaltation l'envahit, aussitôt suivie d'un sentiment de culpabilité. Cela se passait ainsi chaque fois qu'il devait enquêter sur un nouveau meurtre. Son enthousiasme était certes louable, mais il ne pouvait s'empêcher de penser qu'il devrait toujours son avancement à de pauvres victimes, comme cela avait été le cas pour son grade de lieutenant.

— C'est vous qui avez arrêté La torche inhumaine, poursuivit Jackson comme s'il lisait dans ses pensées. De plus, vous êtes spécialiste en études de comportements, c'est pourquoi nous avons l'appui du FBI, du moins pour le moment.

— Merci, monsieur, bredouilla Joe, plus enthousiaste que jamais.

— C'est une course contre la montre, continua Jackson, et vous ne devrez parler de cela à personne, pas même à votre femme.

— Je comprends, monsieur, fit encore Joe, tandis que Hagen quittait la pièce en refermant la porte derrière lui. Hagen vient de sortir, ajouta-t-il, il me semble passablement secoué.

— Annoncez la nouvelle à ses trois collaborateurs, tâchez d'observer leurs réactions et assurez-vous qu'ils ne l'ébruitent pas.

— L'un d'eux pourrait être le coupable, avança Joe.

— Cela pourrait être n'importe qui de l'usine. Hagen m'a appris que Schwartz s'apprêtait à vérifier les échantillons des six derniers mois ; croyez-vous qu'il s'en sortira tout seul ou devons-nous envoyer quelqu'un de chez nous ?

— À ce stade des recherches, je crois qu'une éviction serait mal perçue ; il connaît ses appareils sur le bout des doigts, répondit spontanément Joe en se rappelant l'excellente impression que lui avait laissée l'ingénieur. Mais peut-être faudra-t-il quelqu'un pour superviser ses travaux.

— De plus, renchérit Jackson, il doit pouvoir travailler en toute sécurité, à l'écart du personnel de l'usine. Avec qui voulez-vous travailler, dans cette affaire ?

— Avec Lipman, naturellement, et Tony Valdez des explosifs, annonça Joe sans hésitation ; il fera le lien entre Schwartz et la chaîne de production. Je voudrais également Cohen.

— Cohen porte un stimulateur, objecta le commandant en portant instinctivement la main à sa poitrine. Qui plus est, selon le chef Hankin, il croit que personne dans le service n'est au courant de son problème.

— Il le porte depuis dix ans, dit Joe. Cela ne le rendra que plus sensible au problème.

— Il est possible qu'il ne partage pas ce point de vue, avança Jackson.

— Je suis persuadé du contraire.

— Je vous ferai savoir ce qu'ils en pensent après leur en avoir parlé.

— Merci, monsieur.

— Je veux que vous découvriez ce qui s'est passé, Duval, et que vous m'arrêtiez ce salaud. Mais pour l'amour du ciel, faites en sorte qu'il n'y ait pas d'autres victimes.

— Nous ferons de notre mieux, commandant.

— J'attends de vous plus que cela, lieutenant.

Joe contempla quelques instants l'appareil muet, puis le reposa lentement sur son socle. Le commandant voulait des résultats, le chef Hankin aussi, et si Joe ne leur donnait pas – et vite – ce qu'ils attendaient de lui, si cette abomination échappait à tout contrôle, le pays entier réclamerait sa tête.

Joe comprit alors que des affaires comme celle-là, il ne s'en présentait qu'une dans la carrière d'un policier. Et le fait qu'elle lui échût n'était pas pour lui déplaire.

11

Le mardi 12 janvier

À trois heures de l'après-midi, Hugo alla enfin chercher Lally à l'hôpital.

— Es-tu certaine d'être en état de sortir ? lui demanda-t-il.

— J'aurais pu le faire depuis déjà hier matin, répondit Lally.

— Pourtant, le Dr Ash semblait insister pour que tu restes en observation jusqu'à demain.

— Il a changé d'avis depuis.

— Parce que tu n'as pas cessé de le harceler pour qu'il te laisse partir.

— Ce n'est pas ça qui l'a fait céder.

— Tout dépend de la vie que tu lui as fait mener.

— Tu as l'air de dire que j'ai un caractère épouvantable.

— C'est le cas, en effet.

— Assez plaisanté, Hugo, ramène-moi à la maison.

Lally connaissait les craintes qu'Hugo éprouvait pour elle et, d'une certaine manière, elle lui en était reconnaissante, parce que cela la fortifiait, cela lui faisait quelqu'un à qui penser. La soudaine prise de conscience de la fragilité de son propre corps avait indubitablement été la partie la plus difficile de l'épreuve qu'elle venait de traverser, de la bataille qu'elle avait dû livrer contre son esprit pour ne pas compter les battements de son cœur. Dans ses moments de courage, Hugo lui disait qu'elle semblait très bien, un peu pâlotte, peut-être, mais rien qu'un bon repas et une bonne nuit de sommeil ne sauraient surmonter. Pourtant Lally se sentait plutôt mal, même si, les heures passant, cela paraissait s'arranger, même si elle aurait été incapable de décrire l'état dans lequel elle se trouvait.

— Intérieurement, j'éprouve une sensation bizarre, dit-elle sur le chemin du retour.

— Bizarre comment ?

Lally parut chercher ses mots.

— D'un côté, je suis encore sous le choc de ce qui vient de m'arriver, et de l'autre, je me sens vulnérable et anxieuse, comme si je refusais d'admettre qu'une simple intervention suffit à pallier une dangereuse déficience cardiaque.

— Et pourtant, c'est bien ce qui s'est passé, Lally. J'ai eu le temps de me renseigner, depuis ton opération, et je peux t'assurer que ces stimulateurs sont de merveilleux appareils, tout à fait sûrs.

— Je le sais, admit Lally en souriant faiblement. J'essaie simplement d'exprimer mes sentiments tels que je les ressens – elle passa sa main dans ses longs cheveux bruns – si tu savais comme j'ai hâte de prendre une douche et de me laver les cheveux.

— Je peux m'en occuper, si tu veux.

— Peut-être te permettrai-je de les sécher.

— Trop aimable.

Lally laissa son regard errer sur le paysage enneigé et les collines qui ondoyaient au loin.

— Je sais que cela peut sembler fou, ajouta-t-elle calmement, mais j'éprouve aussi une impression d'euphorie, comme si j'avais accompli une prouesse ou bu du champagne. Comme quelqu'un qui aurait regardé la mort en face et lui aurait dit d'aller se faire pendre ailleurs.

— Ça ne me semble pas si fou que ça, à moi.

— Mais le plus étrange, c'est que je n'arrive pas tout à fait à me rappeler ni à oublier cet étrange objet enfoui dans mon corps et qui fortifie mon cœur.

114

— Il ne le fortifie pas, il veille seulement à ce qu'il fonctionne normalement.

— Je le sais, et pourtant...

Deux bouquets de fleurs attendaient Lally : des roses d'Hugo, accompagnées d'une carte lui disant combien il l'aimait, et un panier rempli de pois de senteur provenant de Katy Webber, qui lui offrait des vœux de prompt rétablissement et lui demandait la permission de lui rendre visite.

— Ne me regarde pas comme ça, réagit Hugo en voyant le regard accusateur de son amie. Il fallait bien que j'en parle à certaines personnes, puisque tu ne vas pas reprendre tes cours avant plusieurs semaines.

— Peut-être bien que si.

— Il n'en est pas question. Mais ne t'inquiète pas, s'empressa-t-il d'ajouter, je n'ai pas prévenu ton frère, même si je reste convaincu qu'il doit être mis au courant.

— Je le lui dirai quand je me sentirai tout à fait d'attaque et pas avant, décréta Lally.

— C'est toi qui décides, fit Hugo, résigné.

— En effet. Je vais aller mettre ces fleurs dans un vase.

— Je vais m'en occuper, pendant ce temps, va dans ta chambre et mets-toi au lit.

— Je viens à peine de me lever.

— Le Dr Ash t'a autorisée à quitter l'hôpital à condition que tu te reposes, ce qui implique que tu doives rester couchée.

— Je pourrais m'allonger sur le sofa...

— D'accord, mais alors, avec un oreiller et une couverture, concéda Hugo.

— Vendu.

— Va mettre quelque chose de plus confortable, pendant ce temps, je vais te servir une tranche du gâteau de bienvenue que je t'ai préparé.

— Un gâteau au chocolat ? s'écria Lally, les yeux brillants de convoitise.

— Mais... naturellement, voyons.

Elle s'était douillettement installée, quand Hugo réapparut avec le gâteau et une tasse de camomille.

— C'est arrivé ce matin, fit-il en lui tendant un paquet enveloppé de papier kraft.

Lally regarda le colis avec curiosité ; aucune adresse n'y était mentionnée.

— Qui l'a apporté ? demanda-t-elle

— On m'a demandé de ne rien dire. Ce doit être une sorte de cadeau.

Lally garda le colis entre ses mains, l'examinant comme s'il allait de lui-même livrer son mystère. Il était de forme rectangulaire, d'environ quarante-cinq centimètres par vingt-cinq et cinq centimètres d'épaisseur. Renonçant à jouer aux devinettes, elle se mit à le déballer avec une impatience grandissante.

— Vas-y doucement, sourit Hugo, c'est peut-être fragile.

— C'est une toile...

Les yeux écarquillés de surprise, Lally sortit lentement l'objet de son emballage et découvrit une peinture à l'huile la représentant. Elle était en justaucorps, dans l'ample chemise de coton qu'elle portait pendant ses cours, les cheveux tirés en chignon et les pieds nus. Les yeux brouillés de larmes, elle tenait une paire de chaussons.

— Il y a une dédicace à l'endos, observa Hugo d'une voix tendue.

« Merci, disait-elle. Avec mes vœux de prompt rétablissement, Chris. »

— Il a téléphoné à quelques reprises, poursuivit-il. Comme j'ignorais tes intentions à son égard, je ne lui ai pas dit dans quel hôpital tu te trouvais, mais je l'ai quand même rassuré sur ton compte. En apprenant ta maladie, il m'a paru plutôt bouleversé. Par la suite, il n'a cessé de téléphoner en laissant des messages à ton intention.

— Pourquoi ne m'en as-tu rien dit ?

— Je ne savais trop comment réagir. J'ignorais tes sentiments à propos des Webber, hésita Hugo.

— N'est-il pas plutôt question de *tes* sentiments ?

— Peut-être, fit-il en s'asseyant au bout du sofa. Tu sais combien j'étais contre le fait que tu t'immisces dans leurs affaires de famille. Cet homme marié avec tous ses problèmes, je croyais que cela te perturbait.

— Je comprends...

— Mais voilà que ce matin, il débarque ici avec son paquet, alors que j'étais encore au lit, en me demandant à quelle heure exactement j'allais venir te chercher. À cet instant, il doit être chez lui, à attendre ton appel.

— Il faut que je lui téléphone.

— Je le crois aussi. Je vais chercher l'appareil.

Chris répondit à la seconde sonnerie.

— C'est moi, dit Lally en guise de salut, pendant qu'Hugo se retirait discrètement.

— Vous voilà enfin, soupira Webber, indéniablement soulagé.

— Je voulais vous remercier pour votre toile, dit Lally en s'efforçant de maîtriser les trémolos de sa voix. C'est le plus beau cadeau qu'on m'ait jamais fait.

— Je me suis tant inquiété...

— Je vais très bien à présent.

— Quand Hugo m'a appris la nouvelle, je n'osais pas y croire.

— J'ai eu du mal à y croire, moi aussi.

— Je me suis souvenu que vous avez failli vous évanouir devant moi, et que je suis rentré chez moi, en vous abandonnant à votre malaise.

— C'est de ma faute ; vous ne pouviez pas savoir.

— J'aurais dû rester, appeler un médecin...

— C'est de l'histoire ancienne, à présent, Chris.

— Hugo a refusé que je vous rende visite. Il a même refusé

de me dire dans quel hôpital vous vous trouviez, sinon je vous aurais envoyé des fleurs.

— J'ai été hospitalisée deux jours à peine, et les visites étaient très surveillées.

— Au moins, vous êtes de retour, maintenant.

— Et comment cela se passe-t-il chez vous ? demanda Lally pour dissiper le silence qui s'installait entre eux. Comment va Katy ? J'aimerais la remercier pour ses jolies fleurs.

— Katy se porte très bien, répondit Chris, mais elle est chez une amie, en train de faire ses devoirs, ou du moins le prétend-elle.

— Et... Andrea ?

— On pourrait espérer mieux. Elle se débat encore avec les gens qui la traitent, en soutenant que sa situation n'est pas aussi grave qu'on voudrait le lui faire croire.

— J'en suis navrée.

— Elle semble cependant avoir compris que de sa cure dépend le fait qu'elle puisse revoir sa fille. Andrea se moque de notre ménage, mais elle aime trop sa fille pour risquer de la perdre.

Hugo réapparut, se dandinant sur ses jambes comme une mère poule pour faire comprendre à Lally que la conversation avait assez duré et qu'il était temps pour elle de prendre un peu de repos.

— Je dois vous laisser, annonça-t-elle à Chris. Mon infirmier me fait signe que c'est l'heure de ma sieste.

— Il a raison ; vous devez prendre du repos afin d'être rétablie le plus tôt possible.

— Merci infiniment pour la toile ; elle m'aidera à me souvenir que je dois reprendre mes cours dans les plus brefs délais.

— Katy en sera folle de joie.

Reposant le combiné, Lally se mit à contempler son image, délicatement encadrée de chêne clair. L'idée d'inviter Chris à lui rendre visite ne l'avait pas séduite, pas plus que ce dernier n'avait eu envie d'imposer sa présence, mais la vue de cette œuvre suffit

à dissiper son amertume. Elle admira la délicatesse du trait, la légèreté du coup de pinceau, et s'avisa dans le même temps que, s'il est vrai que la beauté du sujet se trouve avant tout dans le regard de l'artiste, cet artiste-là la trouvait indéniablement belle. Et à cet instant, à tort ou à raison, cette notion la remplit d'aise.

Ce soir-là, Hugo attendit que Lally eût fini le goulasch préparé par ses soins pour aborder la question des Webber et le genre de relations que Lally entendait entretenir avec eux.

— Puis-je parler franchement ? commença-t-il en prenant place dans un fauteuil.

— Tu l'as toujours fait.

Avec ses lumières tamisées aux tons doucement ambrés, le salon ressemblait à un havre de quiétude. Dans la cheminée, quelques braises rougeoyaient encore. Lally demanda à Hugo de ne pas tirer les tentures car il neigeait dehors, et elle se plaisait à regarder les flocons descendre doucement dans la lueur des réverbères.

— Tu es amoureuse de lui, n'est-ce pas ?

Lally ne répondit pas.

— Inutile de répondre, je l'ai très bien compris, va, continua Hugo. Tout comme j'ai compris que c'était réciproque, mais...

— Ne va pas plus loin, Hugo, ce n'est pas nécessaire, souffla Lally. Je sais tout ce que tu vas me dire : que Chris est un homme marié, accablé par une femme qui lui pose quantité de problèmes, que Katy est une de mes élèves, et que ce serait une folie de me jeter tête baissée dans une telle aventure.

— Mais il arrive que les sentiments prennent le pas sur le bon sens, n'est-ce pas ?

— Assurément.

Lally leva les yeux vers le tableau, posé sur le rebord de la cheminée, et ce fut comme si Chris était dans la pièce. Peut-être cette idée aurait-elle dû la troubler, ce ne fut pourtant pas le cas.

— En ce moment, continua Hugo, tu es extrêmement lasse

et vulnérable, peut-être trop pour prendre une décision raisonnable, car tu t'es toujours montrée raisonnable, Lally.

— En ce moment, Hugo, retourna cette dernière avec un sourire, je dois admettre qu'être raisonnable est le cadet de mes soucis ; mais quoi qu'il en soit, je suis avant tout heureuse d'être à nouveau chez moi, en vie, et près de toi.

— Et la seule personne au monde à l'être autant que toi, c'est moi, Lally.

— Je sais.

— Voudras-tu au moins essayer d'être prudente ?

— Il est possible que je ne sois pas particulièrement encline à me montrer raisonnable, répliqua posément Lally, mais compte tenu des circonstances, je n'éprouve nulle envie de prendre des risques, pas même pour Chris Webber.

12

Le mercredi 13 janvier

Sam McKinley avait regagné son poste depuis près d'une semaine, mais aujourd'hui, c'était la première fois qu'il reprenait la vie active. Le médecin du travail avait lu et approuvé tous les rapports de l'hôpital, et après l'avoir personnellement ausculté, l'avait déclaré bon pour le service.

Le département d'incendie de San Francisco avait pour règle de faire grand cas des siens, mais durant sa brève maladie qui, après l'avoir jeté dans les pires tourments, s'était révélée tout à fait curable, Sam n'avait rien demandé pour lui-même.

Après celle de mourir prématurément, sa seconde crainte avait été de n'être pas en mesure de reprendre son travail, car Sam McKinley n'avait rien d'un bureaucrate. Les puissants fluides qui parcouraient son corps le poussaient à se jeter dans l'action, à partager l'exaltation de ses camarades, et parfois même à mettre sa vie en danger. S'il devait mourir jeune, répétait-il souvent à son frère Andy (mais pas à sa femme, bien sûr, car jamais personne ne se hasardait à évoquer la mort en présence de Susan), ce ne serait sûrement pas dans son lit.

Non pas que Sam fût de tempérament suicidaire, même s'il l'avait été, cette idée s'était envolée le jour où ses ennuis cardiaques avaient commencé. Naturellement, le même sang, vif et bouillant, moteur de son existence, coulait toujours dans ses veines, mais quand il s'était regardé dans son miroir, il ne s'était pas reconnu. La petite lueur mutine qu'il voyait le matin au fond de sa prunelle en se rasant, quand il clignait de l'œil à son reflet, avait disparu.

Mais tout était oublié aujourd'hui. Il était de retour au département parmi ses collègues, attendant la prochaine alerte. Une demi-heure plus tôt, J.D. lui avait dit espérer que, pour sa première journée de travail, il ne serait question que de chatons en détresse ou d'ascenseurs coincés, mais ce n'était pas l'impression de Sam.

Et il avait raison.

Il fut plutôt question d'un entrepôt, non loin de Fisherman Wharf, et personne ne semblait savoir pourquoi ni comment l'incendie s'était déclaré avec une telle violence. Au demeurant, le temps pressait. Les sorties de secours étaient bloquées et des hommes étaient coincés à l'intérieur au milieu de Dieu sait quelles émanations toxiques.

Sam et les autres combattirent l'incendie pendant plus d'une heure dans une chaleur indescriptible, mais qui leur était cependant coutumière (plus souvent qu'à son tour, Susan lui demandait son impression du moment, quel plaisir il trouvait à exercer un si terrible métier, et il répondait toujours par un haussement d'épaules, parce qu'elle ne pouvait pas comprendre). Puis, quand il entendit dire que J.D. était entré à l'intérieur et qu'il était en difficulté, Sam McKinley fut comme le taureau sous le nez duquel on agite une cape rouge, parce que, trois ans plus tôt, J.D. lui avait sauvé la vie au cours du grand incendie de Fulton Street, parce qu'ils étaient les meilleurs amis du monde bien avant cela, et que si J.D. avait des ennuis, Sam ne pouvait que l'en sortir.

Il le repéra immédiatement, constata qu'hormis la caisse de bois qui lui coinçait la jambe, il était sauf. Avec les masques qui couvraient leurs visages, ils ne pouvaient se parler, pas plus qu'ils ne pouvaient s'entendre dans le grondement des flammes et le rugissement des lances à incendie. De toute manière, il n'était nul besoin de mots, le soulagement que Sam lut dans le regard de son ami était suffisamment éloquent.

Il décoinça la jambe de J.D. et, faisant une canne d'un long morceau de bois, entraîna son ami en veillant bien à ce qu'il atteignît sain et sauf la sortie. Et c'est à ce moment-là que ça le frappa. Comme dix marteaux-piqueurs, comme tous les feux d'artifice de tous les Quatre juillet regroupés en un seul. En une fraction de seconde, tous les fluides qui parcouraient le corps de Sam McKinley s'éparpillèrent aux quatre coins du néant. Ce n'est qu'une fois dehors que J.D. se rendit compte que Sam ne suivait plus. Il n'y avait plus personne dans l'entrepôt pour voir le sang jaillir de la poitrine de Sam.

De toute façon, il y avait beaucoup trop de fumée.

13

Le jeudi 14 janvier

L'homme prenait encore le temps de passer quelques instants dans la pièce. Il s'y sentait bien, comme toujours, mieux que chez lui, mieux qu'à son bureau, mieux que partout ailleurs. Et puis, ses petits dragons avaient besoin de lui pour changer leur eau, nettoyer leur cage de verre et s'assurer qu'ils étaient convenablement alimentés.

Il aimait les regarder manger. Les geckos se nourrissaient d'insectes vivants, criquets, papillons de nuit, sauterelles, n'importe quoi pourvu que ses petites créatures puissent aisément en venir à bout. Les deux iguanes verts, avec leur arête saillante et leur fanon, pouvaient se contenter de chou haché ou de nourriture pour chiens, mais il arrivait que l'homme les régale de souris ou d'œufs. Et puis, il y avait ses préférés, les hélodermes, presque jolis avec leurs rayures noires et blanches, plus petits et plus engageants que les iguanes, mais combien plus redoutables à cause de leur morsure venimeuse.

— Ils ont très mauvaise vue, lui avait appris le spécialiste des scincomorphes du zoo de Chicago, et ils ne peuvent se mouvoir que lentement. C'est la raison pour laquelle ils doivent se contenter d'œufs et de petits rongeurs, tout ce qui peut s'avaler en entier. Ce sont des animaux nocturnes et très discrets, c'est pourquoi nous ne savons que peu de chose sur eux. Nous pensons néanmoins que leur venin fait partie de leur système de

125

défense car, contrairement aux serpents, ils tuent leurs proies instantanément en les broyant entre leurs mâchoires.

— Ainsi, leur venin ne serait qu'accessoire ? s'était étonné l'homme.

— C'est la morsure qui tue, le venin suit automatiquement. Ces créatures possèdent de fantastiques mâchoires. Quand elles mordent, il est presque impossible de leur faire lâcher prise, parce qu'elles s'accrochent et que leurs dents sont très pointues.

L'homme avait contemplé l'animal au corps massif dans sa cage de verre.

— Peuvent-ils tuer un être humain ?

— C'est déjà arrivé, semble-t-il, mais en général leur morsure est plutôt extrêmement douloureuse et rend la personne mordue très malade pour un bon bout de temps.

Fort de ses connaissances, l'homme se montrait extrêmement prudent avec les hélodermes, mais à la vérité, il en allait de même pour tout ce qu'il entreprenait. Il savait aussi se montrer très patient. N'avait-il pas attendu des décennies ? Mais aujourd'hui c'en était assez. Tout avait commencé.

Le parachèvement conceptuel de sa vengeance, complété de dessins à l'échelle et de calculs mathématiques, lui avait demandé moins de quarante-huit heures. Il avait sacrifié une fin de semaine estivale pour s'enfermer dans sa pièce avec tout ce qui lui permettrait de trouver l'inspiration, depuis ses nourritures favorites choisies chez Kuhn's Delicatessen, jusqu'au champagne de chez House of Glunz, sans oublier le dernier enregistrement de *Siegfried* en disque compact. Puis, installé devant ses vivariums, il avait entrepris l'élaboration de son projet.

D'emblée, pour assouvir sa vengeance, un nombre incalculable de possibilités s'étaient offertes à lui. Chacun des composants qui entraient dans la fabrication d'un stimulateur cardiaque, chaque millimètre de ses circuits étaient connus de lui à la perfection. Il pouvait en appréhender les multiples fonctions à la manière du commun des mortels lisant un journal. Et, cette fin de semaine là, il avait pour la première fois donné libre cours à sa brillante intelligence. Il avait passé au crible une infinité de possibilités, procédé à une foule de permutations pour parvenir enfin à ce qu'il recherchait : rien de moins que la perfection.

Et il l'avait atteinte.

C'en était risible de simplicité, quand on y repensait.

La seconde phase, la réalisation proprement dite du projet, s'était révélée presque aussi aisée. Fin août, il avait commencé à assembler ce dont il avait besoin, et à la mi-septembre, tout était en place sur sa table de montage. Tout sauf le plastic. Il ne voulait pas de ce genre de matériel à proximité tant qu'il ne serait pas prêt à commencer.

À ce moment-là, la production mensuelle de stimulateurs cardiaques de la Hagen Pacing s'élevait à huit cents unités, soit un rythme de deux cents par semaine. Selon l'usage, cette production était divisée en deux séries de cent, chacune de ces séries se divisant à son tour en trois parties de trente-trois unités, la centième étant gardée comme échantillon. Le premier cent était fabriqué entre le lundi matin et le mercredi midi, le second entre le mercredi midi et le vendredi soir.

L'homme avait élaboré des plans infiniment plus complexes ; il avait même été tenté de concevoir des générateurs complets, ne doutant pas un instant de son habileté à produire la copie conforme des originaux. Néanmoins, sachant d'expérience que les solutions les plus simples sont toujours les meilleures, il avait réfréné ses ardeurs.

Les mardis et les jeudis soir, quantité de boîtiers partiellement assemblés étaient laissés sur les chaînes de montage, leurs piles soudées aux circuits, avant d'être hermétiquement scellées dans leur boîtier de titane. Le plan consistait à récupérer une partie de ces appareils en cours d'assemblage et de les emporter chez lui, où il pourrait remplacer la pile initiale par une autre de son cru, spécialement conçue pour l'usage auquel elle était destinée. Personne ne se défierait de lui, et sa présence le soir et

127

même tard dans la nuit était tenue pour acquise par les services de sécurité.

Ce n'était pas pour se vanter, mais l'homme devait bien admettre que ses piles étaient de petites merveilles d'ingéniosité. Maintes fois, au cours de l'exécution de son projet, il avait été saisi du désir irraisonné de montrer son petit chef-d'œuvre à Ashcroft, le cerveau le plus brillant de Hagen Pacing, et qui le savait, ô combien, malgré ses façons affables et pleines de retenue. Pourtant, combien il aurait aimé voir son visage, lire une béate admiration au fond de son regard ! Mais dans sa tête, la voix de sa mère résonnait encore, pleine de courroux : du sang-froid, d'abord et avant tout autre chose. Du sang-froid.

Les piles au lithium utilisées dans les stimulateurs provenaient de l'extérieur. Elles étaient aussi minuscules que puissantes ; il fallait qu'elles le fussent puisqu'elles servaient à alimenter les générateurs en énergie pour une durée de dix à douze ans. L'astuce consistait à en reproduire le boîtier et à y insérer quatre éléments : une pile plus petite de même nature que l'originale, un circuit électronique miniaturisé, quatorze grammes de plastic et un détonateur.

Plus petite, la nouvelle pile ne fonctionnerait évidemment pas aussi longtemps que l'originale, mais en l'espèce, cela importait peu. Un élément déterminant du projet consistait à considérer que, normalement, la plupart des stimulateurs seraient implantés au plus tard un an après leur fabrication, sachant que la date limite d'utilisation ne devait pas en dépasser deux. C'est pour cette raison que l'homme avait opté pour la pose d'une minuterie reliée à la pile, de sorte que le compte à rebours du détonateur ne commencerait qu'après l'implantation de l'appareil.

Sur ce point-là, l'homme s'était heurté à quelques difficultés. Hagen Pacing observait des mesures d'inspection très strictes, incluant des tests de « post-assemblage » destinés à minimiser les effets de l'implantation sur le patient, mais aussi à s'assurer que chaque appareil fonctionnerait efficacement au moment voulu. Partant, le circuit imprimé devait faire la différence entre ces tests et un usage réel. C'est pourquoi l'homme avait intégré au circuit un voltmètre qui enregistrerait la perte d'énergie de la pile. Au repos, cette perte était minime, mais une fois l'appareil implanté, elle serait sensiblement accrue. On aurait pu facilement détecter ce changement, sauf qu'il surviendrait également au cours des tests qui suivaient la soudure finale. Ces tests duraient quinze minutes, et c'est la raison pour laquelle le rôle du circuit électronique ne se limitait pas à vérifier si la pile était en mode opérationnel, il devait également compter un nombre donné de pulsations.

Les patients recevant un stimulateur cardiaque restaient à l'hôpital pour une durée approximative de vingt-quatre heures. Entre sept et dix jours plus tard, ils devaient soumettre leur implant à une dernière vérification. Par conséquent, il était essentiel que la détonation ne se produisît pas dans ce laps de temps. Mais encore là, la solution avait été d'une simplicité désarmante. À soixante pulsations à la minute, la seule chose que le circuit logé dans la pile avait à faire, c'était de compter un million de pulsations en mode opérationnel, puis, à partir de ce moment-là seulement, enclencher automatiquement le compte à rebours pour activer le détonateur.

Ne restait qu'un problème à résoudre : une fois que ce « programme » serait lancé, c'est-à-dire que les appareils auraient commencé leur œuvre dévastatrice, on se mettrait bientôt à examiner aux rayons X les patients porteurs de stimulateurs cardiaques. En radiologie normale, le boîtier contenant la pile apparaîtrait comme une petite masse rectangulaire et opaque, mais, dès l'instant où les enquêteurs auraient orienté leurs recherches, il leur suffirait d'augmenter le voltage de leurs appareils pour déceler le circuit imprimé, pas le plastic, bien sûr, mais le système d'horlogerie apparaîtrait clairement, et les conclusions s'imposeraient d'elles-mêmes. Les dépistages massifs seraient instaurés et, sauf pour quelques-uns – très peu en vérité – l'effet de panique escompté serait tué dans l'œuf. Or, ce scénario n'était pas celui que l'homme avait prévu. Il espérait un effet long, durable, exponentiel. Tel était son bon plaisir. Pour eux ce serait leur cauchemar, leur châtiment, un châtiment qui devrait durer le plus longtemps possible ; il avait trop attendu pour qu'il en fût autrement.

Déjouer les observations des radiologues s'était également révélé un jeu d'enfant : il ferait trois fois plus de stimulateurs et le tour serait joué. Deux tiers des appareils piégés ne contiendraient que le circuit, l'autre tiers, le circuit *et* le plastic. Simplement pour les dérouter, pour semer la confusion, la peur, pour provoquer l'hystérie générale.

De la dernière semaine de septembre à l'avant-dernière de novembre, tous les mardis et les jeudis soir, l'homme avait subtilisé six stimulateurs sur les chaînes d'assemblage pour les remettre à leur place, nantis d'une pile de sa fabrication, deux contenant du plastic, les quatre autres n'étant qu'un leurre. Il était parfaitement confiant que ses *Midnight Express*, comme il les appelait, passeraient avec succès toutes les inspections. Les boîtiers étaient parfaits en tous points, jusqu'à leurs numéros de série.

Au moment où son œuvre était achevée, quatre-vingt-seize stimulateurs cardiaques « personnalisés » se nichaient dans leur boîtier de titane hermétiquement soudé au laser, attendant d'être livrés aux hôpitaux et aux cardiologues à travers tout le pays. Trente-deux d'entre eux étaient des bombes à retardement miniaturisées. L'homme aurait très bien pu en fabriquer deux ou trois fois plus, mais ce chiffre de trente-deux lui semblait des plus adéquat. Ces engins allaient tuer, déchiqueter, dérouter, terrifier. Ces engins allaient pourfendre les dragons.

Il avait démonté sa table d'assemblage et tout son équipement, brûlé tout ce qui pouvait l'être, et il était allé jeter dans une décharge publique, quelque part entre Chicago et Gary, dans l'Indiana, ce qu'il ne pouvait pas brûler. Toutefois, il avait établi un registre détaillé de son œuvre, puis, sublime raffinement, en avait créé cinq autres, tout aussi élaborés que le premier, mais rigoureusement faux. De cette façon, si les enquêteurs parvenaient à remonter jusqu'à lui, il pourrait porter son plaisir à son apogée en les lançant sur des fausses pistes jusqu'à les rendre fous, jusqu'à les mettre à genoux, jusqu'à ce qu'ils le supplient.

Cela se passait deux semaines à peine avant le Nouvel An, et des innocents allaient mourir.

Mais au fond, n'en va-t-il pas toujours ainsi en ce bas monde ?

14

Le vendredi 15 janvier

Cette nouvelle affaire se révélait une véritable catastrophe, comme Joe l'avait subodoré. Fred Schwartz, responsable de la qualité, était aussi compétent et minutieux que l'avait assuré Hagen, mais sa consternation et son découragement étaient patents. Si ses lèvres étroites et pincées témoignaient encore de sa détermination, il semblait recru de fatigue, et ses yeux s'auréolaient de larges cernes violacés. Depuis le lundi précédent, il avait passé ses nuits à rechercher des indices sans le moindre succès. Pendant que Hagen Industries poursuivait normalement ses activités, à l'abri des regards inquisiteurs du personnel, Schwartz procédait à la vérification de tous les échantillons et de toutes les séries suspectes, sous le contrôle de Tony Valdez et son œil de lynx, mais le travail n'en restait pas moins long et fastidieux. L'enquête sur les antécédents professionnels ou familiaux du personnel de l'usine et de la société de transports n'avait, jusqu'à ce jour, rien donné. Talonné par ses supérieurs, le commandant Jackson ne savait plus à quel saint se vouer, et Joe, rongé de remords de ne pouvoir s'occuper de sa femme, avait suggéré à cette dernière de rendre visite à ses parents, comme ils l'avaient prévu depuis des mois.

— Ce serait vraiment le moment idéal pour aller les voir avec Sal, Jess.

— Pourquoi ? s'étonna-t-elle en fronçant les sourcils.

— Parce que l'affaire dont je m'occupe est une véritable

course contre la montre et que je vais devoir travailler très tard le soir à la maison. Cette affaire doit rester secrète, et tu sais combien je déteste te faire des cachotteries.

— Dis-moi au moins si elle met ta vie en danger.

— Je ne cours aucun danger, Jess, je t'en donne ma parole. C'est simplement que cela représente une somme de travail considérable, et que je ne serai pas très fréquentable jusqu'à ce qu'elle soit terminée.

— C'est donc qu'elle est très importante.

— D'une importance capitale.

— Et comme tu vas être d'humeur massacrante et que tu ne pourras t'occuper de moi, le fait que je sois près de toi te conduira à te sentir coupable, ce qui redoublera ta mauvaise humeur.

— Tu as tout compris.

— Mais tu me jures de ne courir aucun danger ?

— Croix de bois, croix de fer... fit Joe avec un soupir contenu.

— Je téléphonerai à maman dans la matinée.

— Je t'aime, Jess.

— Je le sais...

Joe détestait se séparer de Jess, mais il détestait tout ce qui avait trait à cette affaire. Déjà, le simple fait de ne pas éprouver l'horreur et la colère que suscite la vue d'une personne assassinée éveillait en lui un désagréable sentiment d'aliénation. Il était également privé du besoin de découvrir la victime, de se pénétrer de ce qu'avait été sa vie, de tous les éléments qui permettraient l'arrestation de son assassin, car il était immédiatement apparu dans l'affaire des stimulateurs cardiaques que cette piste ne mènerait à rien. Hors leurs « pacemakers », il n'existait aucun lien entre la victime de Boston et celle de Chicago. Toutes deux avaient été choisies par le hasard, et Joe n'avait aucune raison d'en apprendre sur elles plus qu'il n'en savait déjà. Tout cela faisait de cette enquête un objet de réflexion objective et extrêmement méthodique, où le sentiment n'avait pas sa place, et bien qu'au fil des ans Joe ait été imprégné de l'importance de « garder la tête froide », il savait que, pour lui, le moteur de la passion était un mal nécessaire à toute investigation.

Depuis le début de la semaine, il avait consacré ses nuits à établir le profil psychologique du tueur, ne s'accordant que deux heures de sommeil en tentant vainement de limiter sa consommation de café.

Depuis la création en 1984 du Centre national d'analyses des crimes violents, le FBI avait engrangé dans ses ordinateurs de Quantico une banque de données considérable sur les crimes violents. Les agents spécialement dévolus à cette tâche étaient non pas des policiers mais des scientifiques, leur rôle étant moins d'établir un portrait psychologique des criminels et de comprendre leurs mobiles, que d'analyser le crime en sorte qu'il conduisît à l'identification de celui qui l'avait perpétré. Les crimes étaient considérés comme autant de symptômes, reléguant l'acte lui-même au second plan afin de découvrir quel type de personnalité pouvait présenter tel ou tel symptôme.

— En termes simples, avait expliqué un instructeur, ce serait comme demander à un pathologiste d'identifier un individu à la vue d'une plante de pied nantie d'une énorme ampoule. Ce type d'ampoule se rapportant à tel type de chaussures de course, elle désigne une catégorie d'athlètes bien précis. Le fait que cette ampoule s'est formée sur d'anciennes cicatrices indique que le porteur de ces chaussures est un sportif assidu, du genre à poursuivre son entraînement nonobstant la douleur, etc. etc. Nous recherchons en général des indices plus subtils qu'une ampoule au pied, et qui nous permettent d'acquérir une bonne perception de l'état d'esprit du criminel. Souvent glorifiés, parfois encensés, les tueurs en série connaissent rarement leurs victimes. Mais en interrogeant des *serial killers* convaincus, ces spécialistes du comportement ont aussi étudié la façon dont ils se conduisent une fois leur crime perpétré. Dans le cas qui préoccupait Joe, avec deux meurtres survenus à des centaines de kilomètres l'un de l'autre et en l'absence de « couverture » médiatique, les chances que l'assassin revînt sur les lieux de son crime – par simple curiosité ou pour jouir du spectacle – étaient minces. Naturellement, restait toutefois la grande probabilité qu'il fût retourné – si tant est qu'il l'eût jamais quitté – à l'endroit où il avait ourdi son diabolique projet, cet endroit même où il avait transformé des appareils voués à sauver la vie en pièges mortels.

— Reprenons les choses depuis le début, demanda Joe à Lipman et à Cohen durant une réunion impromptue, dans le bureau équipé du matériel le plus moderne que Hagen avait mis à leur disposition. Hagen, Leary, Ashcroft et Schwartz ont tous les mêmes raisons de jurer leurs grands dieux qu'il est impossible que le crime ait pu être perpétré à partir de leurs ateliers.

— Mais comme l'un d'eux peut être notre homme, leur parole ne vaut pas tripette, objecta l'inspecteur Cohen.

— Ce ne peut être que l'un des dirigeants, surenchérit Lipman, quelqu'un qui a accès aux ateliers quand plus personne ne s'y trouve, et au dire des agents de sécurité, eux seuls restent tard le soir, et surtout les hommes. Ashcroft aime bien rentrer tôt chez elle pour s'occuper de sa famille, son assistante me l'a confirmé.

— En accord avec Schwartz, Valdez soutient qu'un stimulateur ne peut être ouvert après qu'il a été définitivement scellé, reprit Cohen. Il n'y a donc aucune possibilité pour qu'ils l'aient été après la dernière vérification.

— Et pourtant, observa Joe, Schwartz prétend qu'aucun employé, aussi adroit et rapide soit-il, n'aurait le temps d'interrompre la production sans être remarqué.

— Mais en affirmant cela, avança Lipman, il est fort possible qu'il cherche à protéger ses arrières.

Valdez entra en trombe dans le bureau et déposa une liasse de documents sur un bureau. Quand il maniait des explosifs, Valdez se déplaçait avec la souplesse et la prudence d'un félin, mais en dehors de cela, il ne craignait pas de se montrer vif, emporté et parfois même maladroit.

— Al Hagen vient de rentrer chez lui à cause d'une forte grippe, semble-t-il ; c'est le troisième de la matinée, annonça-t-il.

Depuis le milieu de la semaine, Hagen Industries au grand complet semblait avoir contracté la grippe. Hommes et femmes tombaient comme des mouches.

— Envoyez quelqu'un surveiller son immeuble, ordonna Joe à Cohen, qu'il se montre très discret.

— Schwartz semble en piteux état, lui aussi, ajouta Valdez.

— Où en êtes-vous dans vos travaux d'inspection ? voulut savoir Joe.

— Le rythme a beaucoup ralenti. Il est fatigué, malade. J'ai cru un instant qu'il allait tout avouer et nous éviter ainsi une tonne de problèmes.

— Je n'arrive pas à me faire à l'idée que ce puisse être lui, fit Lipman en hochant la tête. Nous l'avons observé des heures durant. Je n'ai jamais vu quelqu'un d'aussi concentré, d'aussi méticuleux et dévoué à son travail.

— Peut-être, fit Joe en sortant un document de sa mallette pour lire à voix haute : ...tout à fait convenable... un homme ordinaire... pas de bijoux ni de vêtements voyants... calme, poli, méthodique, ponctuel...

— Est-ce son profil psychologique ? demanda Lipman.

— Non, c'est celui du « poseur de bombes fou » établi par James Russel.

— Frank Kulak ?

— Non, un certain Metesky de New York, qui sévissait dans les années cinquante. C'est celui qui a fait sauter Radio City Music Hall et quelques autres salles de spectacles.

— Et aussi quelques gares, ajouta Valdez. Vous vous êtes servi de son profil dans l'affaire des incendies criminels.

— Comme notre homme, poursuivit Joe, Metesky utilisait des méthodes très précises et très savantes pour atteindre des victimes qu'il choisissait au hasard et éliminait à distance, sans se salir les mains.

— Leary porte une Rolex et deux diamants aux doigts, avança Lipman.

— Et Hagen est un personnage trop haut en couleur, ajouta Cohen qui venait de finir de donner des instructions au téléphone.

— Schwartz peut faire un aussi bon coupable que Leary ou Hagen, argua Lipman d'un air songeur, mais j'aimerais mieux que ce soit Leary.

— Vous aussi ? s'étonna Joe, qui avait détesté l'ingénieur dès le premier instant.

— Je le trouve très infatué ; de plus, il a passé dix ans de sa vie à concevoir de nouvelles armes.

— Je crois Schwartz blanc comme neige, conclut Cohen.

— Moi aussi, acquiesça Lipman.

— Pouvons-nous condamner un individu sous prétexte qu'il s'habille de telle ou telle façon ? avança Valdez.

— En tout cas, j'espère que c'est Leary, répéta Lipman.

— Pouvons-nous condamner un individu parce qu'il nous est antipathique ? renchérit Valdez.

— Bon, alors, que fait-on ? s'énerva Cohen.

— Nous ne lâchons pas notre équipe d'une semelle. Je prends Schwartz en main jusqu'à ce qu'il capitule. Vous, Lipman, vous vous occuperez de Leary ; faites-lui du charme, si c'est nécessaire.

— Merci du cadeau...

— Vous, Cohen, vous entreprendrez Ashcroft, mais je doute qu'elle soit sensible à votre charme. Quant à vous, Valdez, continuez à fureter un peu partout. Chacun de vous devra mener son interrogatoire jusqu'au bout, il devra noter jusqu'au plus petit détail, tirer le maximum de ces gens. Il est possible que nous nous soyons montrés trop laxistes, trop complaisants à leur endroit, conclut Joe, la main sur la poignée de porte. Je veux que vous soyez sur eux comme un chien sur un os.

— En fait, vous voulez qu'ils perdent les pédales, lâcha laconiquement Lipman.

— Et plus tôt vous y parviendrez, mieux cela vaudra, conclut le policier en quittant la pièce.

Le jour même, peu après dix-sept heures, la nouvelle leur parvint de San Francisco, faisant aussitôt monter la tension de plusieurs crans, au point de décider les autorités à fermer l'usine dès le lendemain. Dans l'heure qui suivit, Fred Schwartz regagna son domicile, souffrant lui aussi d'une forte fièvre, les seuls membres valides de la direction restant Ashcroft et Leary. Alors que la crise s'aggravait, que Hagen et Schwartz étaient momentanément hors circuit et que Ashcroft n'était guère plus reluisante, Howard Leary, lui, semblait au mieux de sa forme, un modèle de calme et de maîtrise de soi.

— Et maintenant ? voulut savoir Ashcroft, alors qu'elle se trouvait avec Joe dans le bureau richement décoré de Leary.

— Nous cessons de jouer aux statisticiens et nous entamons une véritable enquête, rétorqua Joe. Sous peu, deux inspecteurs de la brigade des homicides se joindront à nous, plus deux artificiers et deux experts du FBI. D'ici demain matin, ce bâtiment sera isolé du reste du complexe, et, en dehors de vous, seules les personnes clés y seront admises.

— Et quel prétexte allons-nous donner officiellement pour expliquer la fermeture du bâtiment ? demanda Leary, confortablement installé derrière son bureau.

— De graves fissures dans les fondations provoquées par un affaissement de terrain que nous aurions découvertes, tard dans la soirée. Le bâtiment ne représente aucun danger avec un personnel minimum, mais il pourrait se révéler dangereux dans le cas d'une occupation maximale. Vous n'aurez qu'à annoncer à votre personnel qu'il continuera à toucher plein salaire et qu'il pourra être tenu au courant de la situation en téléphonant à un numéro spécialement réservé à cet effet.

— Pauvre pompier, murmura Ashcroft, je ne peux m'empêcher de penser qu'il serait peut-être encore en vie si nous avions étalé cette affaire au grand jour.

— Vous manquez de logique, Olivia, répliqua Leary. La seule différence, c'est qu'il serait probablement mort en attendant d'être reçu par son médecin, après avoir vécu de terribles instants d'angoisse. Dans combien de temps pensez-vous mettre un terme à cette horreur, lieutenant ? demanda-t-il encore en s'adressant à Joe.

— Cela ne sera pas très long, à condition que nous bénéficiions d'un maximum de coopération. Trop de personnes sont au courant, à présent, les médecins, les familles, parmi lesquelles un journaliste.

— Je persiste à penser que l'affaire doit rester secrète.

— Même si des hommes, des femmes et peut-être aussi des enfants se promènent avec une bombe dans la poitrine ? se récria Ashcroft. Je crois, moi, qu'on devrait au moins leur laisser une chance de sauver leurs propres vies.

— Jusqu'à ce soir, de l'avis de la FDA, il y avait beaucoup à perdre en divulguant cette affaire. J'ai appris qu'une réunion au sommet était prévue pour demain matin, afin de définir jusqu'à quel point cette triste histoire doit être gardée sous le manteau.

— Où en êtes-vous dans vos recherches, lieutenant ? s'enquit Ashcroft.

— Nous étudions différentes hypothèses.

— Autrement dit, vous n'avez pas avancé d'un pouce, ironisa Leary.

— Disons qu'au chapitre de nos soupçons, rien n'a encore été décidé.

— Au moins faites-vous preuve d'honnêteté.

— Je ne vois pas pourquoi je me comporterais autrement.

— Me soupçonnez-vous toujours ?

— Qu'est-ce qui vous fait croire que c'est le cas ?

— Je n'inspire pas particulièrement la sympathie, je crois...

Olivia ne soufflait mot, cependant que Joe dardait sur Leary un regard narquois.

— Cela ne fait pas de vous le suspect numéro un pour autant, énonça-t-il d'un ton mesuré.

— Et qu'en est-il de Hagen ?

— Que voulez-vous dire ?

— Le considérez-vous comme suspect ?

— Howard ! s'indigna de nouveau Ashcroft.

— Ne prenez donc pas cet air outré, Olivia. Vous savez comme moi que ce pourrait très bien être l'un d'entre nous.

— Moi, je pencherais plutôt pour un déséquilibré parmi notre personnel, insista Ashcroft.

Joe s'adressa à Leary :

— Pour quelle raison devrions-nous soupçonner Hagen ?

— À cause de sa mère.

— Mais encore ?

— Comment ? Vous l'ignorez ? s'étonna Leary, faussement abasourdi, sa mère est décédée d'une crise cardiaque.

— Cela arrive à des tas de gens.

— Pas quand une simple intervention aurait pu les sauver.

— L'implantation d'un stimulateur, observa Joe d'un ton neutre.

— Précisément.

— Quand cela est-il arrivé ?

— Dans les années cinquante, Hagen avait quatorze ans.

— Cette technique n'en était alors qu'à ses premiers balbutiements.

— En effet. Il en a entendu parler peu de temps après la disparition de sa mère.

— J'ignorais tout cela, annonça Ashcroft.

— Il m'en a parlé il y a quelques années.

— Que vous a-t-il dit d'autre ? s'enquit Joe.

— Vous voulez peut-être savoir s'il éprouvait une forme de ressentiment contre ces appareils sous prétexte qu'ils n'étaient pas apparus à temps, sourit Leary.

— Est-ce le cas ?

— Au contraire. Il m'a expliqué que c'était la principale raison qui l'avait poussé à se lancer dans la fabrication de tels appareils.

— C'est tout à fait sensé, observa Joe.

— Ou, du moins, cela en a l'air, ergota Leary.

— Pourquoi ? Vous n'êtes pas de cet avis ? demanda Joe.

— Pas tout à fait. Mais j'aurais probablement dû vous le dire plus tôt, j'imagine ?

— En effet.

Joe contint son irritation. Avec Lipman et Cohen, il avait maintes fois interrogé Leary sans que ce dernier leur fît part des griefs qu'il éprouvait envers son employeur. Mentalement, il révisa la fiche d'informations concernant le président de Hagen Industries.

Albrecht Hagen, né en 1941 à Chicago. Père : Helmut Hagen, né en 1916, à Cologne, profession : ingénieur électricien, décédé en 1950 d'un cancer du poumon. Mère : Annaliese, née en 1921 à Chicago, femme au foyer, décédée en 1955 d'un infarctus du myocarde. Situation familiale : célibataire, sans enfant.

Du coup, Joe se rappela que seize autres employés de Hagen Industries avaient un membre de leur famille décédé à cause de problèmes cardiaques.

— Avez-vous autre chose à ajouter ? demanda-t-il à Leary.

— À propos de Hagen ?

— De lui ou d'un autre.

— Voulez-vous que je vous laisse ? proposa Ashcroft d'un ton acerbe.

— Ce ne sera pas nécessaire, répliqua son collègue avec un sourire. Saviez-vous qu'Al avait abandonné ses études ?

— Oui, fit la femme. Est-ce important ?

— Probablement pas.

— En tout cas, cela ne l'a pas empêché de réussir, commenta Joe.

— En effet, approuva Ashcroft. Hagen Industries est son œuvre. Al est un homme particulièrement doué en affaires.

— Naturellement, ajouta Leary. C'est le patron de l'affaire, mais nous en sommes les cerveaux.

— Je trouve votre remarque quelque peu déplacée, intervint Ashcroft. Vous savez comme moi que Hagen porte une attention toute particulière à cette usine. Ce que vous dites n'a aucun sens.

— Aucun sens, en effet, concéda Leary, toujours souriant.

— Suggérez-vous qu'il puisse en concevoir une certaine jalousie ? insista Joe.

— Je crois qu'il est conscient de nos capacités, fit Leary en tournant son immuable sourire vers Ashcroft, particulièrement de celles d'Olivia qui, en dépit de ses protestations véhémentes, est le plus brillant ingénieur de la société. D'ailleurs, vous feriez une magnifique coupable, ma chère, sinon que je ne sais rien de votre passé qui puisse justifier un tel acte.

— Merci quand même, Howard, rétorqua la femme d'un ton cinglant.

— Et qu'avez-vous à dire à propos de Schwartz ?

Frederick Schwartz, né en 1951 à Chicago. Père : Siegmund Schwartz, né en 1920 à Düsseldorf, profession : artiste, décédé à Chicago dans un accident de voiture. Mère : Eva, née en 1924 à Chicago, femme au foyer, décédée en 1962 d'une thrombose cérébrale. Situation familiale : célibataire, sans enfant.

En plus de n'avoir jamais connu son père, Schwartz avait perdu sa mère alors qu'il était encore enfant. Tout comme Hagen, ses parents avaient disparu dans des circonstances dramatiques, mais encore là, Joe n'y voyait rien de très significatif.

— Un personnage somme toute assez insignifiant, lâcha Leary. Bien qu'Al ne partage pas mon opinion, je pense que vous ne me contredirez pas, n'est-ce pas, Olivia ? Le dévouement dont il fait preuve m'a toujours paru sincère. Mis à part ses origines germaniques et le fait qu'il soit très sourcilleux sur les questions professionnelles, je ne sais que très peu de chose de lui. N'empêche qu'il ferait un excellent coupable, lui aussi. Comme je le soulignais plus tôt, n'importe lequel d'entre nous pourrait l'être.

On frappa à la porte. Lipman apparut.

— Les spécialistes des attentats à la bombe sont arrivés, lieutenant.

Joe jeta un coup d'œil à sa montre : il était presque huit heures. Sous peu, la nouvelle force spéciale allait passer l'usine au peigne fin, vérifiant chaque bureau, chaque dossier, chaque entrepôt, chaque centimètre de canalisation si cela s'avérait nécessaire pour trouver un indice qui les aiguillerait vers une piste, et Joe se dit que le plus tôt serait le mieux.

— Excusez-moi, dit-il en se levant.

— Je vous en prie, répondit aimablement Ashcroft.

— Bonne chance ! lança Leary avant de conclure : vous le savez sans doute déjà, mais mes parents sont toujours en vie, ainsi que ma femme et mes trois enfants. Il n'existe aucun antécédent cardiaque dans ma famille, et je n'éprouve aucune rancœur contre la société qui m'emploie, sinon le fait qu'elle risque de faire faillite.

— Et de vous mettre sur la paille, persifla Ashcroft.

— Comme tout le personnel de cette usine, rétorqua Leary, excepté Al Hagen, bien entendu...

15

Le samedi 16 janvier

C'est vers onze heures et demie, alors qu'Hugo était au café et que Toni Petrillo quittait la maison de Lally après une courte visite, qu'apparut Chris Webber accompagné de Katy. L'heure qu'ils passèrent ensemble fut une des plus navrantes qu'elle eût jamais connue.

La peinture que Lally avait reçue de Chris avait été l'élément révélateur de la réciprocité de leurs sentiments. Peut-être avait-il, lui aussi, compté les heures avec un alanguissement d'où n'était pas exclue une bonne part de remords ; et ce matin-là, au moment où il avait franchi le seuil de sa maison, un regard avait suffi à Lally pour reconnaître dans celui du peintre ses propres émotions, confuses et brutales à la fois. Et même si la présence de l'enfant ne les avait pas contraints à taire leurs pensées, à réprimer l'attirance qu'ils éprouvaient l'un pour l'autre, Andrea était encore là pour les séparer, même si elle se trouvait recluse dans une clinique à des kilomètres de là. À moins, tout simplement, que leur conscience leur imposât non seulement de refouler leurs sentiments, mais également de les reconsidérer.

— Quand comptez-vous reprendre les cours ? voulut savoir Katy.

— Pas avant quelque temps, hélas, répondit Lally.

— Mais vous allez quand même pouvoir le faire ?

Le regard bleu de l'enfant reflétait la même anxiété que celle

145

de son père, et Lally comprit qu'elle ne pourrait plus jamais la regarder sans aussitôt penser à lui.

— Lally va redevenir exactement comme avant, Katy, la rassura ce dernier.

— Naturellement, sourit la jeune femme.

Ils parlèrent de danse, des conditions de ski à Bousquet, de la stalactite de glace qui, deux jours plus tôt, s'était détachée de la toiture de l'épicerie et avait failli transpercer le crâne de Katy. Ils évoquèrent Jade et les animaux du chenil dont Katy avait promis à sa mère de s'occuper, de l'imminente parution du livre de Chris sur la peinture autodidactique. Il fut question de tout, sauf de l'éthylisme d'Andrea et des ecchymoses de Katy, mais surtout des sentiments coupables qui les rapprochaient, et en dépit desquels ils ne devraient rien espérer.

Une fois père et fille partis, Lally se lança dans la confection d'un soufflé qu'elle rata, tout comme les quelques pas de danse qu'elle hasarda sur l'air du *Lac des cygnes*. Pour couronner le tout, il se mit encore à neiger, et elle détesta tout ce blanc, soudainement gris, et ses bruits étouffés. Un sentiment de claustrophobie la submergea, charriant avec lui une impression de détresse et de solitude comme elle n'en avait pas ressenti depuis des années.

Hugo revint à seize heures pour découvrir Lally recroquevillée sur son lit, une couverture tirée sur elle, Nijinsky dormant à ses pieds. Malgré ses yeux clos, Hugo doutait qu'elle fût endormie. Les larmes séchées qui sillonnaient ses joues n'échappèrent pas à son regard anxieux, pas plus que le bouquet de pois de senteur posé sur la commode, près du tableau que Webber lui avait offert. Alors, lui qui buvait rarement au cours de la journée, il descendit calmement au salon et se servit un grand verre de whisky pour aller le siroter à la fenêtre en regardant le voile blanc qui recouvrait lentement Lenox Road, West Stockbridge et tous les Berkshires. Le whisky avait un goût amer, mais bien moins amer que sa propre jalousie.

Chris Webber avait fait pleurer Lally et en cela il le trouvait détestable, tout aussi détestable que sa propre hypocrisie, d'ailleurs, selon laquelle il aimerait Webber davantage, dans la mesure où ce dernier saurait rendre Lally heureuse, ce qui, naturellement, était loin d'être vrai.

16

Le dimanche 17 janvier

Le soleil brillait sur Chicago pour la première fois depuis une longue semaine. D'un froid mordant, le vent soufflait du lac, transformant les trottoirs en patinoire sous un ciel d'azur qui donnait cependant à la ville un éclat tel que Joe en fut transporté d'aise. En effet, son humeur était largement influencée par les caprices du temps, et des journées comme celle-là avaient le don de stimuler ses sens, surtout lorsqu'il évoquait les deux rendez-vous qui l'attendaient.

Alors qu'il se dirigeait vers Lakeshore Drive, ses pensées s'envolèrent vers Lally. Sa sœur occupait souvent son esprit, surtout le matin, quand, prenant son petit-déjeuner, il se perdait dans la contemplation de ses photographies accrochées au mur de la salle à manger. Mais au cours des derniers jours, et en dépit de la fébrilité engendrée par l'affaire des stimulateurs, il s'était pris à penser à elle aux moments les plus inopportuns. Si Jess avait appris que son sixième sens, comme elle l'appelait, le titillait à ce point, si, comme il le lui avait fortement suggéré, elle n'était pas allée rendre visite à ses parents, elle l'aurait à coup sûr exhorté à téléphoner à Lally. Leur dernière conversation remontait à moins de quinze jours. À ce moment-là elle lui avait semblé en excellente forme. Pourtant, un sentiment obscur lui dictait de lui téléphoner dans les plus brefs délais.

Aujourd'hui, Hagen Pacing était sens dessus dessous, sans que les recherches eussent tant soit peu porté leur fruit. Branchés sur les ordinateurs de la société, les agents du FBI s'évertuaient à établir la liste des personnes « à risque », au cas où un retrait massif des implants se révélerait nécessaire, alors que Joe concentrait ses efforts sur les suspects potentiels. Ce matin-là, il devait rendre visite tour à tour à Hagen et à Schwartz, tous deux reclus dans leur domicile en raison d'une forte grippe. Lipman étant elle aussi alitée, il avait décidé de s'y rendre seul, laissant à Valdez et à Cohen le soin de poursuivre l'enquête sur place, au cas où, par bonheur, un indice apparaîtrait. Bientôt, il atteignit l'autre côté du lac Michigan, miroitant comme un océan de glace, et monta les marches de pierre rose qui accédaient au Carlyle.

C'était sans doute le bâtiment le plus spectaculaire de la rue la plus huppée de Chicago, une élégante construction couleur sable d'une quarantaine d'étages érigés dans les années soixante et que seule identifiait une enseigne discrète, invisible de la rue. L'entrée en était verrouillée. Jack attendit quelques instants, puis sonna, le regard tourné vers le lac insuffisamment gelé pour permettre aux adeptes de la pêche sur glace d'aller y percer leur trou.

Au trente-troisième étage, Hagen en personne vint ouvrir, accompagné des échos d'un opéra de Wagner.

— Bonjour, lieutenant.

Le président de Hagen Pacing portait une robe de chambre de soie noire, complétée de mules en chevreau. Un foulard de soie blanc était frileusement noué autour de son cou. La voix était rauque, et bien qu'il fût rasé de frais, sa mine ne laissait planer aucun doute sur son état de santé.

— Comment allez-vous, monsieur ?

— Plutôt mal, merci. Mais entrez, puisque vous êtes là.

La porte refermée, Joe se sentit aussitôt enveloppé par une odeur d'opulence. Il nota les bronzes et les nombreuses toiles de maîtres qui ornaient la pièce, parmi lesquelles un authentique Dali. Cela lui fit penser que Leary avait raison sur un point : si

Hagen Pacing venait à disparaître, il n'en pâtirait pas trop, financièrement du moins.

— C'est bien aimable à vous d'accepter de me recevoir, fit Joe. J'espère que je ne vous dérange pas.

— Pas du tout. En fait, je suis plutôt soulagé.

Traversant le vestibule rutilant de marbre italien, Hagen introduisit le policier dans un immense salon richement décoré où, sous les lustres de cristal, un mobilier bleu acier étincelait sur fond de tapis de soie richement ouvragés.

— Je ne saurais vous dire à quel point je me sens coupable de m'être ainsi soustrait à mes obligations, reprit Hagen, mais j'ai dû rester alité toute la journée d'hier.

— Peut-être devriez-vous vous asseoir, monsieur.

Hagen obtempéra en acquiesçant faiblement, et invita Joe à faire de même. Sur un plateau d'argent attendait une cafetière remplie de liquide fumant dont l'homme emplit deux tasses d'une main tremblante.

— Alors, en quoi puis-je vous être utile, lieutenant ? À moins que vous n'ayez une bonne nouvelle à m'apprendre ? De mon côté, j'ai eu de nombreuses conversations avec le chef Hankin, et Howard et Olivia m'ont tenu au courant de l'évolution de la situation.

— J'aimerais pouvoir vous dire que nous tenons une piste.

— Mais ce n'est pas le cas.

Hagen semblait effondré. L'air quasi juvénile, qui le caractérisait de prime abord, avait disparu. Ce matin, il avait l'œil hagard, sa chevelure ordinairement argentée, et dont il semblait si fier, avait viré au gris terne et les rides qui striaient la peau du cou trahissaient largement son âge.

— Parlez-moi de M. Leary, demanda Joe à brûle-pourpoint.

— Que voulez-vous que je vous dise ? J'ai cru comprendre que vous saviez à peu près tout sur les dirigeants de la société.

— C'est ce que je croyais aussi.

— Mais quelque chose vous a fait changer d'avis ?

— Cela m'a simplement rappelé combien nos systèmes de

vérification étaient perfectibles. Il est surprenant de constater tout ce que les gens peuvent nous apprendre sur leurs concitoyens, malgré notre obsession de vouloir à tout prix protéger notre vie privée.

— Pourtant, le FBI doit détenir un dossier complet sur Howard et ses années d'activité paramilitaire.

Après un long crescendo, la musique s'arrêta.

— Puis-je vous parler franchement, monsieur ? s'enquit Joe.

— Mais je vous en prie.

— Leary a-t-il une raison particulière de vous détester ?

— En fait, ce n'est pas de Leary qu'il est question, mais de moi, n'est-ce pas, lieutenant ? laissa tomber Hagen avec un battement précipité des paupières.

— Disons de vous deux, corrigea prudemment le policier, et de tout le personnel cadre de la société.

— Cependant, Leary a émis quelques remarques à mon sujet.

— Il m'a en effet parlé de vous.

— Et cela a éveillé des soupçons à mon égard ? demanda calmement Hagen, ou devrais-je plutôt dire que cela m'a rendu encore plus suspect à vos yeux ?

— Il m'a parlé de votre mère.

— Ma mère ? s'étonna Hagen, soudain perplexe, que vient-elle faire dans cette histoire ?

— Il a fait allusion à la manière dont elle est décédée.

— Cela s'est passé il y a longtemps.

— C'est vrai.

Joe vit une expression de colère se dessiner lentement sur le visage de l'homme, même s'il ne voulait laisser paraître qu'une vague irritation.

— M. Leary soutient que votre mère aurait pu être sauvée si elle avait eu un stimulateur cardiaque.

— C'est vrai, admit Hagen, à condition qu'ils aient été disponibles. Si, à l'époque, cet appareil existait déjà, il n'avait encore jamais été testé sur un être humain.

— À sa mort, vous étiez encore très jeune.

— J'avais quatorze ans, mais j'ai perdu mon père beaucoup plus tôt.

— Néanmoins, cette disparition vous a suffisamment marqué pour que, quinze ans plus tard, vous vous lanciez dans la fabrication de stimulateurs cardiaques.

— Ç'aura été un puissant moteur, en effet, reconnut l'homme.

Joe s'empara de sa tasse de café. Pour la millième fois depuis le début de la semaine, il avait le sentiment de se diriger nulle part. Manifestement, Hagen n'appréciait guère ce nouvel interrogatoire, même s'il demeurait extrêmement courtois, et affichait l'air de quelqu'un qui, en tant que suspect possible, comprenait qu'on fît irruption dans sa vie privée. Mais Joe aurait aimé fouiner un peu, jeter un coup d'œil sur le reste de l'appartement. Il ne se faisait cependant aucune illusion sur cette éventualité.

— Si c'est ce à quoi Leary ou vous-même pensez, lieutenant, sachez que je n'éprouve aucune acrimonie envers les stimulateurs cardiaques, déclara Hagen. Mais lorsque j'y repense, il est vrai qu'une certaine tristesse m'envahit, sachant que ma mère aurait pu vivre plus longtemps, tout comme mon père, d'ailleurs, si les médecins lui avaient interdit de fumer.

Hagen reposa sa tasse avec un tintement de vaisselle qu'il devait assurément plus à l'émotion qu'aux effets de sa grippe.

— Sachez aussi, poursuivit-il, que la création de Hagen Pacing représente pour moi un objet de fierté supérieur à tout ce que j'ai pu entreprendre au cours de mon existence.

— Je l'imagine très bien, monsieur, acquiesça Joe.

— Dans ce cas, puis-je savoir ce que Howard Leary a dit d'autre à mon sujet ? renchérit l'homme avec un pâle sourire. Voilà une bonne occasion de savoir ce que mes collègues pensent de moi.

Hagen usait du vocable « collègues » plutôt que « collaborateurs », et cela n'échappa point à Joe. Toutefois, cela ne revêtait à ses yeux aucune importance particulière.

— Il a également évoqué vos études.

— ...et mes piètres résultats.

— Le fait que vous ayez renoncé à les poursuivre, aussi.

Hagen sourit à nouveau :

— Howard n'a jamais osé me le dire en face, mais il a toujours conçu un ineffable plaisir à se sentir supérieur à moi. Olivia est la seule d'entre nous pour qui il a une certaine considération, mais uniquement parce qu'il ne peut faire autrement : elle nous surpasse tous.

— Et quels sont ses sentiments pour M. Schwartz ?

— Il avait relativement confiance en lui, jusqu'à l'émergence de cette triste affaire. Depuis, j'ai le sentiment qu'il met en doute ses compétences bien plus que son innocence.

— Depuis le premier jour, c'est M. Schwartz qui m'a paru le plus ébranlé d'entre vous.

— Je l'ai toujours tenu en estime, fit Hagen, mais cela ne l'innocente pas pour autant.

— Cependant, vous ne croyez pas à sa culpabilité, n'est-ce pas ?

— En effet. Je préfère croire qu'il s'agit d'une firme rivale, œuvrant pour nous détruire.

— C'est une hypothèse, monsieur, bien qu'elle me semble peu vraisemblable.

— Nous tournons en rond, n'est-ce pas, lieutenant ? soupira Hagen d'un air las. La Hagen Pacing a beau être verrouillée, examinée sous toutes ses coutures, vous n'avez encore découvert ni le coupable ni même les méthodes qu'il emploie. Nous ne savons même pas combien d'appareils ont été piégés.

— Nous ne le saurons pas avant d'avoir mis la main sur le ou les responsables.

— Et entre-temps, ces gens-là se tordent probablement de rire...

— Probablement.

— Eh bien, moi, cela ne me fait pas rire du tout, lieutenant. Combien de temps encore, avant que cette affaire ne soit étalée au grand jour ?

— Je l'ignore, monsieur.

— Leary a au moins raison sur un point : ce serait une véritable catastrophe.

— Mais peut-être n'aurons-nous pas d'autre choix, monsieur. Hagen se leva avec effort.

— J'ai une faveur à vous demander, lieutenant.

— Si cela m'est possible...

— Mettez un point final à cette affaire, demanda-t-il, le regard brillant de larmes. Cessez vos tergiversations, et obtenez des résultats.

L'appartement de Fred Schwartz ne se trouvait pas très loin de celui de Hagen, bien que, côté « standing », un monde les séparât. Si le président-directeur général de Hagen Pacing n'avait guère à se soucier de contingences d'ordre domestique, il apparut clairement à Joe que les locataires de celui où vivait Schwartz devaient certainement se débattre dans bon nombre de problèmes. Hagen vivait au trente-troisième étage du Carlyle, Schwartz au vingt-deuxième d'un immeuble de brique et de béton. La terrasse de Hagen surplombait le lac Michigan avec, à droite, à quelques centaines de mètres de là, le superbe panorama du Magnificent Mile. L'immeuble de Schwartz, lui, ne possédait pas de balcon, mais en se penchant un peu, ce dernier pouvait apercevoir le lac de la fenêtre de son salon. Les aménagements intérieurs devaient être tout aussi différents, songea Joe en se demandant si l'ingénieur responsable de la qualité avait eu l'occasion de visiter l'appartement de son employeur. En fait, il doutait fort que Hagen permît à ses collaborateurs de venir chez lui, ne serait-ce que pour ne pas faire l'objet de basses flatteries.

— C'est très aimable à vous d'accepter de me recevoir, monsieur, fit Joe en guise d'introduction.

— Je suis également heureux de vous voir, lieutenant. Depuis mon départ de l'usine, vendredi dernier, je n'ai eu pour tout interlocuteur que mon médecin, répondit faiblement l'ingénieur.

Si Hagen se trouvait dans un triste état, celui de Schwartz semblait infiniment pire. Lui aussi arborait une robe de chambre de soie qui, bien qu'élimée et d'une tout autre facture, était repassée et d'une irréprochable propreté. Sous la chevelure clairsemée mais soigneusement coiffée, le visage aux yeux rougis était pâle et la lèvre supérieure était bordée d'une fine pellicule de sueur. Du corps de l'homme s'exhalait une puissante odeur mentholée.

— Ne devriez-vous pas être couché? s'enquit Joe sincèrement contrit.

— Je me sens davantage mal en point dans mon lit, répondit Schwartz en faisant un pas en arrière. Ne vous approchez pas trop de moi, lieutenant, je pourrais vous contaminer.

— Depuis le temps que je côtoie des gens malades, je dois être immunisé, répliqua le policier.

Pour un homme d'apparence modeste et tranquille, Schwartz possédait un appartement d'un luxe étonnant. Traversant le vestibule, Joe foula un épais tapis persan et, sur un signe de son hôte, entra dans le salon. Des rayonnages chargés de livres couraient d'un mur à l'autre — chose que Joe n'avait pas remarquée chez Hagen, mais peut-être possédait-il une pièce spécialement aménagée en bibliothèque —, et de lourdes tentures de velours encadraient les fenêtres. Une paire de haut-parleurs encastrés dans un meuble d'acajou diffusaient une musique en sourdine. De l'opéra, observa Joe avec un sourire intérieur, encore une passion qu'il partageait avec son employeur.

— Votre appartement est superbe, monsieur Schwartz.

— Merci, lieutenant, répondit l'ingénieur en désignant un fauteuil orné de brocart. Mais asseyez-vous, je vous en prie. Désirez-vous boire quelque chose?

— Non, merci. C'est une très belle femme, observa le policier en désignant un tableau accroché au mur.

— Il s'agit du portrait de ma mère peint par mon père.

— C'est vraiment réussi.

Schwartz remercia, plia ses articulations douloureuses en grimaçant. S'emparant du mouchoir qu'il gardait dans sa poche, il s'en essuya le front.

— C'est insupportable, dit-il, je n'étais pas tombé malade depuis des années.

— Le détective Lipman a contracté une sévère grippe, elle aussi.

— Pauvre femme, j'en suis navré pour elle.

Joe hésita quelques instants avant de demander :

— Puis-je aller droit au but, monsieur ?

— Je vous en serai reconnaissant.

— Je suis arrivé à la conclusion qu'en ce qui a trait aux stimulateurs cardiaques vous étiez le plus compétent de tous, y compris M. Hagen.

— C'est probablement vrai, admit Schwartz.

— Je sais également que vous êtes persuadé que ces sabotages n'ont pas été commis à l'intérieur de l'usine.

— ...ou, du moins, que je tente de m'en persuader...

— Peut-être. Vous devez cependant savoir que nous suivons d'autres pistes.

— Je n'en doute pas, acquiesça l'ingénieur en s'essuyant de nouveau le visage. Je connais l'usine dans ses moindres recoins, lieutenant, et jusqu'à présent, je n'y ai pas décelé l'ombre d'un indice, malgré l'aide très précieuse du détective Valdez.

— Vous êtes tous d'accord, Valdez y compris, pour affirmer qu'une fois scellés, ces appareils sont inviolables.

— C'est vrai.

— Cependant, les chirurgiens et les cardiologues intéressés au cas qui nous préoccupe soutiennent qu'un appareil qui aurait fait l'objet de certaines « manipulations » n'aurait pu échapper à leur attention.

— Je crains de ne pouvoir adhérer à ce point de vue là.

— Ils allèguent qu'avant d'être implantés, les stimulateurs ont tous été soigneusement vérifiés.

— Qu'attendiez-vous qu'ils vous disent ? objecta Schwartz avec un haussement d'épaules.

— Vous avez probablement raison, admit Joe. Cependant, j'aimerais vous demander une faveur.

— Tout ce que vous voudrez, lieutenant.

— Si vous deviez le faire, monsieur Schwartz, si vous vouliez transformer ces stimulateurs en bombes à retardement, comment vous y prendriez-vous ?

Schwartz ne parut nullement prendre ombrage de la question et de ce qu'elle pouvait sous-entendre.

— Pour cela il faut d'abord tenir pour acquis que les appareils ne sont pas scellés et que j'ai libre accès à la chaîne de montage, moyennant quoi, je me concentrerais sur la pile, c'est l'élément le plus combustible du générateur que l'on implante dans la poitrine des patients.

— Poursuivez...

— Dès le commencement, ce fut l'objet de notre propos, à Leary et moi, car des piles au lithium peuvent exploser dans des circonstances bien particulières. Naturellement, nous en avons aussitôt référé au détective Valdez.

— Des circonstances comme une chaleur intense, par exemple ?

— En effet. C'est ce qui aura sans doute provoqué la mort du pompier, mais cela n'explique pas pour autant les deux autres décès.

— Ces piles peuvent-elles recevoir suffisamment d'explosif pour provoquer la mort ?

— Je le suppose ; je ne suis pas artificier, énonça Schwartz, soudain saisi qu'une quinte de toux d'une telle violence que son visage devint écarlate.

— Voulez-vous que j'aille chercher un verre d'eau ? proposa aussitôt Joe en se levant.

— S'il vous plaît, hoqueta l'ingénieur en désignant la porte. La cuisine est à droite.

Empruntant un couloir, Joe se retrouva devant deux portes closes. Il en ouvrit une, espérant que ce ne fût pas celle de la cuisine, et reconnut aussitôt la chambre à coucher. Il y régnait une chaleur étouffante dans laquelle flottaient les mêmes effluves mentholés. Près du lit aux draps soigneusement tirés, une table de chevet était encombrée de différents flacons de médicaments. En entendant la toux de Schwartz redoubler d'intensité, Joe referma précipitamment la porte et poussa la suivante. C'était la cuisine, impeccable d'ordre et de propreté. Dans un coin se dressait un vieux réfrigérateur qu'il alla ouvrir. Rien d'intéressant ne s'y trouvait, aucun contenant scellé ni de substance suspecte ; quelques boîtes de sardines, deux cartons de lait écrémé, quelques bouteilles de bière de fabrication allemande, un demi-poulet rôti soigneusement emballé dans du papier film, des œufs, de la margarine.

Joe fit couler l'eau du robinet et en remplit un verre qu'il ramena au salon. La respiration sifflante, Schwartz s'épongeait consciencieusement le front avec son mouchoir.

— Je n'ai pas trouvé d'eau minérale, fit Joe en lui tendant le verre.

— Je n'en achète jamais. Désolé de vous causer tant de soucis, lieutenant.

— C'est moi qui vous dois des excuses. Vous êtes malade et je viens vous déranger avec mes questions. Je devrais plutôt vous laisser vous reposer.

— Pas du tout, je suis très flatté de votre visite, à moins que je doive m'en inquiéter.

— Pas du tout, mais vous me parliez de la façon dont l'explosif pouvait être inséré dans la pile, je crois.

— En soi, je ne pense pas que cela pose de véritable problème, hormis le fait d'être surpris en flagrant délit. Mais cela reviendrait à ouvrir les stimulateurs puis à les souder à nouveau, ce qui ne manquerait pas d'attirer l'attention. S'il s'agit vraiment des piles, elles ne peuvent avoir été manipulées que durant leur fabrication.

— De ce côté-là, vous avez pourtant procédé à toutes les vérifications, objecta Joe, et jusqu'à présent, elles n'ont rien donné.

— C'est vrai. Mais nous ne détenons qu'une partie du problème. Je suis certain que notre homme a dû se heurter à des difficultés infiniment plus complexes que celle d'insérer quelques grammes d'explosif dans une pile.

— Par exemple ?

— Les possibilités sont infinies, lâcha Schwartz avec un affaissement las des épaules. Je suis navré, lieutenant, vous m'en demandez trop pour l'état dans lequel je me trouve. Mais à l'heure qu'il est, vos experts auront certainement découvert un indice.

— Pas plus que vous ne venez d'en dire : des traces de plastic, la possibilité que les piles aient été manipulées, et les restes d'un circuit électronique, ce qui induit la présence de minuteries.

— De véritables bombes à retardement, acquiesça tristement Schwartz.

— En effet. Jusqu'à présent, aucune d'entre elles n'a explosé avant d'être implantée dans le corps d'un patient.

— Et je suppose que l'on n'a découvert aucune relation entre les victimes.

— Non, sauf leur stimulateur cardiaque.

Schwartz hocha tristement la tête.

— L'accouchement s'annonce long et difficile, n'est-ce pas, lieutenant ?

— Nous finirons par trouver la solution.

— Mais combien de personnes périront avant ?

— Prions le ciel pour qu'il n'y en ait plus.

— Et combien de temps l'usine devra-t-elle rester fermée ?

— Je ne peux répondre à cette question, monsieur Schwartz.

— Ce qui arrive est affreux pour Al Hagen.

— Et pour bien d'autres gens.

— Mais Al s'est tellement investi dans la Hagen Pacing ; infiniment plus que pour ses autres sociétés.

— C'est aussi votre cas, monsieur Schwartz.

— Je lui ai consacré ces dix dernières années de mon existence.

— M. Hagen et vous avez bien des choses en commun, monsieur Schwartz, fit Joe en se préparant à prendre congé.

— En effet, acquiesça l'ingénieur avec un pâle sourire.

17

Le lundi 18 janvier

Une semaine s'étant passée, Hugo conduisit Lally à l'hôpital pour les vérifications d'usage. Persuadé que ces contrôles ne renfermaient rien de spectaculaire, il la suivit jusqu'au laboratoire et lui tint la main pendant que Lucas Ash, Joanna King et Bobby Goldstein s'affairaient autour d'elle. Une fois prises de nouvelles radiographies du thorax, on la fit s'asseoir, marcher, sautiller sur place, s'allonger afin de s'assurer que le stimulateur était programmé selon les besoins spécifiques de son cœur.

— C'est parfait, annonça le Dr Ash, une fois la procédure achevée.

— C'est vrai ? s'étonna Lally d'une voix tendue, en lançant au praticien un regard soupçonneux.

— Je vous ai déjà dit que je ne mentais jamais à mes patients, Lally.

— Je suis désolée, rougit-elle.

— Inutile de l'être, aussi longtemps que vous me faites confiance.

— Je m'y efforce.

Les mains moites, Hugo lui pressa doucement l'épaule.

— Eh bien, je suis soulagé, soupira-t-il.

— C'est un soulagement pour nous tous, fit laconiquement Joanna King.

— Cela signifie donc que tout va bien pour Lally ? s'enquit encore Hugo.

Lucas secoua la tête.

— « Bien » cela veut dire que Lally survivra, or, c'est plus que cela. Lally va pouvoir reprendre le mode de vie qui lui convient : danser, cuisiner, tout ce qui lui plaira.

— J'ai du mal à le croire, fit la jeune femme, malgré l'agréable impression de soulagement qui la submergeait. Ou, du moins, j'ose à peine y croire, tant tout cela m'a sérieusem... Je dois vous sembler une personne difficile à vivre.

— Pas le moins du monde, intervint Goldstein.

— Pas plus que n'importe qui dans votre situation, ajouta Joanna King. Quiconque à votre place réagirait de la même façon.

— À présent, vous pouvez rentrer chez vous, conclut le Dr Ash.

— Et après ? voulut encore savoir Lally.

— Il ne vous restera plus qu'à oublier.

— Vraiment ? s'étonna Hugo sans chercher à cacher son incrédulité.

— Reprenez un rythme de vie normal, mais en procédant par étapes, expliqua le cardiologue. Faites quelques exercices d'échauffement, mais rien d'exténuant pendant une semaine ou deux, non pas parce que cela risque de vous causer du tort, simplement pour que vous vous fassiez à l'idée que l'appareil que vous avez dans la poitrine est votre allié, qu'il fait partie de vous, maintenant.

— Considérez-le comme un fiancé qui va peu à peu se changer en mari idéal, suggéra Joanna King. Au début, vous n'en croyez pas vos yeux, vous vous méfiez ; finalement, vous vous rendez compte que sa proximité vous rend heureuse comme vous ne l'avez jamais été auparavant.

— Et quand auront lieu les prochaines vérifications ? demanda Hugo.

— Dans un mois, répondit Ash, puis six mois plus tard, et enfin une fois par an.

— Et les piles ? s'enquit Lally.

— Elles devraient durer de dix à douze ans.

Lally s'adossa à son siège et se détendit, parcourant du regard le laboratoire et les personnes qui s'y trouvaient. Dehors, le soleil avait percé la grisaille et criblait le laboratoire de ses rayons. Un sourire monta aux lèvres de Lally lorsqu'elle vit une auréole de lumière se dessiner autour de la chevelure dorée du médecin.

— Et si elle prenait des vacances ? proposa Hugo.

— Voilà une excellente idée, approuva Ash.

— Des vacances ? Quel genre de vacances ?

L'idée parut séduisante à Lally qui, excepté à Chicago pour rendre visite à son frère, n'était allée nulle part depuis fort longtemps.

— Celles qui vous plairont, répondit le cardiologue. À part escalader une montagne, vous pouvez vous livrer à toutes les activités qu'il vous plaira : natation, équitation, marche... à condition que vous les pratiquiez raisonnablement.

— Le ski aussi ? demanda Lally.

— Bien sûr, pourquoi pas ?

— Je n'ai pas très envie de skier, objecta Lally. En fait, j'aimerais m'éloigner un peu de toute cette neige.

— Pourtant, tu adores la neige, intervint Hugo.

— Depuis quelques jours, je me prends à la détester.

— Nous pourrions aller en Floride, proposa le jeune homme, mal à l'aise. À moins que tu ne préfères t'y rendre toute seule...

— Non.

— ...ou avec quelqu'un d'autre...

Comprenant qu'il faisait allusion à Chris, Lally planta son regard dans celui de son ami.

— Il n'y a personne d'autre avec qui j'aimerais m'y rendre, Hugo.

— Dans ce cas, l'affaire est entendue, intervint Joanna.

— La Floride ? s'étonna Goldstein. Pour vous dire le fond de ma pensée, vous ne semblez pourtant pas du genre à fréquenter Miami Beach.

— Nous ne le sommes pas, sourit Lally.

— Et pourquoi pas ? objecta Hugo, je n'y suis jamais allé.

— Moi non plus, ajouta Lally. Mais j'ai toujours rêvé de visiter les Everglades.

— Allez plutôt dans les Keys, conseilla Goldstein. Les gens y sont très pittoresques et vous y trouverez de tout : la mer, des étangs, et si vous aimez les alligators...

— et les daims... l'interrompit la jeune femme. On y voit, paraît-il, des milliers d'oiseaux.

— Saviez-vous qu'au moins six écrivains ayant obtenu le prix Pulitzer ont vécu à Key West ? fit Goldstein. C'est là que j'irai m'installer quand j'aurai écrit mon best-seller.

— Nous retenons tous notre souffle, ironisa Joanna King.

— C'est donc décidé, trancha Ash. Lally et M. Barzinsky iront en Floride.

— Quand ? demanda cette dernière.

— Quand vous voudrez.

— Voulez-vous dire... tout de suite ?

— Prenez quand même le temps de faire votre valise, sourit le cardiologue.

Le soleil avait disparu, mais Lally avait encore chaud au cœur. Elle se sentait bien.

— Je déteste les alligators, déclara Hugo, soudainement inquiet.

— Je te protégerai, lui sourit Lally.

Ce soir-là, Lally décida qu'il était temps de téléphoner à Joe. Après avoir laissé sonner plusieurs minutes, elle reposa le combiné sur son socle.

— Que se passe-t-il ? demanda Hugo.

— Il n'y a personne.

— Et le répondeur ?

— Je n'ai pas su quoi dire.

— Raconte ce qui t'est arrivé en précisant que tout va très bien.

Lally secoua la tête.

— Non, Joe s'inquiéterait.

— Dis-lui que tout va bien et que tu pars en vacances.

— Il pourrait ne pas me croire.

— Il faut que tu le mettes au courant, Lally, insista Hugo d'un air réprobateur.

— Non, répéta Lally, butée. Je connais mon frère mieux que toi, s'objecta-t-elle en décrochant de nouveau l'appareil. Un doigt sur les lèvres pour intimer le silence à son ami, elle déclara : Bonjour tout le monde, c'est Lally. Je voulais vous donner de nos nouvelles. Hugo va bien, Nijinsky va bien, et je vais bien aussi. Bref, tout va pour le mieux. Hugo et moi avons décidé de partir quelques jours en vacances, aussi ne vous inquiétez pas si vous ne pouvez pas nous joindre. Je vous embrasse.

— Lally... fit Hugo sur un ton de reproche.

— Hugo... rétorqua-t-elle sur le même ton.

— Quoi donc ?

— Cesse donc de jouer les tyrans.

18

Le mardi 19 janvier

Il somnolait sur son divan quand le gecko le réveilla. Bien qu'il sentît à peine le poids du saurien, l'animal était là sur sa poitrine, assez présent pour l'inciter à ouvrir les yeux et lui donner la chair de poule.

La peur le submergeait jusqu'à l'écœurement, pourtant, l'homme parvint à en garder le contrôle, à regarder la bête sans bouger un muscle. C'est qu'elle était si petite, si insignifiante avec sa peau tachetée et ses yeux vifs et dorés. Il se souvenait avoir tenu entre ses mains une de ces petites créatures, un matin, peu après qu'il les eut ramenées chez lui. Il l'avait gardée dans ses mains gantées, à l'abri des rayons du soleil, tremblant d'excitation et de crainte à la vue de son corps luisant et adipeux.

Jusqu'à ce jour, il n'en avait jamais senti le contact sur sa chair nue. Probablement la bête s'était-elle glissée hors du vivarium pendant qu'il changeait son eau. Lentement, l'animal commença à descendre vers son ventre et, plus nauséeux que jamais, le ventre noué de terreur, il regarda la queue de l'animal s'agiter doucement sous ses yeux. Alors, des profondeurs de son être, l'excitation le saisit. Il vit son pénis se gorger de sang et se dresser, turgescent, telle une épée vengeresse. Comme dans un rêve, il saisit le lézard à mains nues. Alors que l'animal apeuré se tortillait en tous sens, l'homme raffermit sa prise, prenant soin de tenir ses mâchoires hermétiquement closes. Se redressant un peu, il la promena sur son corps nu, sur son torse, son bas-ventre, son pénis et ses testicules. Un feu intérieur le dévorait. Le désir monta en lui en un long grognement d'agonie avant que, secoué d'un long frisson, il sentît sa semence laiteuse éclabousser sa poitrine. Dans la main qui tenait la bête serrée, tout mouvement avait cessé. Baissant les yeux, il comprit qu'il venait d'occire la petite créature et en conçut un grand soulagement. C'était la première fois qu'il tuait un dragon en combat singulier, la première fois que son être tout entier savourait le plaisir de la vengeance et le goût de sang qu'il en gardait dans la bouche lui apparut comme un signe.

Peu après s'être débarrassé de l'animal, l'homme s'allongea encore et fermant les yeux au présent, retourna à ses souvenirs. Passée la mort de sa mère, passées l'angoisse et l'humiliation, passée l'indicible douleur qui avait suivi sa mort, il retrouvait le plaisir de ses jours et la douce violence de ses nuits, quand dans les mains, dans les bras de sa mère il n'était qu'un jouet, là-bas, dans son antre, dans les replis de son grand lit.

Attendre que son œuvre se fît jour lui avait paru pénible, mais tout aussi exaltant que toutes les gâteries pour lesquelles Mère le faisait si longtemps languir, comme les temps heureux où elle lui confectionnait ses biscuits favoris en forme de lettres de l'alphabet. Le jeu consistait pour lui à épeler deux noms de personnages de *L'Anneau des Nibelungen* avant d'avoir le droit d'y goûter. Et si les biscuits étaient savoureux, combien plus délectable avait été l'attente.

Mais Mère lui réservait des délices bien plus tentantes encore, comme celles de le faire attendre jusque tard dans la nuit son retour de son antre, ou celles de l'autoriser à brosser ses cheveux, si soyeux et dorés, ou celles encore de lui faire partager sa couche. Il avait dû patienter une éternité avant qu'elle commençât à lui caresser le dos, à lui masser les épaules, puis la poitrine et le ventre, après quoi – ce qu'il affectionnait le plus – elle lui parlait longuement de Père et des histoires de héros mythiques qu'il se plaisait à raconter.

Mère n'avait pas toujours été gentille avec lui, loin s'en fallait. Son travail la tracassait, et souvent, quand elle rentrait recrue de fatigue et que sa mauvaise humeur prenait le pas, elle le punissait en se servant de sa cigarette ou simplement de ses mains. Mais cette violence rendait leurs moments de tendresse plus précieux à ses yeux, et il n'avait jamais su résister à la tentation de s'enquérir de son travail. À ses questions elle répondait souvent par une gifle, parfois pire, mais, allongée près de lui, il lui arrivait aussi de s'alanguir et de se mettre à lui parler de son travail et en quoi il consistait. À ces moments-là, la pièce dans laquelle ils se trouvaient semblait disparaître pour laisser place à de fascinants mystères que Mère changeait en confondantes mais ô combien exquises révélations.

Une fois, une seule, Mère l'avait emmené dans son antre, et l'homme avait été subjugué par la magnificence de l'endroit, par ses lustres de cristal, ses draperies de velours grenat que retenaient d'épais cordons, par les chambres, leurs alcôves et leurs plafonds de miroirs. Il avait été fasciné par les étranges peintures et les tapisseries illustrant les vieilles légendes germaniques qui faisaient partie intégrante de leur existence. *Siegfried, pourfendeur de dragons* avait été une de ses toiles favorites, et après que Mère fut partie pour toujours et que l'on eut posé les scellés sur son antre de mystères, il s'y était rendu avant la vente aux enchères et avait fait en sorte qu'on lui mît la toile de côté, ainsi qu'un lustre de cristal.

À présent qu'il avait du temps, l'homme consacrait chaque jour de nombreuses heures à son retour vers le passé. Du temps, à vrai dire, il en avait à revendre. Aussi s'employait-il à prolonger son attente, à mettre toujours davantage son sang-froid à l'épreuve. Il s'étonna de ses qualités d'acteur, à l'usine comme dans son appartement. Pas plus tard que la veille, le lieutenant était reparti Gros-Jean comme devant, sans douter un instant de son état de santé. Feindre une grippe avait été un jeu d'enfant, pas plus difficile en tout cas que le rôle de personnage inoffensif et sans histoire auquel il s'astreignait depuis des années. Pour être franc avec lui-même, les deux dernières semaines avaient été les plus gratifiantes de sa vie. Voir tous ces gens tourner en rond, se débattre comme le gecko entre ses mains, lui procurait une ineffable jouissance. C'était presque dommage d'être ainsi à la fois au centre des événements et à l'abri de tout soupçon. Cela lui procurait un sentiment de sécurité, naturellement, mais en même temps, il aurait aimé que la découverte d'un indice lui permît de garder son esprit en éveil.

À présent, il se rendait dans sa pièce deux fois par jour et y séjournait plus longtemps que par le passé, parfois regardant ses petits dragons captifs, parfois relisant le journal où était consigné l'ensemble de son œuvre, parfois aussi se délassant parmi ses souvenirs. La police ne lui rendrait pas visite de sitôt, pas sans s'annoncer préalablement, et son répondeur restait presque toujours branché, comme il convient à une personne alitée. Et quand bien même ce brave lieutenant se montrerait soupçonneux, ce qui, avec le temps, finirait par arriver, il était prêt à le recevoir.

Son attente entrait dans une nouvelle phase, peut-être la plus difficile, quoique extrêmement tentatrice. L'attente d'être pris, de passer à un autre jeu où tout le monde se retrouverait enfin face à face.

19

Le mercredi 20 janvier

Lally et Hugo passèrent la nuit de mardi à Key Largo, la première et la plus grande île de l'archipel des Keys, que traversait la Route 1, la grande Overseas Highway. Tous les espoirs de Lally sur la possibilité de faire du camping, du canotage ou de la bicyclette dans les Everglades furent étouffés dans l'œuf par Hugo, avant même qu'ils se fussent envolés pour Miami.

— Nous pourrons faire tout ce qui te plaira, avait-il expliqué durant le voyage, mais il ne saurait être question de patauger dans les marécages parmi les moustiques et les alligators.

— Mais nous sommes en hiver, avait argué Lally. Il y a très peu de moustiques en cette saison.

— Les moustiques sévissent par tous les temps sous ces latitudes.

— Mais on peut très bien rencontrer des méduses en se baignant dans l'océan, l'avait-elle raillé.

— Dans ce cas, tu feras de la plongée sans moi.

— Et tu abandonnerais une pauvre malade à son sort ?

— Tu es forte comme un cheval, c'est toi-même qui le dis.

— Je suis quand même un peu fragile.

— Tu n'auras qu'à rester allongée sous ton parasol en sirotant des cocktails exotiques.

— Un jour seulement, consentit Lally.

— Et pourquoi pas cinq ? insista Hugo, qui n'avait jamais beaucoup aimé le grand air.

— Un seul, puis nous irons regarder les petits poissons au fond de l'eau.

— Qu'est-ce qu'on ne ferait pas pour une malade...

— Même du camping ?

— Tout ce que tu voudras.

— Hugo ?

— Oui ?

— Que sais-tu des chauves-souris ?

— Qu'elles ne s'accrochent qu'aux cheveux des femmes.

Comme chacun le sait, les Keys représentent un chapelet d'îles situées à l'extrême sud de la Floride, entre l'océan Atlantique au sud et à l'est, et le golfe du Mexique à l'ouest. Leur histoire abonde de récits de naufrage et de scènes de piraterie, et même encore aujourd'hui, en dépit de moyens de communication modernes et des inévitables motels et restaurants *fast-food* qui longent la Route 1, les Keys, dont Key Largo est la porte d'entrée, dégagent encore un parfum de romantisme et de liberté. Une fois garée la voiture louée à l'aéroport de Miami, Lally et Hugo n'eurent aucun mal à se procurer tout ce qu'ils avaient oublié dans leur hâte de quitter les paysages enneigés de Nouvelle-Angleterre : insecticide, crèmes solaires, films et sandales. Puis ils jetèrent leur dévolu sur un hôtel moderne dont la façade dominait la baie, d'une part parce qu'Hugo voulait s'assurer de passer au moins une nuit dans un vrai lit, de l'autre parce que c'était le seul à disposer de deux chambres vacantes.

Ce soir-là, ils dînèrent dans un restaurant nommé le *Sundowner's* d'un excellent vivaneau farci au crabe et arrosé de chardonnay. Puis, repus, ils se promenèrent dans le centre-ville, écoutant le babillage des touristes aux accents variés, avant de regagner leur hôtel et de se prélasser sur leur terrasse, humant l'air marin à pleins poumons, l'oreille pleine du son évocateur et lénifiant de l'océan.

— C'est le paradis, murmura Lally.

— Je n'arrive pas encore à y croire, acquiesça Hugo.

— Il fait si bon, si...

— ...doux, acheva Hugo.

— C'est le mot, en effet.

— Est-ce que tu veux toujours aller camper, Lally ?

— Je veux tout faire, sourit-elle. Je veux m'étendre sous les étoiles et nager avec les dauphins, regarder les loutres et les tortues de mer ; et peu importe si je ne vois pas d'alligators, mais je tiens à voir des aigles, et pêcher ces crabes qu'on peut rejeter à l'eau, tu sais, ceux qui ont de grosses pinces.

— Des crabes de roches, précisa Hugo.

La nuit était tiède. Une brise rafraîchissante soufflait de Florida Bay. Lally étendit ses longues jambes et, son verre coincé entre ses genoux, ferma quelques instants les yeux. Le regard scrutateur, Hugo se répétait une fois encore à quel point il la trouvait belle, à quel point il l'aimait, malgré sa souffrance, car il savait bien que l'amour qu'elle avait pour lui n'était pas de même nature.

Ils dormirent profondément et commencèrent la matinée de mercredi en douceur, en déjeunant dans les jardins de l'hôtel, avant de faire une promenade à bord d'un bateau à fond de verre du John Pennekamp Coral Reef State Park. Un peu plus tard, Lally réussit à persuader Hugo de tenter une plongée en apnée. Après que ce dernier eut exploré quelques coins à la faune et à la flore particulièrement spectaculaires, elle eut toutes les peines du monde à le faire sortir de l'eau. Le temps commença à perdre toute signification. La fameuse atmosphère de détente propre aux Keys dont ils avaient ouï dire produisait déjà son effet. Vers quinze heures, après avoir goûté à leur première soupe aux conques et à leur première tarte à la limette, ils traversèrent Tavernier et mirent cap au sud en direction d'Islamorada en chantant à tue-tête de vieilles chansons de Dylan, libres et pourtant déjà captifs des paysages verdoyants et du bleu infini de l'océan.

Cette nuit-là, ils camperaient au bord de l'Atlantique, à l'ombre des grands pins d'Australie. Elle pourrait voir des *gumbo-*

lombos, des cornouillers jamaïquains, des palétuviers et des manguiers. Elle s'allongerait sous la voûte céleste et serait reconnaissante à Dieu comme elle ne l'avait jamais été de sa vie. Déjà, le
souvenir de sa maladie, des médecins, de l'hôpital, toutes les pensées qu'elle avait eues sur les familles troublées, les mères alcoo-
liques, les petites filles malheureuses et les hommes aux yeux
bleus semblaient appartenir à un monde qui n'était plus le sien.

20

Le jeudi 21 janvier

Pour Joe, la journée avait mal commencé, et tout laissait croire que cela ne ferait qu'empirer.

Soulagé d'entendre le message de Lally, il n'avait toutefois pu s'empêcher de se précipiter vers son téléphone pour la rappeler, pour n'entendre, hélas, que la voix enregistrée de Lally sur le répondeur. Non sans quelque agacement, il en conclut qu'elle était déjà partie en vacances avec son grand ami Hugo. Il employa quelques minutes à la chasser de son esprit, mais, chose étrange, un indicible malaise le taraudait, et qu'il fût aussi irrépressible qu'injustifié n'arrangerait rien à son humeur.

La journée avait commencé par une entrevue avec le mari de Marie Howe Ferguson et le Dr John Morrissey, son associé et ami. Tenant compte des exhortations de son supérieur pour que l'affaire ne fût pas ébruitée, Joe avait tenu à les rencontrer vers huit heures du matin, dans la maison de North Lincoln Square. Le salon dans lequel il se trouvait reléguait l'appartement de Hagen à la dimension d'un HLM. Œuvres d'art, antiquités, argenterie y foisonnaient. Tout y respirait la vieille fortune de famille et le bon goût, depuis les photographies et les gravures délicatement encadrées, jusqu'au feu qui brillait dans l'immense cheminée de marbre, sans oublier le rutilant Steinway installé dans un coin de la pièce. D'emblée, il apparut que dans cette débauche de luxe et d'argent, Sean Ferguson n'était pas à son aise, même s'il était manifeste que ce dernier avait passionnément aimé sa femme et qu'il était prêt à remuer ciel et terre pour qu'on lui rendît justice.

— Ma femme est encore à la morgue, lieutenant, avait annoncé l'homme en plongeant son regard fiévreux dans celui du policier. Je voulais la mettre en terre, mais on ne cesse de repousser l'échéance. Je sais ce que j'ai vu, et je sais ce qui l'a tuée. À présent, je veux savoir qui et pourquoi.

— Monsieur Ferguson...

— M. Morrissey et moi-même en avons plus qu'assez de vos paroles rassurantes, lieutenant. Et si nous avons accepté de vous recevoir, c'est uniquement parce que nous voulons savoir toute la vérité et tout de suite.

— Nous en avons discuté avec le surintendant en personne, renchérit John Morrissey d'un ton posé. Et le chef Hankin soutient que vous êtes la personne qui détient le plus d'informations sur cette enquête.

— Et si nous n'obtenons pas satisfaction, ajouta Ferguson, soyez certain que cette affaire sera étalée au grand jour, quelles qu'en soient les conséquences.

Joe dévisagea tour à tour les deux hommes, puis son regard obliqua vers une photographie de feu Marie Ferguson, une ravissante femme aux cheveux couleur de miel et aux grands yeux émeraude. La douceur de son visage lui rappela Jess. Aussi, confiant en son instinct, il exposa tous les détails de l'affaire. Bien que sa narration se conclût par un échec, Morrissey et Ferguson semblèrent touchés par sa sincérité. Conscients de la gravité de la situation, les deux hommes ne purent que souscrire au fait que, malgré les lenteurs des recherches, la divulgation des tenants de ce drame serait une véritable catastrophe.

À onze heures, Joe se rendit à son second rendez-vous de la journée, infiniment plus éprouvant que le précédent, prévu dans une salle de conférence de l'hôtel de ville. Étaient présents le chef Hankin, le commandant Jackson, le directeur régional du FBI accompagné de deux de ses agents, le directeur des nou-

176

velles affaires du service de police de Chicago, ainsi que les commissaires de la sécurité publique des villes de Chicago, Boston et San Francisco. On y voyait également les attachés de presse au bureau du maire de chacune de ces villes et un émissaire du ministère de la Santé du gouvernement des États-Unis. À l'ordre du jour étaient prévues une séance d'information, une analyse de la situation actuelle et la formulation d'une décision conjointe sur le degré de confidentialité de l'affaire auprès des corps médicaux, une fois que des listes contingentées de patients à risque auraient été établies. Et, pour finir, l'attitude à adopter vis-à-vis des médias.

Jackson avait présenté son rapport, et le fait que les forces spéciales relevaient de l'autorité de Joseph Duval n'avait soulevé aucune objection, malgré la froideur que ce dernier décela dans certains regards et qui en disait long sur ce qu'il adviendrait de lui en cas d'échec. Tout le monde s'accorda à dire que le temps pressait. Avec tant de gens dispersés dans trois États en possession d'informations aussi graves (et dans la mesure où elles ne parviendraient pas à des oreilles indiscrètes au cours des prochains jours), il fut décidé qu'on tiendrait des réunions avec les sociétés de radio et de télédiffusion afin de convenir d'un black-out temporaire.

C'est seulement à deux heures de l'après-midi que Joe put retourner à la Hagen Pacing pour y retrouver Cohen qui l'attendait, mort d'inquiétude.

— Tout va bien, le rassura Joe, je n'ai pas été démis de mes fonctions. Pas encore.

— Je voudrais vous parler, Joe.

— Naturellement, fit ce dernier. De quoi s'agit-il ?

— J'ai quelque chose à vous montrer.

— Quoi donc ?

— Allons d'abord dans le bureau.

Étant donné l'augmentation d'effectifs des forces spéciales, une nouvelle table et deux classeurs métalliques avaient été ajoutés dans la pièce qui leur avait été précédemment allouée. L'endroit était désert. Près de la fenêtre s'empilaient des dossiers dont Joe n'avait pas encore eu connaissance. Cohen en prit un.

— Je vérifiais le nom des patients, commença-t-il sans chercher à cacher son anxiété. Peut-être est-ce dû au fait que je porte moi aussi un stimulateur cardiaque, toujours est-il que je me sens très solidaire de ces gens-là. Ce que je veux dire c'est que, grâce à Dieu, personne n'est encore au courant.

— Et alors ? Qu'est-ce qui vous tourmente à ce point ?

— Il s'agit d'un des noms.

— Quelqu'un de votre connaissance ? s'alarma Joe. De qui s'agit-il ?

— Il vaut mieux que vous lisiez vous-même.

Joe s'empara du feuillet que lui tendait le détective.

— Je crois que vous feriez mieux de vous asseoir.

Mais Joe préférait rester debout. Comme dans un rêve, il lut le nom que Cohen avait entouré d'un trait de crayon et sentit le sang refluer de son visage : Hélène Duval, Lenox Road, W. Stockbridge, Massachusetts.

Il s'assit machinalement sur une chaise, les mains tremblantes.

— Impossible, il ne peut s'agir que d'une erreur.

— Je ne le crois pas, corrigea Cohen avec toute la compassion dont il était capable. Je suis navré, Joe, après plusieurs vérifications, je n'ose moi-même encore y croire.

Joe semblait hypnotisé par la feuille de papier.

— Je ne comprends pas ; pourquoi ne m'en a-t-elle rien dit ?

— Vous ne saviez pas qu'elle souffrait du cœur ?

Joe secoua la tête, incapable d'articuler une syllabe.

— Vous m'avez pourtant affirmé lui avoir parlé, l'autre jour, insista Cohen. Vous m'avez même dit qu'elle partait en vacances.

— Nous ne nous sommes pas parlé. J'ai simplement écouté son message sur mon répondeur, bredouilla Joe d'une voix qui n'était plus qu'un murmure. Je ne cessais de penser à elle, de m'inquiéter, sans trop savoir pourquoi. Mais tout va si mal, ici, et en entendant le son de sa voix je l'ai trouvée si normale, si... en bonne santé.

Tirant une chaise, Cohen s'y installa à califourchon en faisant face à Joe.

— Nous devons la retrouver, Joe. Où est-elle allée ?

— Je ne sais pas... bégaya ce dernier dans une très grande confusion d'esprit. Elle ne m'en a rien dit.

— Nous allons appeler son ami Hugo.

— Ils sont partis ensemble.

— Qui d'autre pourrait nous renseigner ? Qui, Joe ?

— Son voisin, Toni Petrillo.

— Bien. Connaissez-vous son numéro de téléphone ?

— Non, pas du tout.

— Ça ne fait rien, répliqua Cohen en décrochant un appareil. Je vais le trouver.

Les yeux fixés sur la fatidique feuille de papier, Joe se souvenait s'être demandé où sa sœur était allée. Skier, avait-il supposé. Et une image s'était aussitôt imposée à son esprit, celle de Lally, revêtue d'un ensemble écarlate, glissant sur les pentes de Bousquet, ses longs cheveux flottant au vent, tout en agitant un bâton dans sa direction avec de grands éclats de rire. Cette image l'avait fait sourire. Plus maintenant.

Plus maintenant parce que, vu son état de santé, il était impossible qu'elle fût allée skier. Elle n'était pas partie en vacances, mais en convalescence. Lally souffrait du cœur, sa sœur chérie était cardiaque et il ne l'avait jamais su. C'était bien d'elle ça, ce souci de ne jamais l'inquiéter, sachant qu'il en avait déjà assez avec la grossesse de Jess. Pourtant, sacrebleu, il avait bien le droit de se préoccuper de sa sœur, non ? Et voilà qu'aujourd'hui elle était quelque part, Dieu sait où, avec cet... objet planté dans la poitrine.

— Joe...

Ce dernier battit des paupières. Cohen venait de raccrocher.

— Personne ne répond chez Petrillo, mais je viens de me rendre compte que je m'y prends très mal. Il n'y a aucune raison de présumer que le stimulateur de Lally provient de la Hagen Pacing. Ceci est seulement la liste des personnes en ayant reçu un. Nous devons d'abord contacter son médecin.

— Charlie Sheldon, lâcha Joe d'un ton lugubre. C'est notre médecin depuis toujours.

— Son numéro, insista doucement Cohen. J'ai besoin de son numéro.

— C'est le seul Dr Sheldon de Stockbridge.

Mais Charlie Sheldon était absent, lui aussi. Une heure plus tard, Toni Petrillo ne répondait toujours pas, et le service de réponse du médecin semblait avoir été désactivé, faute de quoi il aurait aussitôt rappelé comme il avait coutume de le faire. Joe était persuadé qu'avant longtemps on parviendrait à le joindre et que dans le cas contraire, les policiers de West Stockbridge s'en chargeraient. De toute façon, il apprendrait sous peu où sa sœur prenait ses vacances, et qu'il n'y avait probablement pas matière à s'inquiéter puisque son stimulateur ne provenait pas de la Hagen Pacing.

Mais entre-temps, quelque part, à la neige ou au soleil, au bord de l'océan ou au fin fond d'une cambrousse, Lally marchait, courait ou nageait, dînait ou peut-être même dansait sans soupçonner un instant que le petit engin logé dans sa poitrine, destiné à la maintenir en vie, pouvait d'une seconde à l'autre l'expédier ad patres.

21

Le vendredi 22 janvier

Pour un commandant, Jackson s'était montré très compréhensif.

— Accordez-vous quelques heures de repos, Duval.

— C'est un peu plus que quelques heures dont j'aurais besoin, monsieur.

— Souhaitez-vous que je vous retire l'affaire ?

— Non.

— Dans ce cas, ce sera quelques heures.

Joe était à bout de nerfs. Sorti de son état de prostration, toutes ses extrémités nerveuses semblaient prêtes à s'embraser. Pour retrouver la trace de sa sœur, il avait failli malmener bon nombre de personnes, mais s'était retenu à temps, conscient qu'une fois offensés, les gens de Nouvelle-Angleterre se montraient des moins coopératifs. La veille, quand il avait finalement joint le Dr Sheldon, ce dernier avait été si bouleversé par les révélations de Joe que ce dernier avait craint un instant qu'il ne fît à son tour une crise cardiaque. Mais se ressaisissant, le praticien s'était engagé à contacter le Dr Lucas Ash séance tenante. Si bien que, dès dix heures du matin, le vieux médecin redonnait de ses nouvelles.

— Je suis navré, Joe, commença-t-il.

Joe eut un instant l'impression que ses jambes refusaient de le porter.

— C'est un Hagen.

— Non, non, protesta précipitamment Sheldon, je suis désolé de ne pouvoir vous annoncer de bonne nouvelle. Le Dr Ash a quitté l'État et il est impossible de le contacter.

— Et pourquoi ?

— Parce qu'il est en route pour un colloque, quelque part entre Los Angeles et Honolulu.

— Et son cabinet ?

— Il est fermé pour le restant de la semaine, et le service de réponse transfère les urgences à un autre cabinet.

— Il doit bien avoir du personnel, une secrétaire, quelqu'un qui a accès aux dossiers et qui pourrait nous dire le type de stimulateur que l'on a implanté à Lally. Pour l'amour du ciel, où se trouve le bureau de ce cardiologue ?

— À Pittsfield, mais vous n'y trouverez personne avant lundi matin.

— Et l'hôpital où Ash a pratiqué l'intervention ?

— C'est un endroit appelé Taylor-Dunne, à Holyoke. J'ai déjà tenté de contacter un responsable. On m'a répondu que le Dr Ash utilise toujours sa réserve personnelle de stimulateurs. Je suis navré, Joe, conclut le vieux médecin, manifestement épuisé, mais avant qu'il ait rejoint son hôtel, à Honolulu, il n'y a rien qu'on puisse faire.

Ne parvenant toujours pas à joindre Toni Petrillo, Joe décida de mettre à profit ses quelques heures de repos pour prendre le premier vol en partance de O'Hare pour Albany. Là, à bord d'une voiture de location, il emprunta la Route 90 en direction de Stockbridge. Il arriva chez Lally à l'heure du déjeuner. Quand il entra, ce fut pour découvrir Toni Petrillo, s'appliquant à arroser les plantes du salon.

— Où diable étais-tu passé ?

— Je vais très bien, merci, et vous, comment allez-vous, Duval ? le dauba le jeune homme.

Un mètre cinquante-huit, le cheveu en broussaille, la joue re-bondie, une lueur perpétuellement étonnée au fond de son regard bleu, Toni affichait devant le grand frère de Lally une attitude insouciante qui voulait dissimuler l'admiration démesurée qu'il concevait pour lui depuis l'enfance.

— Voilà plus de vingt-quatre heures que je cherche à te joindre.

— Vraiment ? s'étonna Toni. J'étais pourtant chez moi, du moins lorsque je n'étais pas au café ou ici.

— Dans ce cas, pourquoi ne répondais-tu pas au téléphone ? aboya presque Joe. Où sont-ils allés ?

— Je suppose que vous faites allusion à Lally et Hugo, fit Toni sans se départir de son calme.

— Cesse tes niaiseries, Toni, et dis-moi où ils sont allés.

— En vacances.

— Ça, je le sais, mais où ?

— Pourquoi ? Que se passe-t-il ? s'inquiéta soudainement le jeune homme. Et puis, que venez-vous faire ici, Joe ? Lally savait-elle que vous lui rendriez visite ?

Exaspéré, Joe lança son anorak sur le dossier d'un fauteuil.

— Pour la dernière fois, vas-tu me dire où ils sont allés ?

— En Floride.

— En Floride ?

C'était le dernier endroit où il l'aurait imaginée. Il la voyait déjà, allongée sur la plage parmi de grosses matrones en train de se faire rôtir au soleil. Pour qu'elle ait choisi de se rendre à Miami, il fallait qu'elle fût vraiment malade, songea Joe, encore que, compte tenu des circonstances, cela n'avait guère d'importance. Il darda sur Toni un regard inquisiteur.

— Où, en Floride ?

— Je ne sais pas.

— Tu devrais le savoir.

— Eh bien, ce n'est pas le cas, répliqua Toni, le regard anxieux. Écoutez, Joe, si j'ignore où elle est allée, c'est parce que Lally elle-même ne le savait pas. Tout ce que je peux vous dire, c'est qu'ils ont décidé de partir au pied levé. Ce que je sais, c'est qu'ils partaient pour Miami, et qu'ils avaient ensuite l'intention de faire une promenade dans les Everglades ou dans les Keys.

— Mon Dieu...

Joe se souvint avoir lu quelque part que le parc national des Everglades s'étendait sur plus de cinq cent mille hectares.

— Dites-moi ce qui se passe, Joe, s'enquit Toni dont l'inquiétude allait grandissant.

— Je dois retrouver Lally, répondit Joe d'une voix tendue, et vite.

— Pouvez-vous me dire la raison ?

— Non.

Puis se radoucissant :

— Réfléchis bien, Toni, c'est très important. A-t-elle dit quelque chose qui pourrait tant soit peu m'aider à la retrouver ?

Toni secoua la tête, puis son visage s'éclaira :

— J'ai entendu Hugo dire qu'il détestait l'arrière-pays, trop d'alligators, disait-il. Lally s'est moquée de lui, mais vous la connaissez ; elle ne lui imposera jamais une chose qui le rebute. Mais dites-moi, Joe, cela a-t-il à voir avec sa maladie ? Je puis vous assurer qu'aux dernières nouvelles, elle allait très bien, même que...

— Ainsi, tu penses qu'ils se sont rendus directement dans les Keys.

— Je n'en sais rien, Joe.

Passablement découragé, ce dernier s'affala dans un fauteuil, quand le clignotement du répondeur attira son attention. L'appareil contenait six messages, dont un émanant de lui. Rembobinant la bande, il se mit à les écouter. Deux d'entre eux provenaient de parents d'élèves désireux de savoir quand Lally reprendrait les cours de danse, les trois autres d'un dénommé Chris demandant des nouvelles de Lally. Quoique chaleureux, le ton était plus pressant à chaque message.

— Qui est ce Chris ? voulut savoir Joe.

— Il s'agit de Chris Webber ; sa fille est une élève de Lally.

— À l'entendre, ce n'est pas pour les cours de sa fille qu'il s'inquiète.

Toni eut un instant d'hésitation.

— Je crois qu'il s'intéresse à Lally.

— Et elle, s'intéresse-t-elle à lui ?

— Oui et non.

— Ce qui veut dire ?

— Rien de plus que ce que je dis.

— Mais se fréquentent-ils ? demanda encore Joe avec un geste exaspéré de la main.

— Non, il ne s'est jamais rien passé entre eux.

— Mais c'est un homme marié, n'est-ce pas ? insista le policier, avec un élan de colère qu'il réprima aussitôt en repensant à ses préoccupations premières.

— Lally est-elle en danger, Joe ? Répondez au moins à cette question, je ne sais trop que penser, se lamenta presque Toni.

Mais Joe réfléchissait à toute allure.

— Où puis-je trouver ce Webber ?

— Il habite à l'entrée de Stockbridge, sur la 102.

— Que fait-il ?

— C'est un artiste peintre ; il travaille chez lui. Mais vous n'avez pas à vous inquiéter, Joe. La femme de Chris est...

— Ce qu'il peut y avoir entre eux ne m'intéresse pas, Toni, l'interrompit Joe. Mais Lally peut lui avoir parlé de ses projets de vacances.

— Mais vous l'avez entendu vous-même ; il ignore où ils sont allés, argua le jeune homme.

— Il est quand même possible qu'il sache quelque chose, répliqua Joe en récupérant son anorak. As-tu son adresse ?

S'emparant de l'annuaire téléphonique, Toni y trouva très rapidement l'adresse et le numéro de téléphone de Webber qu'il nota sur une feuille de papier, avant de raccompagner le policier jusqu'à la porte.

— Vous n'êtes pas correct, regimba-t-il. Dites-moi au moins de quelle façon je puis me rendre utile.

— Regarde un peu partout ; essaye de dénicher quelque chose qui pourrait m'aider : une carte, un guide de voyage... Peut-être Lally t'a-t-elle dit quelque chose d'important qui t'aurait échappé. Je suis désolé, Toni, j'aurais aimé t'en dire davantage mais cela m'est impossible. Si Lally ou Hugo voulaient te joindre, ils téléphoneraient chez toi, n'est-ce pas ?

— Ou au café ; mais je ne m'attends pas du tout à ce qu'ils le fassent, c'est elle-même qui me l'a dit. Advenant le cas, si mon téléphone ne fonctionne pas, vous ne serez guère plus avancé.

— Quand tu auras terminé ici, rentre chez toi et demande à la compagnie du téléphone de procéder à une vérification. Dis que c'est une urgence, et n'hésite pas à te recommander de moi, si besoin est ; et dis bien à la personne qui travaille au café de noter les coordonnées de Lally au cas où elle téléphonerait, en lui recommandant de ne pas bouger, as-tu bien compris ?

— J'ai très bien compris.

Joe s'attendait à détester Webber dès l'instant où il le verrait, mais ce ne fut pas le cas. L'homme était seul, apparemment en train de peindre à en juger par les taches sur son chandail et la forte odeur de térébenthine qui se dégageait de sa personne. À ses pieds deux bergers allemands agitaient amicalement la queue. Au moment où il se présenta, Joe observa le visage de son interlocuteur. Il n'y lut ni méfiance ni sentiment de culpabilité. Au seul nom de Lally, il parut s'illuminer, et le policier comprit alors que Chris Webber était effectivement amoureux de sa sœur, et que ce fut visible ne le dérangeait pas outre mesure.

Mais, hélas, il ignorait tout des vacances de Lally.

— Je ne savais même pas qu'ils partiraient.

— Mais vous saviez qu'elle était malade.

— Oui...

Devant le regard scrutateur du policier, Chris avait l'impression de revoir les yeux de Lally.

— Pas vous ? reprit-il.

— Non.

— Je l'ai vue samedi dernier, tenta de le rassurer Webber, elle m'a paru en excellente forme. Ces stimulateurs cardiaques sont une découverte extraordinaire. Les médecins affirment qu'elle peut reprendre toutes ses activités normales.

Les deux hommes se tenaient sur le seuil du vestibule dans une atmosphère passablement tendue.

— Puis-je vous offrir une tasse de café ? proposa le peintre.

— Volontiers.

La cuisine était spacieuse et très aérée. Sur l'égouttoir, vaisselle et casseroles propres s'amoncelaient, attendant d'être rangées. Oublié, un pain, près duquel refroidissait un pot de café, traînait sur la table au milieu de ses miettes. Joe s'interrogea sur l'absence de la femme de Webber, et sentit aussitôt un frisson de colère le parcourir.

— Il faut que je retrouve Lally de toute urgence, déclara-t-il. Êtes-vous absolument certain qu'elle ne vous a rien dit à propos du voyage qu'elle avait l'intention de faire ? Vous a-t-elle jamais parlé de son intention de se rendre en Floride ?

Chris eut un geste dénégatoire.

— Je ne connais Lally que depuis peu, et elle ne m'a guère fait de confidences. En fait, je m'inquiétais de son absence, d'où mes nombreux messages. J'avais d'ailleurs l'intention de me rendre à son établissement pour tenter d'avoir de ses nouvelles.

Webber emplit deux tasses de café et en tendit une à Joe. D'un geste machinal, il rassembla les miettes éparses et les jeta dans la poubelle qui se trouvait sous l'évier. Les deux chiens rôdèrent un instant autour de lui, puis allèrent se coucher à l'autre extrémité de la pièce.

— Voulez-vous manger quelque chose ?

— Non, merci. Puis-je téléphoner ? C'est un interurbain, mais je défraierai les coûts de la communication, fit Joe, remarquant qu'il était quatorze heures à la pendule.

— Inutile, répliqua le peintre en déposant l'appareil près de Joe. Je vais attendre dans la pièce à côté.

Après avoir joint Hagen Pacing, Joe demanda à parler à Cohen.

— Mais où êtes-vous, Joe ?

Ce dernier le lui dit.

— Et Lally est en Floride ?

— Elle doit se promener quelque part dans les Everglades ou les Keys. Avez-vous vérifié si le Dr Ash est un client de Hagen Pacing ?

— Oui, il l'est, mais il s'approvisionne aussi auprès d'autres fabricants, ce qui ne nous avance guère.

— Et n'exclut rien non plus... Le Dr Sheldon a-t-il cherché à me joindre ?

— Non, mais Jackson veut vous voir. Il semblerait que Ferguson ait exercé des pressions auprès du chef Hankin.

— J'ai l'intention d'aller voir Sheldon, et de demander à la police locale de m'autoriser à entrer dans le bureau du Dr Ash.

— Quand serez-vous revenu ?

— Aussitôt que j'aurai retracé Ash ou Lally.

— Vous n'avez tout de même pas l'intention de vous rendre en Floride ?

— Seulement si cela s'avère nécessaire.

— Mais il faut que vous reveniez, Joe, n'oubliez pas que vous dirigez cette enquête.

— C'est la vie de ma sœur qui est en jeu, retourna sèchement Joe.

— On pourra très bien la retrouver sans vous, insista précipitamment Cohen, connaissant l'obstination de son supérieur. Vous n'avez jamais mis les pieds en Floride, et en supposant que vous réussissiez à la retrouver et que son stimulateur cardiaque provienne de chez Hagen, raison de plus pour mettre la main sur Ash le plus tôt possible, les médecins pourront alors décider des moyens à prendre pour que votre sœur soit tirée d'affaire.

— Il faut que je raccroche, Sol...

— Le commandant veut que vous le rappeliez.

— Je le ferai.

— Ferguson voudrait aussi vous parler.

— Dites-lui que je n'ai rien de nouveau à lui communiquer.

— Vous ne pouvez le traiter de cette façon, Joe, vous le savez bien.

— Tout ce que je sais, c'est que la vie de ma sœur est en jeu, que son stimulateur cardiaque peut exploser d'un instant à l'autre, comme c'est arrivé à Marie Ferguson, à Jack Long et au pompier.

— Laissez-moi vous aider, Joe, fit Cohen d'un ton pressant. Faites ce que vous avez à faire sur place. Pendant ce temps, je contacterai la police d'État de Floride pour leur demander de lancer un avis de recherche. Mais je vous rappelle que si vous êtes suspendu, poursuivit-il à voix basse, cela ne l'aidera en rien, ni elle ni les autres victimes potentielles. Il faut que vous gardiez la direction de cette enquête, Joe, il le faut absolument.

— Je dois vous laisser, Sol.

— Appelez le commandant.

— Ce sera fait.

— Faites-le tout de suite, et gardez le contact. Bonne chance, Joe, conclut Cohen d'un ton empreint d'une sincère affection.

— Merci, fit Joe en reposant le combiné sur son support.

— Que se passe-t-il ?

Joe pivota d'un bloc sur ses talons. Webber se tenait sur le seuil de la pièce, l'air bouleversé.

— J'ai entendu ce que vous disiez. Que se passe-t-il ? reprit Webber.

— Je ne peux pas vous le dire.

— Si, vous le pouvez.

Joe secoua énergiquement la tête.

— Cette affaire doit rester secrète.

Traversant la pièce à grands pas, le peintre s'installa en face du policier, les poings serrés.

— Vous avez dit que la vie de Lally était en danger.

— J'ignorais que vous écoutiez aux portes.

— Je venais chercher un chiffon, rétorqua Webber d'un ton

glacial. Si vous ne vouliez pas que j'entende, il fallait téléphoner d'un autre endroit.

Joe ne répondit pas.

— Qu'est-il arrivé à ces gens, à ce pompier, à Marie Ferguson, à Jack Long ? Qui sont-ils ?

— Je ne peux pas le dire, répéta Joe.

— Si Lally court un danger, je veux le savoir.

— Estimez-vous avoir des droits sur ma sœur ?

— Aucun, sinon que je suis épris d'elle.

Le regard de Joe obliqua ostensiblement vers l'alliance que Webber portait au doigt.

— Votre femme est-elle au courant ?

— Non.

— Vivez-vous ensemble ?

— Ma femme est alcoolique. Elle suit une cure de désintoxication dans une clinique. Mais avant que vous me le demandiez, je tiens à vous préciser qu'il ne s'est strictement rien passé entre votre sœur et moi. Elle ignore tout de mes sentiments à son égard, ou, du moins, ne lui en ai-je encore rien dit. Au téléphone vous affirmiez qu'elle pouvait mourir d'une seconde à l'autre. Si je comprends bien, il faut absolument la retrouver. Je veux vous y aider.

— Impossible, fit Joe en se levant, je dois partir.

Webber se leva à son tour.

— Il n'en est pas question.

— Allez-vous tenter de m'en empêcher ?

— Êtes-vous armé ?

— Non.

— Dans ce cas, je vais m'y employer, si vous m'y obligez.

Joe fixa l'homme que se trouvait devant lui durant un long moment. Bien que marié et père d'une petite fille, il avait eu l'audace de tomber amoureux de Lally. Pour cela, il ne méritait que mépris, et, en d'autres circonstances, Joe lui aurait expédié son poing sur la figure. Cependant, peut-être en raison de la situation présente et en dépit de toute logique, il était enclin à lui faire confiance ; encore une de ses réactions viscérales que lui dictait son instinct.

— D'accord, concéda-t-il en se rasseyant.

— Merci.

S'emparant des tasses, Webber alla refaire le plein de café.

— Je suis prêt à rédiger une déclaration sous serment, fit-il. Mais dites-moi ce qui se passe.

Joe le lui dit. La fureur qu'il lut dans le regard de son interlocuteur lui confirma qu'il avait eu raison de lui faire confiance : Webber partageait les mêmes sentiments.

— Que voulez-vous que je fasse ? s'enquit Webber d'une voix tremblante mais résolue.

— Attendez que je sois parti, puis téléphonez à ce numéro, expliqua Joe en griffonnant quelques mots sur une feuille arrachée à son calepin. Le détective Cohen est l'homme avec qui je viens de m'entretenir. Je ne veux pas lui causer d'ennuis. S'il ne peut me joindre personnellement, personne ne pourra exiger de lui de me ramener à Chicago.

— Que voulez-vous que je lui dise ?

— Que je vous ai mis dans la confidence, et que je veux qu'il vous tienne au courant de l'évolution de la situation.

— Et entre-temps que comptez-vous faire ?

— Trouver le Dr Sheldon, et essayer d'accéder au bureau du Dr Ash. Ensuite, je prendrai le premier avion pour Miami. Je vous rappellerai pour savoir si vous avez des nouvelles de votre côté.

Chris attendit que la porte d'entrée se refermât sur Joe, puis sortit dans la cour arrière et marcha au-delà du chenil. Les chiens aboyaient, mais il n'en avait cure. Ses chaussures de sport creusaient de profondes traces dans la neige sans qu'il éprouvât la moindre sensation de froid. Il se mit à penser à Lally, à sa beauté, sa gentillesse, son courage. Il songeait à l'attirance quasi magique qui les avait instantanément rapprochés, et la retenue dont ils avaient fait preuve en pensant à Andrea et à Katy. Il songeait aussi à Lucas Ash et à son petit appareil qui devait maintenir Lally en vie et à tous les gens dans la même situation, dont l'existence menaçait d'être balayée d'une seconde à l'autre.

Un contact froid et humide l'arracha à ses pensées. C'était Jade, la chienne dont Lally avait fait la connaissance deux semaines plus tôt, et Chris s'avisa soudain des larmes qui coulaient sur ses joues. Il laissa son regard errer sur la campagne environnante. Déjà, le soleil commençait à basculer derrière l'horizon, teintant les lourdes branches des sapins de nuances ambrées. Au sud de la Floride il devait faire chaud, et, quelque part, Lally devait, elle aussi, contempler le crépuscule, en rêvant d'avenir.

Tournant brusquement les talons, il regagna la maison pour téléphoner à Cohen.

Joe se manifesta vers dix-huit heures.

— Du nouveau ?

— Cohen demande que vous le rappeliez. De votre côté ?

— Le cabinet de cardiologie se trouve dans un immeuble gardé comme une forteresse. Je vais donc devoir attendre qu'Ash soit arrivé à Hawaï. Avez-vous réussi à trouver un vol pour moi ?

— Oui, pour nous deux.

— Il n'en est pas question.

— Vous ne pourrez pas m'en empêcher.

— Avez-vous une voiture pour nous rendre jusqu'à Albany ?

— Oui. Voulez-vous que je vienne vous chercher ?

— Et votre fille ?

— Je l'envoie passer quelques jours chez une amie. Elle est folle de joie.

— En êtes-vous sûr ?

— Où êtes-vous ?

— Chez Lally.

— J'arrive.

Arrivé à l'aéroport, Joe s'empressa de téléphoner à Cohen.

— Enfin ! s'exclama ce dernier manifestement soulagé.

— Que se passe-t-il ?

— Jess est dans tous ses états.

— Comment cela ? Est-ce à cause du bébé ?

— Je n'en suis pas sûr, et elle pas davantage.

— Pour l'amour du ciel, dites-moi ce qui se passe.

— Elle a téléphoné, complètement bouleversée. Il semblerait qu'elle souffre de douleurs au ventre et qu'elle a besoin de vous. Sa mère est intervenue au téléphone en disant que si vous étiez un mari digne de ce nom, vous seriez actuellement auprès d'elle. Il faut que vous reveniez, Joe, fit Cohen d'un ton catastrophé. Je sais à quel point cela doit vous sembler difficile, mais je crains que vous n'ayez pas le choix.

Déchiré, Joe regarda Webber arpenter nerveusement la salle d'attente. Il se rappela Lally qui, quelque part, ignorait tout du danger qui la menaçait peut-être, puis ses pensées allèrent à Jess, sa douce Jess qu'il négligeait grandement depuis quelque temps. Cohen avait raison : il n'avait pas le choix.

— Avez-vous contacté la Floride ?

— Tout a été fait de ce côté-là. Je suis allé chez vous et j'ai récupéré quelques photos de Lally que j'ai télécopiées là-bas. D'ici demain, toutes les polices de l'État se lanceront à sa recherche. Que dois-je dire à Jess ?

— Dites-lui que j'arrive, fit Joe d'un air sombre.

— Inutile de vous fustiger, Joe, ce n'est pas votre faute.

Joe n'avait pas fini de raccrocher que Webber vint le rejoindre.

— Je dois retourner à Chicago.

— C'est impossible...

— Je ne peux faire autrement. Ma femme est enceinte et elle risque de perdre le bébé.

Webber réfléchit quelques instants avant de déclarer :

— Dans ce cas j'irai seul.

— La police d'État est d'ores et déjà sur les dents, annonça Joe. Êtes-vous certain de vouloir y aller ?

— Tout à fait.

— Je vais les prévenir de votre arrivée, de cette façon, vous aurez les coudées franches. Mais vous devrez quand même suivre leurs directives, d'accord ?

— Entendu.

Le vol était prêt pour l'embarquement. Webber ramassa son sac de voyage.

— Trouvez-la, fit Joe.

— Comptez sur moi.

— Et essayez de ne pas trop l'effrayer.

Chris se ménagea un demi-sourire.

— Je suis assez effrayé moi-même.

— Il faudra vous montrer fort.

— Vous pouvez me faire confiance.

— Je vous fais confiance, assura Joe en ramassant à son tour son sac de voyage. Et si je me trompe, que Dieu me vienne en aide.

22

Le vendredi 22 janvier

Après deux nuits consécutives passées sous la tente, ils s'étaient accordé une soirée de répit à Conch Key, dans une petite cabane de rondins dont la véranda donnait sur la mer. « Pour bonne conduite », avait déclaré Hugo qui, décidément, ne se ferait jamais à la vie en plein air. Comme ils partageaient la même chambre à coucher, Hugo avait dû déployer des efforts héroïques pour ne pas donner libre cours à la passion croissante qu'il éprouvait pour Lally, certain qu'elle finirait par s'en rendre compte, sans pour autant se faire d'illusions sur la façon dont elle réagirait.

— Demain, ce sera Bahia Honda, et ses plages de sable blanc, déclara Lally d'un ton rêveur, alors qu'ils allaient s'endormir.

— On dirait que tu as appris ton guide par cœur, commenta Hugo dans l'obscurité.

— ...Et ses chauves-souris, ajouta-t-elle avec un sourire.

Bien qu'elle s'en défendît, malgré ses efforts pour ne pas tomber amoureuse d'un homme à l'existence déjà très encombrée, Chris était revenu hanter ses pensées. Chaque fois qu'elle contemplait un paysage, il apparaissait en filigrane, conférant au panorama une magie que nul photographe n'aurait su restituer. En vérité, alors que du lit voisin lui parvenait le souffle régulier d'Hugo, Lally devait bien admettre, sous le couvert de l'obscurité, que, quel que fût son plaisir à prendre des vacances avec son ami le plus cher, c'est Chris qu'elle aurait aimé avoir à ses côtés. Elle aurait voulu lui parler longuement, connaître ses réactions, apprendre quel homme il était vraiment, loin de ses problèmes familiaux. Si elle avait pu laisser libre cours à ses pensées, elle se serait abandonnée à ses fantasmes comme une collégienne, mais elle s'y refusait.

« Tu ne le connais même pas, se raisonna-t-elle pour la centième fois. Il n'est pas près de toi et il n'a aucune raison de l'être. Tu n'as rien à attendre ni à espérer de lui ni maintenant ni jamais. »

Mais rien n'y fit.

23

Le samedi 23 janvier

Assise devant le grand miroir, Alice Benton Douglas se contemplait avec un sourire heureux. C'était la première permanente qu'elle se faisait faire en vingt ans. La dernière remontait à son trentième anniversaire de mariage à l'occasion duquel elle avait apporté un soin particulier à sa toilette, espérant ainsi mettre un peu de piment aux instants qui suivraient la fête. Mais hélas, son idée avait tourné à la catastrophe quand Martin lui avait signifié son refus de se montrer en public en sa compagnie, soi-disant parce que sa coiffure lui faisait une tête de vieux tampon à récurer.

Aujourd'hui, cependant, la situation était différente en tout point. D'abord, parce que Martin était décédé depuis trois ans ; et bien qu'elle ressentît cruellement son absence, au moins était-elle assurée qu'au cas peu probable où sa permanente serait ratée, aucun homme ne se moquerait d'elle. Ensuite, parce que Melvyn's était un salon de coiffure chic aux tarifs extrêmement élevés, et les femmes qui le fréquentaient étaient toutes très élégantes et trop bien élevées pour la railler, tampon à récurer ou pas. De toute manière, elle en était à peine à son premier shampoing qu'elle se sentait déjà transfigurée, métamorphosée.

Ces jours-ci, à Orlando, nonobstant Walt Disney World, Epcot et le reste, tout lui semblait différent : les immeubles neufs qui surgissaient un peu partout, les magnifiques demeures des quartiers résidentiels, tous ces charmants étrangers venus des quatre coins du monde... La plupart de ses amis, des gens de son âge, déploraient que le paysage s'en trouvât peu à peu altéré, mais pour elle, toutes ces nouvelles constructions confinaient à la perfection. Elles arboraient une telle richesse de formes et de matériaux qu'on aurait cru à un décor de cinéma. Il y avait aussi ces superbes centres commerciaux, aux galeries d'une propreté irréprochable, et dont l'accès était si aisé en automobile, et ces merveilleux salons, comme chez Melvyn's qui, à cause de la rapacité de Martin, lui avaient paru inaccessibles de longues années durant.

Mais aujourd'hui, tout ce qui touchait Alice semblait transformé, transformé grâce à son opération, il va sans dire. Ah ! « opération »... Un bien grand mot pour une « petite intervention de rien du tout » comme on disait à l'hôpital. Pourtant, au commencement, Alice n'en avait pas cru un mot. Comme peut-on appeler une incision dans la poitrine une « petite intervention de rien du tout » ? Pourtant, une fois dissipées ses craintes, elle avait dû admettre qu'« ils » avaient raison, que non seulement elle était toujours en vie, mais elle se sentait déjà beaucoup mieux.

« Transformée », songea-t-elle, adossée contre son siège, en contemplant sa tête enturbannée. Elle était une nouvelle Alice Douglas, et la permanente n'était qu'une petite partie du processus de transformation, à peine significatif, tout comme la nouvelle robe qu'elle entendait s'offrir l'après-midi même ou, advenant qu'elle se sentît trop lasse, le lendemain matin. « Mais je ne serai pas lasse, se dit-elle avec un sourire satisfait. Je ne me sentirai plus jamais harassée de fatigue sans raison. Et c'est ça le plus important. »

Le jeune homme qui avait lavé les cheveux d'Alice fit pivoter le fauteuil et tendit aimablement la main à sa cliente pour l'aider à se lever. Se méprenant sur ses intentions, cette dernière songea un instant à le repousser, mais se ravisa juste à temps : ce geste pouvait paraître des plus discourtois.

Quand cela la frappa, elle contemplait encore son reflet dans le miroir, assise dans cet étrange siège, assez peu commode, il est vrai, que l'on fait monter ou descendre à l'aide d'une pédale et que l'on peut incliner à sa guise comme un fauteuil de dentiste. La jeune personne qui allait procéder à sa permanente lui expliquait que la mode d'aujourd'hui la dispensait de se faire friser ou même boucler les cheveux, que tout ce dont ils avaient besoin, c'était qu'on leur donnât un peu de volume.

« Un peu plus de volume » furent les derniers mots que perçut Alice Douglas. Tout le reste fut couvert par le sifflement du séchoir voisin, l'étrange petit choc qu'elle ressentit dans la poitrine et le cri strident du coiffeur quand il la vit tressauter violemment, puis s'effondrer, inerte, au fond de son siège, comme une poupée de son.

Au début, l'assistance, interloquée, eut un mouvement de recul, avant de se précipiter vers elle, contemplant d'un œil horrifié le miroir, les flacons et les serviettes éclaboussés de sang, puis, finalement, la déchirure ensanglantée sur le devant de la blouse vert amande et la fumée qui s'en échappait.

24

Le samedi 23 janvier

L'homme se savait très malade. Certes, il avait joué la comédie avec un art consommé au brave petit lieutenant qui lui avait rendu visite ; mais, aujourd'hui, en voyant le reflet hagard de ses yeux, les larges cernes de ses paupières, le violent contraste entre ses joues palpitantes et cramoisies, et la pâleur de son front, l'urgence de se rendre à l'hôpital s'imposa à son esprit.

Son état souffreteux était imputable à l'un de ses dragons préférés, un héloderme ; à lui, et à son propre incoercible désir d'affronter l'ennemi. C'est dans un vivarium qu'il avait, au bout du compte, décidé d'enterrer les six registres (dont il faut se rappeler qu'un seul était authentique) où était consigné le détail de ses activités vengeresses. L'idée d'en cacher deux dans chaque vivarium l'avait séduit, mais comme les grands iguanes ne laissaient de l'impressionner, il s'était limité à les fixer ensemble à l'aide d'une bande élastique et de les confier à la garde de ses hélodermes.

Au moment où il était entré dans la cage de verre, les animaux étaient invisibles. C'étaient, il est vrai, des créatures plutôt timides, tendant à s'enterrer dans le sable à la première alerte. Déjà la veille, il s'était livré avec elles à une sorte de jeu de cache-cache : après avoir posé deux rats morts à l'intérieur du vivarium, il les avait lentement déplacés, observant avec délectation l'opiniâtreté des lézards pour attraper leur proie, jusqu'au moment où, lassé, il leur avait enfin accordé leur pitance, que les

201

bêtes avaient, comme d'habitude, avalée d'une bouchée. Leurs agapes achevées, il arrivait souvent que les hélodermes s'enfouissent dans le sable pour y dormir des jours durant. Aussi, pour l'homme, grande avait été sa surprise quand, émergeant de sa cachette, un héloderme lui avait happé le talon, alors qu'il posait le pied dessus par mégarde.

Des morsures de ces monstres il savait tout, tout de leurs mâchoires aux dents acérées auxquelles il était presque impossible de faire lâcher prise. Pourtant, rien ne l'avait préparé à cette morsure et encore moins à la terrible douleur qui irradia dans son talon gauche quelques secondes plus tard.

Hurlant de douleur, il s'était effondré sur le sol et, de sa jambe libre avait asséné de violents coups de pied à la bête. Rien n'y faisant, il avait saisi le corps trapu à deux mains, et avait tiré, tiré avec toute la force que lui permettait sa posture. Mais plus il tirait, plus le monstre raffermissait sa prise. Fou de terreur, il s'était alors traîné à l'extérieur du vivarium, éparpillant sable et gravillons autour de lui, cherchant un objet, un couteau, n'importe quoi susceptible de le débarrasser du monstre pendu à son talon. Mais, dans la pièce il ne restait plus rien. Les outils de sa vengeance devenus inutiles, il s'en était débarrassé. Il se rappela alors un cas où de l'eau bouillante avait réussi à faire lâcher prise à un héloderme. Rampant jusqu'à la cuisine, il avait rempli une bouilloire et, haletant, gémissant de douleur avait attendu patiemment que l'eau bouillît pour la verser lentement sur la créature. Après que les mâchoires de la bête eurent finalement desserré leur étreinte, il avait vomi en longs et douloureux hoquets, puis s'était évanoui. Quand il avait repris connaissance, le dragon gisait près de lui, ébouillanté. Alors, oubliant sa douleur, l'homme se rengorgea et esquissa même un sourire : une fois encore, il avait triomphé du dragon.

Il avait refermé le vivarium, nettoyé les dégâts du mieux qu'il pouvait et, après avoir enveloppé la bête dans du papier journal, était allé, claudiquant, la jeter dans la chute à ordures.

Puis il avait désinfecté la plaie en l'oignant d'un antiseptique avant de bander soigneusement son pied. Mais au fur et à mesure qu'il se soignait, une grande faiblesse le gagnait. Bientôt, il n'eut même plus la force de prendre sa température. Il connaissait les effets du venin : gonflement des tissus, faiblesse générale, nausée, bourdonnement d'oreilles, et peut-être même difficultés respiratoires. Dans le pire des cas, il pouvait même succomber à une crise cardiaque. Mais cela ne lui arriverait pas, il en était convaincu. Il mourrait certes un jour, mais pas ainsi.

À un moment donné, les policiers reviendraient lui rendre visite, il en était conscient. Et quand ils découvriraient que son état avait empiré, ils dépêcheraient un médecin à son domicile, ou même le conduiraient à l'hôpital. Mais il ne ferait pas mention de la morsure. Quelle que fût sa douleur, il cacherait ses pieds dans d'épaisses chaussettes de laine et souffrirait en silence. Et quand bien même on soupçonnerait quelque chose, il se tiendrait coi, refusant que les dragons venus du dehors tirent satisfaction de la blessure que l'un d'eux lui avait infligée. D'ailleurs, il n'existait aucun antidote aux morsures d'héloderme. Tout ce qu'on pourrait faire, c'était s'inquiéter de son sort, pendant qu'il continuerait à jouer la comédie.

25

Le samedi 23 janvier

Déchiré, rongé d'inquiétude et de culpabilité, Joe n'était plus que l'ombre de lui-même. Jess avait été hospitalisée et, jusqu'à présent, tous les examens indiquaient que le bébé allait bien. Chacun priait le ciel pour qu'elle se rétablît au plus tôt et qu'elle pût rentrer chez elle. Mais en attendant, les médecins préconisaient du repos. Le policier se gardait bien de faire allusion à sa sœur et à la dramatique situation dans laquelle elle se trouvait, même si son trouble se lisait clairement sur son visage (à cet égard, Jess lui répétait souvent qu'il aurait fait un piètre joueur de poker). Mais il était plus que jamais résolu à ne rien montrer de ses inquiétudes, et jusqu'à ce jour il y était parvenu.

Le cyclone qui s'était abattu sur Hawaï n'avait fait qu'ajouter à sa morosité, surtout après que Cohen lui eut appris son incapacité à joindre le Dr Ash à cause de nombreuses coupures dans les lignes téléphoniques. Fort heureusement, la police d'État de Miami avait reçu les photographies de Lally et s'appliquait à retrouver sa trace. On n'excluait pas l'hypothèse selon laquelle les jeunes gens seraient partis pour Everglade City, à la grande fête annuelle aux crustacés, éventualité plausible selon Joe qui, connaissant le goût marqué de Lally pour les fruits de mer, pensait qu'elle ne manquerait pas d'assister à un tel événement.

Les recherches effectuées à la Hagen Pacing et chez les fabricants de piles s'étaient soldées par un échec. Hagen et

Schwartz étaient toujours cloués au lit. Au dire de sa secrétaire, le président souffrait d'un début de pneumonie, alors que Linda Lipman se relevait déjà de sa grippe. Sitôt revenue, elle avait rendu visite tour à tour à Ashcroft et à Leary à leur domicile. Olivia Ashcroft s'était montrée égale à elle-même, affable et pleine de bonne volonté ; mais quelle n'avait pas été la surprise du policier quand elle avait découvert un Howard Leary aux antipodes de celui qui l'avait reçue dans son bureau : un homme charmant, doté d'un sens aigu de la famille, nanti d'une charmante épouse, de trois enfants aussi sains que turbulents et d'une vieille domestique espagnole visiblement heureuse de son sort.

De son côté, si tenaillé qu'il fût par le désir de perquisitionner aux appartements de Hagen et de Schwartz, Joe savait d'avance qu'un tel mandat lui serait refusé. Reste que ces grippes arrivaient à point nommé ; mais comme une épidémie de grippe sévissait à Chicago, il se gardait de tirer la moindre conclusion. Eu égard à la situation de Jess et à celle plus dramatique encore de Lally, le commandant Jackson n'avait fait aucune remarque à propos de son escapade dans le Massachusetts. Il appréciait pourtant peu le fait que Joe avait livré à Webber des renseignements que l'on s'employait à dissimuler à toute une nation.

— Que savez-vous de cet homme, au juste, Duval ? demanda-t-il, le samedi soir.

— Très peu de chose, commandant.

— Et cependant, vous l'avez envoyé en Floride, transiger avec la police.

Malgré le ton mesuré, Joe décela dans ces paroles une indéniable menace.

— Je crois qu'il pourra nous aider.

— Et que se passera-t-il s'il parle à quelqu'un ?

— Webber ne souhaite qu'une chose : retrouver ma sœur. Ébruiter cette histoire ne l'intéresse pas, pas plus que le sort des autres patients, d'ailleurs. Peut-être en sera-t-il autrement une fois ma sœur tirée d'affaire, mais pour le moment, je suis prêt à jurer qu'il fera tout ce qui est en son pouvoir pour nous aider.

Le commandant planta son regard dans celui de Joe, comme s'il voulait lire dans les replis cachés de son âme.

— Quand avez-vous dormi pour la dernière fois ?

— J'ai fait un petit somme dans l'avion.

— Rentrez chez vous ; vous avez l'air épuisé.

— C'est impossible.

— Ce n'est pas une requête, Duval.

— Je ne pourrai jamais dormir, commandant.

— Voulez-vous parier ?

Joe rentra donc chez lui. Sans Jess et Sal, la maison semblait avoir perdu sa raison d'être. En revanche, la présence de Lally ressurgissait de toutes parts : des photographies d'elle accrochées aux murs, des livres qu'elle lui avait offerts, de l'aquarelle des Berkshires qu'elle avait achetée spécialement à son intention afin que son pays natal restât présent à son esprit, des chandeliers d'argent, offerts à Jess pour leur cinquième anniversaire de mariage. Il tritura les boutons de la télécommande jusqu'à tomber sur une reprise de *The Odd Couple*. Puis il mit une pizza à chauffer dans le four à micro-ondes et déboucha une bouteille de bière. Normalement, cela aurait dû lui suffire pour trouver le sommeil, mais ce soir, s'il voulait vraiment se reposer un peu, il lui fallait autre chose. C'est pourquoi, il acheva son maigre repas par un verre de Jack Daniels. À la comédie succéda un film que Joe savait être un des préférés de Lally, et à ce moment-là, il s'avisa qu'en plus d'être fin soûl, il était plus triste que jamais. Comme personne ne pouvait le voir, il avala de travers, toussa un peu puis, les yeux fixés sur l'écran cathodique, se mit à renifler comme un enfant.

Il se réveilla vers deux heures du matin, les tempes doulou-reuses, au moment du générique final. S'arrachant à son fauteuil, il se traîna jusqu'à la cuisine pour se désaltérer d'un grand verre d'eau fraîche qu'il avala d'une traite. Ensuite il téléphona à l'hôpi-tal afin de s'enquérir de Jess, puis en Floride, de Lally. Chaque

fois, on ne lui apprit rien qu'il ne sût déjà. Alors, il se hissa péniblement jusqu'à l'étage, se dévêtit et tomba dans un sommeil de
plomb.

26

Le dimanche 24 janvier

Chris n'avait jamais éprouvé un tel sentiment d'impuissance et d'inutilité de toute sa vie. Depuis qu'il était confronté à l'éthylisme d'Andrea, il avait fini par acquérir une bonne dose de fatalisme. Mais aujourd'hui, parcourir le sud de la Floride sans destination précise, scruter l'intérieur des voitures et des autocars bondés de touristes comme autant de bêtes curieuses lui procurait un profond sentiment d'amertume et de dérision. Selon l'expression consacrée, il avait l'impression de chercher une aiguille dans une meule de foin.

Le chef Hankin avait demandé à son homologue de Miami qu'on lui laissât toute latitude dans ses recherches. À sa demande, Joe Duval avait contacté la police locale pour qu'on allât le chercher à sa descente d'avion. On savait d'ores et déjà qu'Hugo et Lally avaient loué une Pontiac Sunbird rouge, et chaque policier, de Miami à Key West, possédait une description du véhicule et la photo de Lally. Il aurait été préférable que celle de Barzinsky fût également diffusée, mais sur le moment, cela n'avait pas revêtu un intérêt particulier vu la quasi-certitude de les retrouver dans un délai très bref. Aussi, quand Chris avait exprimé le désir d'entreprendre ses propres recherches, personne ne s'y était opposé.

— Y a-t-il des policiers dans toutes les îles ? avait-il demandé à un jeune homme en uniforme.

— À peu près.

— Que voulez-vous dire ?

— Que le mot est donné, et que les terrains de camping et les offices de tourisme sont systématiquement visités.

— Et les hôtels ?

— Il existe des centaines d'hôtels et de motels dans la région, monsieur Webber. Les inspecter l'un après l'autre demande beaucoup de temps.

— Combien de temps ?

— Le temps qu'il faudra, monsieur.

— Vous savez à quel point il est important de retrouver Mlle Duval, n'est-ce pas ? insista Webber en s'efforçant de garder son calme.

— Oui, monsieur, nous le savons, et soyez assuré que nous faisons de notre mieux.

— Ainsi donc, vous ne voyez pas d'objection à ce que j'entreprenne des recherches de mon côté ?

— Aussi longtemps que vous ne vous attirerez pas d'ennuis... Est-ce à dire que vous considérez pouvoir vous passer de nos compétences ?

— Pas du tout, grinça Webber. Je vous contacterai, au cas où vous auriez des nouvelles.

— Faites comme bon vous semblera, monsieur.

Présumant qu'après avoir séjourné dans les Everglades, Hugo et Lally avaient fait route vers les Keys, Chris s'installa dans un hôtel de Florida City dès le vendredi soir. La journée du samedi était à peine commencée qu'il était en nage. Pourtant, l'idée de s'acheter des vêtements plus appropriés ne lui effleura pas l'esprit. Déjà, il était à pied d'œuvre, parcourant les rues de la ville, le regard sans cesse en mouvement. À mesure que le temps passait, il découvrait de nouvelles jeunes femmes à la silhouette mince et aux longs cheveux bruns, mais quand il courait vers elles, leur touchait l'épaule ou les klaxonnait de sa voiture de location et qu'elles se retournaient, parfois furieuses, parfois amusées, il ne retrouvait pas le regard doux et gris de Lally, son corps gracile, son merveilleux port de tête. À ce moment-là, il songeait que c'était sans espoir, que ses chances de retrouver Lally relevaient du miracle.

Au début, il avait tenté de voir ces vacances en Floride avec les yeux de Lally. Qui était-elle ? Une jeune personne aussi débordante d'énergie qu'impulsive. Cependant, sa récente maladie devait quelque peu limiter son champ d'activités, et quand bien même elle refuserait les contraintes que lui imposait sa convalescence, Webber était prêt à parier que Barzinsky veillerait à ce qu'elle s'y pliât. Il avait vu avec quels yeux il regardait la jeune femme. L'expression énamourée du visage d'Hugo chaque fois qu'il parlait d'elle était cette même expression qu'il retrouvait depuis deux semaines dans son miroir, le matin en se rasant.

Deux façons s'offraient à Hugo et Lally pour visiter les Keys : soit parcourir en voiture le chapelet d'îles jusqu'à Key West, la plus au sud, soit prendre pension dans l'une d'elles jusqu'au jour du retour. Il ne pouvait jurer de rien à propos de Barzinsky, mais il n'imaginait pas Lally voyageant de façon méthodique et organisée. Misant sur la seconde éventualité, Chris sauta donc Key Largo, présumant qu'à présent, ils devaient en être partis et mit directement le cap sur le petit archipel d'Islamorada.

— Avez-vous déjà vu cette femme ?

Cette question, il l'avait posée un nombre incalculable de fois, avec chaque fois l'impression de jouer les détectives d'occasion dans un film de série B, sauf que la plupart des gens qu'il apostrophait semblaient heureux de contempler le visage de Lally, ou étaient trop polis pour refuser d'y jeter un coup d'œil. Mais, à son grand désespoir, on lui faisait toujours la même réponse. Aussi commençait-il à mieux comprendre l'attitude du jeune policier : s'il fallait en croire les prospectus récupérés à l'office du tourisme, il existait des dizaines d'endroits susceptibles d'intéresser Lally et Hugo, sans compter les centaines d'hôtels, de motels, de gîtes ruraux où ils auraient pu séjourner.

Le samedi soir, pourtant, ses efforts devaient être récompensés.

— Avez-vous déjà vu cette femme ? demanda-t-il une fois de plus, avec plus de lassitude que de conviction, à un gardien dans une guérite, à l'entrée d'un terrain de camping de Long Key.

— Oui.

Chris ouvrit de grands yeux étonnés.

— En êtes-vous sûr ?

— Certain !

Hispanique, l'homme avait le verbe haut et facile.

— Comme je l'ai dit aux policiers, elle et son copain ont campé ici mercredi et jeudi soir. Qu'est-ce qu'elle a fait de mal ?

— Que voulez-vous dire ?

— Pourquoi tout le monde court-il après elle ?

— Elle n'a strictement rien fait de mal.

Chris n'en croyait pas ses oreilles. Il existait six terrains de camping à Long Key, et il était tombé sur le bon du premier coup.

— Ils sont donc repartis hier matin ? reprit-il.

Tout à coup, ses pieds ne le faisaient plus souffrir, sa migraine avait miraculeusement disparu ; pour un peu il se serait senti pousser des ailes.

— Je le pense.

— Savez-vous où ils sont allés ?

— Comment le saurais-je ?

— Existe-t-il à votre avis quelqu'un à qui ils auraient pu parler de leur prochaine destination ?

L'homme haussa les épaules.

— Aux tortues, peut-être, aux oiseaux, qui sait ?

« Encore un petit malin », se dit Webber. Il remercia néanmoins l'homme et s'en fut vers une cabine téléphonique. La police était arrivée avant lui, mais sans plus. La trace de Lally avait été retrouvée, et au dire de son interlocuteur, c'était bon signe. Les rejoindre enfin n'était plus qu'une question d'heures.

Restait néanmoins à savoir s'ils réapparaîtraient à temps, et cela, Webber était loin d'en être certain.

Le dimanche matin, tout allait pour le pire. Après avoir passé une nuit blanche dans un motel, il avait repris la route en direction du sud, avec une impression de profond découragement.

Un profond mépris de lui-même s'était installé en lui : il n'était qu'un amateur, prétentieux et stupide. Sa femme était cloîtrée dans une clinique, et il avait une fille de dix ans dont il aurait mieux fait de s'occuper. Si quelqu'un retrouvait Lally, ce ne serait sûrement pas lui. Mais il avait promis à Joe Duval de faire de son mieux. Il avait trente-cinq ans, et il était amoureux, éperdument amoureux d'une femme qui n'était pas la sienne, une belle, talentueuse, délicieuse et très convenable jeune femme dont la vie était en danger à un point tel que cela en était insupportable.

Il y avait une voiture rouge devant lui. Il accéléra et donna un coup de volant pour observer ses occupants. Hélas, ce n'était pas une Sunbird, et ses passagers étaient des gens de couleur.

Déçu, il assena un violent coup de poing sur le volant et poursuivit son chemin.

27

Le dimanche 24 janvier

Joe entendit le téléphone sonner alors qu'il se trouvait sous la douche. Raflant une serviette, il se précipita dans la chambre à coucher en laissant l'empreinte de ses pas sur la moquette, chose que Jess abhorrait.

— Lieutenant Duval ? Ici le Dr Ash, j'ai traité votre sœur la...

— Je sais, trancha Joe.

— Je voudrais tout d'abord vous faire des excuses pour le temps que...

— Merci, l'interrompit à nouveau le policier. Avez-vous l'information que j'ai fait demander ?

— Oui, lieutenant.

Au ton hésitant de la voix, Joe comprit qu'elle n'était pas porteuse de bonnes nouvelles.

— Le stimulateur de ma sœur est-il un Hagen Pacing ?

— Je le crains.

— En êtes-vous sûr ? insista Joe, les mâchoires contractées. Votre bureau vous l'a-t-il confirmé ?

— Tout à fait. Quoi qu'il en soit, j'ai encore en mémoire tous les détails concernant le cas de votre sœur, lieutenant, et je crains qu'il n'y ait aucun doute sur la marque de son stimulateur cardiaque.

L'esprit de Joe se mit à battre la campagne.

— Lieutenant ? J'ai pris les arrangements pour rentrer immé-

215

diatement, au cas où on aurait besoin de moi. Le détective Cohen m'a laissé entendre que vous aviez des difficultés à retrouver votre sœur. Je lui ai dit que M. Barzinsky et elle avaient l'intention de se rendre en Floride, mais j'ignore où, exactement. Chose certaine, vous allez la retrouver très bientôt.

— Je l'espère, répliqua sèchement Joe.

— Je suis vraiment navré, lieutenant, reprit Ash avec toute la sincérité dont il était capable. Votre sœur est la plus aimable personne qu'il m'ait jamais été donné de rencontrer.

— Oui, en effet...

Sur ces mots, Joe raccrocha. Le tapis était trempé à ses pieds, mais il n'en avait cure. Il réfléchissait, regardant l'appareil sans le voir, quand la sonnerie se fit à nouveau entendre. C'était Cohen.

— Avez-vous eu des nouvelles du médecin ?

— Je viens juste de lui parler : mauvaises nouvelles.

— Grand Dieu !

— Du nouveau de votre côté ?

— Rien de neuf en Floride mais il est encore trop tôt. J'ai eu la visite de Ferguson, annonça le détective après un instant d'hésitation.

— Et alors ?

— Je lui ai parlé de Lally.

— Vous avez fait quoi ?

— Je sais, je sais, mais l'individu était vraiment à bout de nerfs. Quand il a su que vous vous trouviez dans les Berkshires, il a piqué une crise de nerfs en vous traitant de tous les noms d'oiseau. Histoire de le calmer, j'ai alors jugé bon de lui parler de Lally, Joe. Je suis désolé...

— Ça ira, Sol. Que Ferguson soit au courant ou pas est le cadet de mes soucis.

— En tout cas, ça lui a cloué le bec. Il semblait même très bouleversé, et m'a demandé s'il pouvait faire quelque chose pour vous aider. Je l'ai remercié en lui disant qu'on ferait appel à lui en cas de besoin.

Après une longue inspiration, Cohen changea de sujet :

— Et comment va Jess ?

— Son état est stationnaire.

— Rendons grâce à Dieu.

— Oui.

— Je suis sûr qu'on va retrouver Lally aujourd'hui, Joe.

— Ouais...

— Et vous, ça va ?

— Qu'en pensez-vous ?

28

Le dimanche 24 janvier

Les Lower Keys aux noms évocateurs de Big Pine, No Name, Big Torch, Low Torch et Sugarloaf commençaient après le Seven Mile Bridge, et leur caractère était très différent de celui des Keys qu'ils avaient vues précédemment. Si Lally et Hugo avaient déjà fait de larges provisions de bien-être et de repos dans des îles comme Key Largo, celles qui s'offraient à eux aujourd'hui, avec leurs forêts tropicales, leurs grands espaces encore sauvages et la quiétude de leurs grandes plages désertes bordées de récifs de corail, leur apportaient des sensations jusqu'alors inconnues, comme si le temps s'arrêtait soudain pour les ramener aux sources de la vie.

C'est à Big Pine Key, dans l'après-midi de samedi, qu'ils avaient aperçu leur premier alligator, assez près, ma foi, dormant paisiblement au bord d'un étang. Et le dimanche, parmi les brumes matinales qui enveloppaient leur refuge, ils avaient épié, insaisissables, deux chevreuils des Keys à queue blanche, les plus petits parmi tous les cervidés. Pour la première fois depuis son opération, Lally avait eu envie de danser de joie, mais réfrénant son enthousiasme, elle s'était tenue immobile près d'Hugo, osant à peine respirer de peur d'effaroucher ces merveilleuses créatures qui semblaient prendre la pose rien que pour eux, même si ni l'un ni l'autre ne se risquait à lever son appareil photographique à hauteur du regard. Plus tard, ils convinrent d'avoir vécu des instants inoubliables.

Chris Webber, lui, ne vit pas le moindre alligator, pas le plus petit faon ni même de héron ou de pélican. Il était pourtant un artiste, aujourd'hui confronté à une palette de couleurs à la fois profondes et nuancées, à une végétation luxuriante et à de surprenantes créatures dans une atmosphère de sérénité telle, qu'en d'autres circonstances, il y aurait planté son chevalet pour des jours entiers, voire des semaines. Mais pour le moment, son esprit et ses yeux étaient obnubilés par l'apparition d'une Sunbird rouge, de longs cheveux bruns flottant au vent au-dessus d'une paire d'yeux gris semblables à l'océan par jour d'orage. Rien d'autre ne comptait pour lui, plus rien n'avait d'importance, pas même les gargouillements insistants de son estomac affamé, non plus que le battement douloureux de ses tempes. Quand, juste après midi, alors qu'il venait de gagner Sugarloaf Key, il téléphona à la police, il ignorait qu'il se trouvait à moins de deux heures de voiture de Lally. Mais deux heures ou deux jours, quelle importance cela pouvait-il bien avoir, du moment qu'il ne la trouvait pas ? Il s'astreignit à manger un poisson qu'il trouva aussi insipide que la tasse de café qui suivit. Requinqué cependant, il se découvrit de nouvelles énergies et une détermination tout aussi farouche qu'à son départ de Nouvelle-Angleterre. Regagnant sa voiture, il rejoignit rapidement la Route 1.

La vision de Key West leur coupa le souffle. Dans le soleil brûlant de l'après-midi, l'île frémissait des fragrances capiteuses et luxuriantes que dégageaient des manguiers, des frangipaniers et des hibiscus. Avec ses yachts, ses embarcations de pêche aux mille couleurs, ses pavillons frais et coquets, elle semblait contenir à elle seule tout le bonheur de l'humanité.

— Les explorateurs espagnols l'appelaient *Cayo Huesco*, « l'île aux os », apprit Lally à Hugo à leur arrivée, à cause des restes humains qu'ils avaient découverts sur la plage, sans que personne n'ait jamais su à qui ils appartenaient et pourquoi ils étaient là, et le nom est resté.

— Ce n'est pas exactement comme ça que je me la représente, répondit Hugo, émerveillé. Je crois que je n'ai jamais rien vu d'aussi beau. Pour un peu, je voudrais ne plus jamais rentrer chez moi. Peut-être pourrions-nous ouvrir un deuxième *Hugo's,* ici.

— Et écrire des romans, surenchérit Lally. Te souviens-tu de ce qu'a dit Bobby Goldstein à propos des gagnants du prix Pulitzer ?

— Tu pourrais également enseigner la danse.

— Il n'est pas certain que Nijinsky supporte la chaleur.

— Il ne fait pourtant pas si chaud.

— C'est uniquement parce que nous sommes en janvier.

— Très bien, concéda Hugo avec un soupir, puisque le climat ne convient pas à ton chat, n'en parlons plus.

Chris Webber arriva à Key West à seize heures dix exactement. Après avoir garé sa Mercedes de location dans le quartier de la vieille ville, il se mit à la recherche du commissariat.

— Ils sont ici, l'informa un policier. Leur voiture a été aperçue il y a moins d'une heure.

— Et alors ? s'enquit Chris le cœur en déroute.

— Pour le moment, rien.

— Mais vous venez de me dire que quelqu'un a vu leur voiture...

— Oui.

— Et c'est tout ?

— Écoutez, monsieur Webber, fit le policier sans cacher son irritation, la circulation est intense dans cette ville. La plupart des gens y séjournent plusieurs jours parce qu'ils s'y plaisent.

— Et vous ne pouvez surveiller tout le monde, c'est ça ? lança Chris avec un ricanement sarcastique.

— Bien sûr que si, monsieur. Mais cette île se trouve à l'extrême pointe des Keys. On ne peut aller plus loin à moins de louer une embarcation, et chaque fois que cela arrive, la garde côtière nous en avertit aussitôt. C'est la raison pour laquelle il nous suffit d'attendre qu'ils décident de quitter l'île et de reprendre l'autoroute en sens inverse pour les intercepter.

Fort de cette information, Webber gagna une cabine téléphonique pour appeler Joe Duval.

— Je suis à Key West et ils y sont aussi.

— Merci, mon Dieu.

— Mais personne ne les a encore contactés, ajouta précipitamment le peintre. Dites-moi, Duval, que sait exactement la police de cette affaire ?

— Qu'il faut retrouver Lally le plus tôt possible.

— Sait-elle que sa vie est en danger ?

— Pas précisément.

— Puis-je le révéler ?

— Non, répondit Joe avec un profond soupir.

— Je crois que cela nous aiderait.

— Cela aiderait Lally, mais cela ferait du tort à énormément de gens.

— Il est question de votre sœur, Duval, protesta Webber.

— Croyez-vous qu'il soit utile de me le rappeler ?

— Excusez-moi...

— Ne perdez pas votre temps à vous excuser. Des chirurgiens sont d'ores et déjà sur le pied de guerre pour extraire le stimulateur de la poitrine de Lally, déclara Joe, se rappelant que John Morrissey, l'associé de Marie Ferguson, avait à cet effet mis sa clinique à la disposition de la jeune femme. Retournez dans la rue, Webber, procurez-vous une carte de l'île et explorez chaque café, chaque hôtel, chaque restaurant. Montrez sa photo aux passants et gardez les yeux grands ouverts.

— Ils le sont, croyez-moi.

— Alors trouvez-la, Webber, le temps presse.

Chris sentit son estomac se creuser.

— Vous avez eu des nouvelles de son cardiologue...

— En effet. Son stimulateur provient de chez Hagen. On procède à des recoupements afin de vérifier s'il fait partie d'une série susceptible d'avoir été piégée.

— Elle est donc encore en danger.

— Dans le cas contraire, je ne vous demanderais pas de la retrouver.

Chris suivit aveuglément le circuit touristique, jouant à une sorte de main chaude démentielle, sans que personne ne lui criât « chaud » ou « froid ». Il se rendit à l'aquarium, scrutant les dos des curieux en train de regarder les requins avaler leur repas, visita la maison d'un policier qui avait sauvé son voisin dans le grand incendie de 1886 en dynamitant sa rue, puis celle d'Hemingway, avec ses chats prétendument descendants de ceux de l'écrivain, en songeant que Lally n'y verrait qu'une démarche bassement commerciale. Il se rendit aussi dans un refuge à l'extérieur de la ville, puis revint visiter un étrange cimetière dont les tombeaux de pierre étaient à ciel ouvert et où les épitaphes manifestaient un surprenant humour. « Au moins je sais où il dort ce soir » fut une de ses préférées, quoiqu'il n'eût guère le cœur à rire, alors qu'il allait de pierre tombale en pierre tombale, tantôt marchant, tantôt courant, scrutant les dos et les visages, se retournant brusquement dès que s'élevait une voix de femme.

— Il semblerait qu'ils n'ont pas encore décidé de l'endroit où ils allaient dormir. La plupart des hôtels affichent « complet », mais nous ne manquerons pas de procéder à une nouvelle vérification dans une heure ou deux.

Il était dix-sept heures cinquante-cinq. Chris était revenu au poste de police.

— Avez-vous fait circuler sa photo ?

— Oui, monsieur, nous l'avons fait.

Chris se passa nerveusement la main dans les cheveux.

— Écoutez, je crois devenir fou : au début de l'après-midi on m'a annoncé qu'ils étaient sur l'île, et voilà que vous m'annoncez que vous ne les avez toujours pas retrouvés. Mais que font vos gens, nom de Dieu ?

— Ils font ce qu'ils peuvent, monsieur, répliqua patiemment

l'officier de police. Dans dix minutes, deux agents doivent se rendre aux docks Mallory.

— Que se passe-t-il, là-bas ?

— Le coucher de soleil, monsieur, sourit le policier. C'est là que se rendent la plupart des touristes. Et je suis prêt à parier que votre amie s'y trouve aussi.

— Comment s'y rendre ? s'enquit Webber, la main déjà sur la poignée de porte.

— Prenez Duval Street en direction du nord-ouest, fit l'autre avec un nouveau sourire. Vous voyez ? C'est bon signe, même la rue porte son nom...

L'endroit grouillait de monde et de bruit : des hommes, des femmes et des enfants venus de partout, certains pour amuser les badauds, d'autres pour vendre leur marchandise, mais la plupart pour se distraire et dépenser leur argent. Chris avait les yeux douloureux à force de regarder, et n'avait jamais éprouvé d'attirance particulière pour la foule, mais maintenant, il la détestait de toutes ses forces. Il aurait voulu la disperser, la faire taire de sorte à pouvoir crier le nom de Lally jusqu'à ce qu'elle lui répondît.

Il vit des jongleurs et des acrobates, des mimes et des avaleurs de feu. Il vit des clowns et des vendeurs de rue, des chiens coiffés de bonnets ridicules pour se protéger du soleil et deux hommes dont la peau était entièrement tatouée. Par deux fois, il entr'aperçut une jeune femme aux longs cheveux bruns et courut vers elle pour constater au dernier moment que ce n'était pas Lally. À un moment donné, il pensa – non, il aurait juré – voir Hugo en train de rire en léchant un cornet, mais le temps de réagir, il avait disparu au détour d'une rue, englouti par la foule. C'est alors qu'il eut envie de se mettre à hurler, à s'arracher les cheveux comme un dément, et s'il avait pensé que cela lui aurait permis d'arracher Lally à cette cohue, il n'aurait pas hésité à le faire. Mais avec ce bruit, ces rires, cette musique et ces cris, il y avait peu de chances qu'elle l'entendît.

— Ça y est ! hurla quelqu'un.

Amorçant son ultime descente, le soleil tremblant et rubicond venait de heurter la ligne d'horizon. Un cri d'allégresse s'éleva alors de la foule, comme si on venait de remporter la plus grande victoire de tous les temps.

Puis Chris entendit une détonation.

Autour de lui, on avait entendu aussi. Des têtes se dressèrent, des cous se tendirent un instant pour en comprendre la cause, puis, avec des haussements d'épaules et des sourires de dérision, les regards se tournèrent à nouveau vers l'horizon en feu.

Mais, horrifié, imaginant le pire, Chris vit, à quelques centaines de mètres de là, deux policiers qui cherchaient eux aussi à connaître l'origine de ce bruit. Les tempes bourdonnantes, Chris eut le sentiment confus que si ce qu'il redoutait était arrivé, il en mourrait, lui aussi, bien que son esprit refusât cette éventualité de toutes ses forces, pour la raison qu'elle lui était intolérable, qu'elle ne se *pouvait* pas.

Quittant les docks, les policiers, suivis de Chris, se mirent à marcher puis à courir à toutes jambes, bousculant les gens, trébuchant sur une bicyclette, manquant de renverser une fillette, dont ils calmèrent la maman en bredouillant quelques mots d'excuses. Remontée Duval Street, ils bifurquèrent dans Caroline, et Chris les avait presque rejoints quand retentit une seconde détonation. Là-bas, sur le bord du trottoir, un enfant s'amusait à faire éclater des pétards. Les policiers, eux, éclatèrent de rire, ce qui procura à Chris un simulacre de soulagement, même s'il aurait aimé gifler les deux hommes, ne comprenant pas ce qu'ils trouvaient si drôle. Lui qui se targuait d'être un homme tolérant et pacifique, voilà qu'il se voyait échangeant des horions avec la terre entière, tant il est vrai qu'il n'avait jamais connu une telle frustration, jamais autant craint pour quelqu'un, pas même pour sa fille, comme il craignait pour la vie de Lally Duval, cette femme qu'il connaissait à peine.

— Quel cirque, fit Hugo.

— Amusant quand même, observa Lally, alors que, bras dessus bras dessous, ils s'éloignaient de Mallory Square. Où va-t-on, maintenant ?

— Dîner, peut-être ?

— L'idée est séduisante.

— Et nous n'avons toujours pas décidé où nous irions dormir, lui fit remarquer Hugo.

Ils avaient bien visité quelques hôtels, mais les tarifs annoncés leur avaient paru exorbitants. Par ailleurs, la plupart affichaient « complet » et vu l'heure avancée, il y avait peu de chances qu'une chambre se libérât.

— Nous pouvons toujours quitter la ville et planter notre tente quelque part, hasarda Lally.

— J'aimerais encore mieux dormir sur la plage.

— Nous risquerions de nous faire arrêter par des policiers en patrouille.

Hugo répondit par un haussement d'épaules et ils poursuivirent leur chemin.

— Plus détendue que ça, je meurs, souffla Lally.

Hugo la couvrit d'un regard énamouré.

— Tu te sens bien, n'est-ce pas ?

— Merveilleusement bien, sourit-elle.

— Que Dieu bénisse Lucas Ash, fit Hugo.

— Ainsi soit-il.

La Sunbird rouge avait été découverte dans un parc de stationnement non loin de Mallory Square ; pourtant, les policiers de Key West soutenaient mordicus que ni Lally ni Hugo n'avaient réservé de chambre dans un hôtel, motel ou auberge de l'île.

— Nous pourrons toujours les contacter quand ils regagneront leur voiture, annonça un sergent de police à Chris. Jusquelà, nous ne pouvons rien faire d'autre que de garder les yeux grands ouverts. En attendant, si j'étais vous, monsieur, j'irais prendre un peu de repos.

Ignorant le conseil, Chris quitta le poste de police. Il retrouva le parc, la voiture, vit le mot que la police avait glissé sous un essuie-glace et y ajouta le sien, écrit en grosses lettres pour qu'il n'échappât point au conducteur. À cet instant, il prit conscience d'avoir parcouru plusieurs fois Key West sans en garder le moindre souvenir. Il eut envie de téléphoner encore à Joe Duval, histoire de converser un peu avec une personne apte à comprendre ses sentiments, mais craignant de lui donner un faux espoir, il s'en abstint.

Après s'être hâtivement désaltéré dans un bar, Chris reprit ses recherches en parcourant les rues de la ville. C'était l'heure du dîner ; la foule était moins dense. S'étant procuré un guide des restaurants, il en visita cinq autour de Duval Street, en dépit d'une ampoule au pied qui le faisait souffrir. Au sixième, il aperçut deux policiers montrant aux clients la photographie de Lally, et se sentit un court instant transporté de gratitude. Mais trouveraient-ils Lally, à la fin ? Chris commençait à en douter. Il se demandait si, par un phénomène extraordinaire, Lally et Hugo n'avaient pas basculé de l'autre côté du monde pour ne jamais plus reparaître.

Ce qui le poussa à se diriger vers cette partie du port, Chris n'aurait su le dire, surtout qu'il s'y était déjà rendu trois fois au cours de l'après-midi, qu'il était à présent près de minuit, et que, hormis quelques personnes sirotant un verre sur le pont de leur yacht, on n'y voyait pas âme qui vive.

Devant lui, une magnifique goélette pointait sa mâture vers la lune, au milieu d'un ciel criblé d'étoiles. De sa longue silhouette se dégageait une atmosphère de paix et de sérénité. À la poupe, un vieux chat s'appliquait à faire sa toilette. « La nuit tous les chats sont gris », songea Chris en le voyant, debout sur le quai. C'était la première fois depuis longtemps qu'il s'accordait le loisir de regarder quelque chose pour lui-même, et ce constat lui fit comprendre qu'il était prêt à renoncer. Sans doute était-il trop las, trop découragé pour continuer plus avant. Sans doute n'y avait-il plus rien à faire que d'aller s'allonger sur la banquette arrière de sa voiture.

Sa toilette achevée, le chat se mit à le fixer.

— Salut, fit Chris.

L'animal se raidit un peu, mais ne bougea pas.

— Ne t'occupe pas de moi, ajouta-t-il.

Puis il s'avisa que ce n'était pas le chat qu'il regardait, mais un point, quelque part derrière lui.

— Chris, c'est vous ?

Il ne bougea pas, croyant à une hallucination.

— Chris ?

Il se retourna. Elle était là, à moins de trois mètres de lui, dans une jupe diaphane qui laissait deviner la finesse de ses longues jambes, et un chemisier sans manches dont l'échancrure dégageait son long cou de cygne. Ses longs cheveux flottaient au gré de la brise légère, venue du golfe du Mexique, et derrière elle, la lune pleine lui faisait une auréole d'argent.

— C'est vous, souffla-t-elle, n'en croyant pas ses yeux

— J'ai pensé...

Il s'interrompit, la gorge sèche, de crainte qu'elle ne se méprît sur la raucité du ton, puis déglutit douloureusement :

— J'ai cru que vous étiez un fantôme.

— C'est bien moi, le rassura-t-elle en esquissant un pas dans sa direction.

— Merci, mon Dieu.

— Mais que faites-vous ici ? s'enquit-elle avec calme, intriguée mais à peine. Je n'arrivais pas à croire que c'était vous. Êtes-vous aussi en vacances ? Katy n'est pas avec vous ?

— Où est Hugo ? préféra demander Chris en se mordant la lèvre.

— Il prend un verre avec des gens que nous avons rencontrés, expliqua-t-elle en désignant un petit yacht qui mouillait à quelques encablures. J'avais envie de faire une petite promenade et...

Voyant l'expression inquiète de l'homme, elle s'interrompit :

— Que se passe-t-il, Chris ?

Chris esquissa un sourire. Son cœur battait à tout rompre même s'il ne subsistait plus en lui la moindre trace d'inquiétude. Voilà deux jours qu'il rêvait de cet instant, qu'il imaginait le moment où il la retrouverait, la prendrait dans ses bras, la protégerait en se jurant de ne jamais l'abandonner. Mais à présent qu'elle se tenait là, à quelques pas de lui, ils redevenaient deux voisins qui se rencontrent par hasard en vacances. Et puis Lally semblait si heureuse, si dispose, si *normale*, que cela lui déchirait le cœur de l'arracher à son bonheur, d'être porteur d'inquiétude, de souffrance, de malheur. Oh ! Comme il eût aimé laisser cette tâche à Joe Duval ! Saisi de panique, il éprouva soudain le désir de tourner les talons et de s'enfuir en courant. Mais au lieu de cela, il se tint parfaitement immobile.

— Lally, dit-il, je suis venu vous chercher.

29

Le lundi 25 janvier

Chris refusa de donner la moindre explication en l'absence d'Hugo, jusqu'à ce que le trio se fût retrouvé à l'écart, au bout du quai, dont Lally éprouva le contact de la pierre froide avec un léger frisson.

— Il y a un problème avec votre stimulateur, annonça Webber.

— Quel genre de problème ? s'enquit Hugo, mi-inquiet, mi-agressif, comme s'il craignait que la venue de Webber n'eût d'autre but que de gâcher leurs vacances.

— Naturellement, il se peut que ce ne soit pas fondé...

— Quel genre de problème ? réitéra Lally.

En dépit de l'obscurité, la pâleur de Chris était visible.

— On a procédé à un rappel de certains appareils de la même fabrication. Il n'y a sans doute pas matière à s'inquiéter mais votre frère a pensé que...

— Joe ? s'étonna Lally. Que vient-il faire dans cette histoire, alors qu'il est censé tout ignorer de mon opération ?

— Je sais...

Cent fois il avait répété les mots qu'il devrait dire pour ne pas l'effrayer, mais à présent, il comprenait que c'était impossible.

— Le fabricant a demandé à la police de retrouver la trace de toutes les personnes équipées d'un stimulateur de cette marque. Votre frère a découvert votre nom en compulsant des listes informatiques.

— Mais vous, à quel titre intervenez-vous ? voulut savoir Hugo.

— Le lieutenant Duval est venu vendredi à Stockbridge pour voir Lally. Nous sommes à votre recherche depuis ce moment-là.

— Est-il avec vous ? demanda Lally, alarmée à l'idée que Joe pût par sa faute négliger Jess et Sal.

Chris secoua la tête.

— Il aurait bien aimé, mais il a été retenu à Chicago. Il attend que je lui donne de vos nouvelles.

— Vous ne nous avez toujours pas dit de quel problème il s'agit, insista Hugo.

— C'est parce que je n'en connais pas les détails. Tout ce que je sais, c'est qu'il faut que je vous ramène toute affaire cessante à Chicago.

— À Chicago ? s'étonna Hugo. Pourquoi pas à Stockbridge ?

— Si c'est urgent à ce point, renchérit Lally, pourquoi ne pas régler le problème ici, en Floride ?

Webber était au supplice.

— Au dire de votre frère, l'équipement dont on dispose à Chicago n'existe pas ici.

— Pas même en Nouvelle-Angleterre ? lança Hugo, plus sceptique et soupçonneux que jamais.

— C'est ça, rétorqua sèchement Chris dans l'espoir de lui clouer le bec.

Puis, s'adressant à la jeune femme :

— Vous êtes d'accord, Lally ?

— Non, pas avant que vous ne m'ayez dit toute la vérité, trancha Lally, avant de se radoucir en voyant l'expression déconfite du peintre. Je supporte mieux les épreuves lorsque je sais à quoi m'en tenir.

À cela Chris ne trouva rien à répondre.

— Chris, reprit Lally d'une voix étonnamment calme, vous n'allez tout de même pas me faire croire que vous avez laissé

Katy et Andrea pour parcourir la Floride en tous sens, sous prétexte que mon stimulateur cardiaque a un défaut de fabrication. En réalité, c'est plus grave que cela, n'est-ce pas ?

Mais Chris semblait se cloîtrer dans son mutisme.

— Il s'agit de mon cœur, Chris, j'ai le droit de savoir.

— Parlez, le pressa Hugo, tremblant malgré la douceur de la nuit.

Webber plongea son regard dans celui de Lally. Malgré l'obscurité, il était aussi beau qu'il se le rappelait.

— Très bien, concéda-t-il enfin, mais je vous jure qu'il y a très peu de chances que vous en soyez affectée ; je vous le jure sur ce que j'ai de plus cher.

— Je vous écoute, fit Lally sans se départir de son calme.

Et Chris raconta tout ce qu'il savait.

Ils prirent immédiatement la route de Miami, abandonnant la Sunbird pour la Mercedes de Chris, plus spacieuse, plus rapide et plus confortable. Intransigeant, Hugo décida que Lally se reposerait sur le siège arrière, même si elle était à des années-lumière de s'endormir.

— Ça va ?

— Très bien.

Cette question, ils la lui posèrent cent fois, essayant vainement de cacher leur inquiétude, et elle leur répondait chaque fois par les mêmes mots. Déjà, au commencement, l'idée que son cœur pût s'arrêter de battre d'un instant à l'autre l'avait plongée dans d'affreux tourments. À plus forte raison, l'idée de passer de vie à trépas en une fraction de seconde lui semblait inconcevable, trop terrifiante pour qu'elle l'acceptât. Fort heureusement, la voix de son frère, quand elle lui avait téléphoné de Key West, lui avait procuré une manière de réconfort.

— Ne réfléchis pas, lui avait-il conseillé, cela ne ferait que te nuire. Contente-toi de te rendre à Miami et de sauter dans le premier avion. Tout est prêt ici pour te recevoir.

— Mais pourquoi ne m'hospitalise-t-on pas ici ? avait-elle

demandé d'une petite voix. Pourquoi faut-il que je me rende jusqu'à Chicago ?

— Parce qu'il n'est pas certain que les hôpitaux de Miami soient équipés adéquatement pour ce genre d'intervention, ma chérie, et que nous devons éviter des pertes de temps inutiles.

— J'ai peur, Joe.

— Je comprends...

— Et toi, tu n'as pas peur ?

— Plus maintenant, répondit le policier d'un ton résolu. À présent que nous t'avons retrouvée, tout va bien se passer.

— Je t'aime, Joe...

— Moi aussi, petite sœur.

Elle revivait les même instants, à présent, auprès de ces deux hommes également attentionnés, si pleins de prévenances et pourtant soucieux de faire comme si de rien n'était, afin de ne pas l'inquiéter inutilement. Quand Hugo était au volant, Chris s'installait à l'arrière, aux côtés de Lally et lui tenait la main, parlant peu mais la rassurant par des petits gestes qui en disaient long sur ses sentiments. Et lorsque c'était au tour de Chris de conduire, Hugo faisait de même. Dans les regards éplorés qu'il lui adressait, Lally pouvait lire l'amour démesuré qu'il éprouvait pour elle, un amour dont elle était consciente sans qu'il eût jamais osé l'avouer.

Elle gardait les yeux fixés sur la nuque de Chris, s'avisant des regards incessants qu'il lui lançait dans le rétroviseur. Les sentiments de l'artiste peintre à son égard ne faisaient plus aucun doute, à présent. Parce qu'elle courait un grand danger, cet homme qu'elle connaissait à peine avait tout abandonné, sa femme en clinique, sa fille même, pour se lancer à sa recherche. Si elle n'avait pas été aussi terrorisée, cette idée l'aurait comblée de bonheur. Mais comment rêver de bonheur, quand ces deux hommes qui l'aimaient pareillement parlaient à voix basse comme s'ils craignaient que le son de leur voix ne fît exploser l'objet qu'elle avait dans le corps ?

L'objet. C'est par ce vocable impersonnel qu'elle avait qualifié son stimulateur cardiaque en quittant l'hôpital. À ce moment, pourtant, il lui était apparu comme un corps étranger mais bienveillant, un garant de vie et non une promesse de mort.

Le soleil n'était pas levé lorsqu'ils arrivèrent à Miami. Au bureau d'enregistrement à l'aéroport, un message attendait Chris, l'enjoignant de contacter sans retard Joe Duval, à Chicago.

— Que se passe-t-il ?

— Lally est-elle à portée de voix ?

— Non.

— Vous ne pouvez embarquer.

— Pardon ?

— Lally est interdite de vol.

— Je leur ferai changer d'avis.

— Aucune chance, trancha durement le policier. Il y a eu un autre décès à Orlando. La presse a évoqué l'incident, bien que les médias ne soient toujours pas au courant de l'affaire. Mais le FBI en a fait part à la FAA, l'Agence fédérale de l'aviation civile, et on sait qu'elle doit s'embarquer pour Chicago. Elle est considérée comme une bombe à retardement.

Chris restait silencieux, l'esprit en ébullition.

— Je vais tenter de trouver une solution, poursuivit Joe, mais cela risque de prendre du temps.

— Nous n'avons PAS le temps.

— À qui le dites-vous...

— Je vais la ramener, décréta Chris.

— Comment ?

— Je vais louer un avion privé.

— Jamais vous ne trouverez de pilote qui acceptera de prendre de tels risques.

— Je le trouverai en y mettant le prix.

— Cela risque de coûter une fortune. Et je ne pourrais jamais justif...

— Ne vous inquiétez pas, j'en assumerai les frais.

— Je ne peux...

— Nom de Dieu, Duval, voulez-vous que je ramène votre sœur à temps pour qu'elle soit sauvée ou pas ?

— Trouvez cet avion, répondit Joe.

30

Le lundi 25 janvier

L'homme gisait sur son lit d'hôpital dans un état semi-comateux, l'esprit embrumé par une forte fièvre. On l'y avait amené la veille, sans qu'il eût fait la moindre allusion à la morsure de l'héloderme, se disant qu'on la découvrirait bien assez tôt. Il ferma les yeux. Les douloureux élancements de son pied irradiaient jusque dans sa tête au point de le faire délirer.

« Une fois, j'ai vu un dragon dans l'antre de Mère... »

Cela s'était passé dans une étrange chambre pourpre, aux murs capitonnés. Une lumière sourde filtrait par la porte entrebâillée, accompagnée de bruits bizarres, inquiétants, pas assez cependant pour l'inciter à fuir, mais plutôt à s'approcher à pas de loup et à risquer un œil à l'intérieur. C'est alors que la terreur l'avait saisi, gonflant sa poitrine jusqu'à l'étouffement comme un ballon prêt à éclater.

« Le dragon avait un corps immense couvert d'écailles, avec une tête hideuse et une queue énorme. Ses jambes et ses bras, semblables à ceux d'un humain, étaient noueux et velus. Allongé sur une femme entièrement dévêtue, il la maintenait clouée sur son lit. » Si par malheur il s'était mis à crier, il aurait été le premier à en pâtir. Mais au moment où il avait voulu prendre ses jambes à son cou, quelque chose l'avait retenu. Finalement, épier le manège de la femme et du dragon lui procurait une étrange sensation, comme une brûlure venue du fond de ses entrailles, exactement la même que celle qu'il éprouvait quand Mère le caressait du fond de sa couche. En regardant le miroir du plafond, il vit que la femme avait les yeux fermés. De sa bouche entrouverte s'échappait un murmure inintelligible entrecoupé de gémissements...

Il crut alors que le dragon s'apprêtait à l'occire. Il dut faire un bruit, peut-être hoqueta-t-il ou même poussa-t-il un petit cri, parce que le dragon se retourna brusquement dans sa direction. Il vit alors dans ses yeux rougis passer un éclair si féroce qu'il en perdit connaissance, jusqu'au moment où il sentit les doigts froids de Mère se poser sur son front. Il était allongé sur le sofa de son bureau, et le dragon avait disparu.

— J'ai vu un dragon, murmura-t-il.

— Je t'avais pourtant prévenu, fit-elle en poursuivant ses caresses.

— Il allait tuer une dame.

— Tuer des gens, c'est leur façon d'être...

— J'ai cru qu'il allait me tuer moi aussi.

— Calmez-vous, tout va bien, dit une voix.

— Il allait me tuer, répéta l'homme. Le dragon allait me tuer. Je l'ai vu et il m'a vu aussi et...

— Il n'y a aucun dragon, ici, reprit la voix.

L'homme ouvrit les yeux et vit l'infirmière. Malgré sa terrible migraine et l'étau qui enserrait sa poitrine, en dépit du feu qui lui dévorait le pied, il réussit à sourire.

— Oh, que si ! il y en a des tas, dit-il.

31

Le lundi 25 janvier

À sept heures et demie, Cohen appela Joe pour lui apprendre que Hagen et Schwartz avaient tous deux été admis au Chicago Memorial Hospital.

— Des complications, fit laconiquement Cohen.

— Nous pourrons mieux les surveiller, observa Joe sans la moindre compassion.

Trois quarts d'heure plus tard, juste après qu'il eut gagné le poste de police, ce fut au tour de Morrissey :

— Sean Ferguson veut vous voir de toute urgence, lieutenant.

— Que se passe-t-il ?

Si reconnaissant qu'il fût à Morrissey de mettre sa clinique à la disposition de Lally, Joe n'était pas d'humeur à supporter les remarques acerbes du journaliste.

— Il m'a dit qu'il avait une piste...

— Quel genre de piste ? s'enquit prudemment Joe.

— Il n'a pas voulu en parler, mais il n'est pas homme à parler à tort et à travers, lieutenant. S'il affirme tenir une piste, je crois que nous devrions l'écouter.

— Est-il chez lui, en ce moment ? voulut savoir Joe, soudain intéressé.

— Non, à la clinique, dans le bureau de feu sa femme.

Ferguson faisait les cent pas, laissant de profondes empreintes dans la moquette aux nuances veloutées. Si la table de travail était vierge de tout dossier, le bureau était à peu près dans l'état où Marie Ferguson l'avait laissé.

— Merci d'être venu, lieutenant, l'accueillit le journaliste, une lueur triomphante au fond du regard.

— Alors ? Qu'avez-vous à m'annoncer ? demanda Joe, soucieux d'aller droit au but.

— Un mobile.

Le policier sentit un picotement d'excitation courir le long de son dos.

— Je vous écoute.

Ouvrant sa mallette de cuir, Ferguson en tira une feuille de papier pliée en deux.

— La recherche d'informations est une de mes passions, lieutenant. Un journaliste a l'habitude de fouiner partout, et s'il est écrivain de surcroît, il n'en devient que plus curieux, surtout s'il veut connaître avec exactitude les détails qui constitueront la trame de son prochain roman, glosa l'homme en posant la feuille de papier devant lui.

— Voulez-vous que j'en prenne connaissance ? proposa Joe avec un mouvement d'impatience.

— Encore un instant, lieutenant. Pardonnez-moi toute cette mise en scène, mais je me sens si impuissant depuis que j'ai perdu Marie, et de savoir que l'enquête piétine me met dans tous mes états. Il est possible que ma découverte ne vaille pas tripette, mais j'ai l'impression du contraire. Que voulez-vous, lieutenant, il m'arrive parfois d'avoir des intuitions.

— Moi aussi, monsieur Ferguson.

— Très bien, acquiesça le journaliste en invitant Joe à prendre un siège. Figurez-vous que j'ai découvert dans une coupure de journal quatre colonnes avec une photo en médaillon. Il n'y a jamais eu de suite à cette histoire, mais j'ai jugé bon de mener ma petite enquête. Il semble qu'à l'issue d'un service funèbre, le crématorium de North Lincoln Avenue a été soufflé par l'explosion du four crématoire. Il semble aussi que l'accident s'explique par la présence d'un stimulateur cardiaque doté d'une vieille pile au mercure dans le corps du défunt. Le cas ne serait pas unique, puisqu'il existe aujourd'hui une loi stipulant qu'un stimulateur cardiaque doit être extrait du cadavre avant de procéder à sa crémation.

Alors qu'il scrutait le regard exalté et fiévreux de Ferguson, Joe songea que l'homme aurait fait un bien meilleur acteur que l'écrivain qu'il était.

— Le défunt a-t-il un nom ?

Ferguson eut un long regard pour le cadre posé sur le bureau, où on le voyait souriant à belles dents, serrant dans ses bras son épouse bien-aimée. Lentement, comme s'il voulait savourer son plaisir, il se pencha en avant et tendit la feuille au policier.

— Cela vous inspire-t-il, lieutenant ?

Joe était déjà debout.

— Oh, que oui !

— Et ce n'est pas fini, poursuivit Ferguson.

— C'est insuffisant pour demander un mandat de perquisition, déclara Jackson.

— C'est largement suffisant, au contraire, commandant.

— Cet événement ne constitue pas une preuve pour autant.

— Son fichier personnel est un tissu de mensonges.

— Ce pourrait n'être qu'une succession d'erreurs...

— Vous ne pensez pas ce que vous dites, monsieur.

— Peut-être pas, mais il nous faut des éléments plus tangibles et vous le savez bien.

— Sa mère était tenancière de maison close, alors qu'il est écrit à son dossier qu'elle était femme au foyer.

— Je ne conçois pas qu'un juge puisse le blâmer d'avoir menti à ce sujet.

— Son dossier dit également que son père est décédé à Chicago en 1950, mais rien ne prouve qu'il en ait jamais eu un.

— D'accord, il a menti sur ses antécédents familiaux, ou peut-être ne les connaît-il simplement pas, et alors ?

Joe s'évertuait à garder son calme.

— Imaginer l'enfance qu'il a dû connaître, commandant. Sa mère, son unique parent, n'était pas une prostituée à la petite semaine, mais une tenancière de bordel. Dieu seul sait les instants qu'il a dû vivre dans sa jeunesse, et cela, *avant* qu'elle ne soit réduite en charpie pendant sa crémation, alors qu'il n'était encore qu'un enfant.

— Tout cela n'est qu'hypothèses, Duval, nous n'avons rien pour étayer de telles allégations.

— Mais nous tenons là le mobile qui l'a poussé à agir, commandant, et notre homme correspond parfaitement au portrait psychologique de notre tueur. Il nourrit son obsession pendant des années enfin de pouvoir un jour assouvir sa vengeance.

Mais Jackson demeurait inébranlable.

— Vous avez sans aucun doute raison, Duval, et Dieu sait que j'ai aussi hâte que vous que cette affaire soit résolue.

— Permettez-moi d'en douter, rétorqua Joe au téléphone. Votre sœur ne vit pas des heures d'angoisse à se demander si son cœur ne risque pas d'exploser d'une seconde à l'autre.

— Sauf votre respect, lieutenant, je vous rappellerai qu'en ce moment même, des centaines de gens vivent la même situation que votre sœur, à la différence qu'ils n'ont pas une équipe de chirurgiens et une escouade antibombe à leur disposition.

Une fois encore, Joe s'efforça de garder son sang-froid, sachant qu'un esclandre ne servirait en rien Lally.

— Il faut que je fouille son appartement, commandant. Notre homme se trouve à l'hôpital, c'est une occasion unique.

— C'est impossible, je ne peux vous y autoriser.

Joe s'apprêtait à suggérer à son supérieur ce qu'il pouvait faire de son autorisation, mais il se retint à temps.

— Dès que cela vous sera possible, allez lui parler, lieutenant. Mais s'il est réellement malade, je doute que les médecins vous permettent de l'approcher. Emmenez Cohen avec vous, mieux encore, prenez Lipman. Qu'elle lui propose de lui rapporter des affaires de chez lui. Parlez-lui de sa mère à mots couverts, faites-lui peur si c'est nécessaire. Tentez tout ce qui est possible, mais pour l'amour du ciel, ne commettez pas d'impair.

— Le temps presse, commandant...

— Faites-moi donc plaisir, Duval : allez déjeuner et occupez-vous l'esprit en attendant... Tenez, mettez un peu d'ordre dans la paperasse qui traîne sur votre bureau.

Joe voulut répondre, mais Jackson avait déjà raccroché.

32

Le lundi 25 janvier

Lally, Chris et Hugo décollèrent de Miami à neuf heures onze. Lally eut un instant de panique en montant à bord du Cessna, terrifiée à l'idée que son stimulateur cardiaque pourrait exploser en plein vol en les tuant tous les quatre et Dieu sait qui d'autre au sol. Hugo semblait quelque peu abattu, alors que le regard de Chris reflétait toujours une froide détermination. Comme le pilote, un quinquagénaire grisonnant à l'air taciturne, ne semblait pas s'émouvoir de la situation, Lally décida de se laisser porter par les événements.

Le ciel était clair au-dessus de la Floride et le voyage semblait devoir se dérouler sans encombre quand, survolant la Géorgie, ils entrèrent dans une zone de turbulences. Tout au long de sa descente sur O'Hare, le petit appareil fut violemment secoué par des bourrasques de neige, à tel point qu'au moment où il toucha le sol, Hugo était blême de peur et Lally guère plus rassurée. Seul Chris affichait un sang-froid que rien, décidément, ne semblait pouvoir ébranler.

— Tout le monde va bien ? demanda le pilote en émergeant du cockpit.

— Très bien, fit Chris.

— Et vous, madame ?

— Bien, merci, chevrota un peu Lally.

— Désolé pour les turbulences, ajouta le pilote.

— Ce n'était pas si terrible, dit Lally.

— Comment vous sentez-vous ? lui demanda Chris.

— Entière et c'est le principal, répondit-elle avec un pâle sourire. Merci beaucoup.

— C'était assez épouvantable, là-haut.

— Au moins était-ce réel.

— Réel ?

— Oui, ce vent, ces trous d'air, tout cela faisait partie de la réalité, de la vie de tous les jours, alors que ce qui m'arrive me semble si... abstrait. Me comprenez-vous ?

— Je crois, fit Chris d'un air plein de commisération.

Hugo s'agita, jugeant détestable l'intimité qui s'installait entre le peintre et Lally, et en même temps, détesta cette pensée qui n'était autre, il devrait bien l'admettre, qu'une manifestation de jalousie.

— Quant à moi, si cela ne vous fait rien, intervint Hugo avec un humour affecté, la prochaine fois, je prendrai un vol régulier. Mais merci quand même de nous avoir ramenés jusqu'ici, Chris.

— Tout le plaisir a été pour moi, répondit ce dernier.

Blême d'inquiétude, Joe les attendait en compagnie d'un sexagénaire à la chevelure argentée et au port altier. Il étreignit longuement Lally, puis serra vigoureusement la main de Chris. Hugo, lui, n'eut droit qu'à un bref signe de tête.

— Faites-moi plaisir, Barzinsky, le tança-t-il sèchement. La prochaine fois que vous amènerez ma sœur jouer à la marelle dans les Keys, faites en sorte que j'en sois prévenu.

Voyant son ami rougir de confusion, Lally se hâta d'intervenir :

— Tu n'as pas raison de t'en prendre à Hugo, Joe. S'il n'avait tenu qu'à lui, nous aurions passé nos vacances à nous prélasser sur une terrasse d'hôtel à Miami Beach.

— Et si nous partions ? proposa le sexagénaire.

— Lally, annonça Joe, je te présente le Dr Morrissey, le directeur de la clinique Howe ; c'est là que nous te conduisons.

Lally chancela. Le malaise, un instant dissipé au moment des retrouvailles, revint en force. Levant les yeux, elle se rendit compte que l'homme la contemplait d'un air plein de douceur.

— Comment vous sentez-vous, mademoiselle Duval ? demanda-t-il.

— Bien, merci.

— Vous devez être terriblement désorientée.

— En effet.

Le petit groupe fit mouvement vers la sortie, Lally encadrée par Chris et Joe qui la soutenait par la taille, tandis qu'Hugo et le Dr Morrissey fermaient la marche. La jeune femme semblait flotter sur un nuage. À peine était-elle consciente du lieu. Ce qui comptait d'abord pour elle, c'était d'arriver au plus tôt à destination, peu importe l'endroit. Pendant le vol, avant que l'appareil ne fût ballotté dans la tourmente, elle avait eu le temps de réfléchir aux paroles de son frère, lequel, pour des raisons fallacieuses, alléguait que le retrait de son stimulateur ne pouvait se faire à Miami. Oubliant sa colère, elle avait compris, horrifiée, qu'elle était devenue une sorte de bombe ambulante, et que quiconque s'approcherait d'elle mettrait sa vie en danger.

Sitôt quittée la tiédeur de l'aéroport, un air glacial les accueillit. La vieille Saab de Joe attendait au bord du trottoir. Au moment où Chris poussa la porte de verre, Lally se tourna vers le Dr Morrissey.

— Êtes-vous sûr de ce que vous faites, docteur ?

— Que voulez-vous dire ?

— Vous me conduisez bien dans votre clinique, n'est-ce pas ?

— Absolument.

— Je ne veux mettre en danger la vie de personne.

Le médecin lui adressa un sourire rassurant.

— Toutes les précautions sont prises, mademoiselle Duval. Sachez cependant que les chances que votre stimulateur cardiaque soit piégé sont minimes.

— Si c'est le cas, pourquoi ne suis-je pas aussi rassurée que je devrais l'être ?

— Monte dans la voiture, Lally, ordonna Joe.

Mais Lally ne bougea pas d'un pouce.

— Que se passe-t-il ? s'inquiéta Chris.

— Je préfère voyager seule.

— Mais pourquoi ? intervint Hugo.

— Au cas où...

— Monte dans la voiture, répéta Joe.

— Je crois plutôt que vous devriez tous prendre un taxi, s'obstina Lally.

— Mais ce genre de détail ne semblait pas t'inquiéter dans l'avion, argua Hugo.

— Bien sûr que j'étais inquiète, mais je n'avais pas le choix.

— Pour la dernière fois, Lally...

— Puis-je dire un mot ? s'interposa Morrissey.

— Je vous en prie, fit Joe.

Prenant Lally par le bras, le médecin l'attira hors de portée d'oreille.

— Avez-vous confiance en moi ?

— Je crois, hésita Lally.

— Ma meilleure amie et associée, Marie Ferguson, est décédée, voilà dix-neuf jours.

— Portait-elle un stimulateur cardiaque ? s'enquit Lally, les yeux agrandis d'étonnement.

— Oui, mais là n'est pas mon propos, expliqua Morrissey en plongeant son regard dans celui de Lally. Il faut que vous sachiez que son mari se trouvait auprès d'elle, quand c'est arrivé. Ils étaient aussi près l'un de l'autre qu'un couple peut l'être, si vous voyez ce que je veux dire ; et il ne lui est strictement rien arrivé, pas une égratignure.

— Je suis tellement navrée...

— Et moi donc... Morrissey se força à sourire. À présent, voulez-vous monter dans cette voiture, Lally ? Vous ne voyez pas d'inconvénient à ce que je vous appelle Lally, n'est-ce pas ?

— Je vous en prie, docteur, et merci encore.

Ils regagnèrent la Saab. Sans un mot, Hugo ouvrit la portière arrière et prit place à l'extrémité de la banquette, suivi de Lally puis de Chris.

Les portières claquèrent. Joe fit démarrer son moteur. Lally prit la main d'Hugo et celle de Chris et les serra contre sa poitrine. En silence, le petit groupe prit le chemin de la ville.

— J'ai besoin de votre aide, souffla Joe à Chris, pendant qu'on installait Lally dans sa chambre et qu'Hugo partait à la recherche d'une distributrice de café. Et vous êtes le seul à qui je peux m'adresser ; mes collègues ne doivent surtout pas être mis au courant de ce que je m'apprête à faire.

— Tout ce que vous voudrez, répondit spontanément Webber.

— Je vous préviens : il s'agit d'une démarche tout à fait illégale.

À part son instinct, Joe ignorait ce qui le poussait à faire confiance à cet homme. Mais il était malgré tout résolu à mener son projet jusqu'au bout.

— Cela concerne-t-il Lally ?

— Je le crois.

— Alors, c'est d'accord.

— Je voudrais que vous annonciez à Hugo que vous êtes épuisé, et que je vous conduis chez moi pour que vous y preniez un peu de repos, commença Joe à voix basse. Morrissey a l'intention de procéder à un examen radiologique approfondi avant de décider quoi que ce soit. Ne vous inquiétez pas, continua le policier en voyant une moue réticente se dessiner sur le visage du peintre, j'ai insisté pour qu'un artificier de l'escouade des explosifs soit présent.

— Où allons-nous ? demanda Chris, visiblement soulagé.

— Je vous le dirai en chemin.

Le concierge de l'immeuble où vivait Fred Schwartz exhalait des relents de bière et affichait en permanence un sourire affecté.

C'était un homme corpulent, dans la cinquantaine, et qui ne cacha pas son mépris au moment où Joe exhiba son insigne.

— Je ne peux pas vous laisser entrer dans l'appartement sans la permission de M. Schwartz.

— M. Schwartz est à l'hôpital. Nous sommes venus chercher des effets qui lui sont nécessaires.

L'homme scruta le policier d'un regard soupçonneux.

— Je dois d'abord lui téléphoner.

— Il est très souffrant, je doute qu'on vous permette de lui parler.

Le concierge balaya l'air de la main comme pour chasser une mouche.

— De toute façon, je n'ai pas de passe-partout.

— Aucune importance, M. Schwartz nous a prêté sa clé.

— Et celui-là, qui c'est ? fit encore le concierge en toisant Chris de la tête aux pieds.

— Un ami de M. Schwartz. Il est ici à sa demande.

— C'est la première fois que je le vois.

— M. Schwartz reçoit rarement ses amis chez lui, hasarda Chris. Vous devriez le savoir.

Le concierge hésita encore quelques instants, assez pour faire comprendre à Joe qu'un encouragement pécuniaire ne serait pas malvenu. Deux billets de vingt dollars changèrent prestement de main.

— Attention, hein ! On laisse tout comme on l'a trouvé.

— Pas de problème, le rassura Joe.

— Et je veux une liste signée de tout ce vous allez emporter.

— Tout ce que vous voudrez.

— Je devrais vous accompagner, mais je ne peux pas abandonner mon poste.

— On s'en doutait, ricana Chris. On voit tout de suite que vous êtes un employé consciencieux.

C'était leur jour de chance : le couloir du vingt-deuxième étage était désert. Aussi discret qu'efficace, Joe vint à bout de la serrure en moins d'une minute.

— On apprend à hurler avec les loups, fit calmement le policier.

— Si je ne craignais pas autant pour la vie de Lally, je trouverais ça drôle, murmura Chris pour cacher sa nervosité.

— Ne vous emballez pas, mon vieux, je ne tiens pas à ce que ma sœur fraie avec des criminels, le dauba Joe.

— Dans ce cas, il ne nous reste plus qu'à espérer que les voisins n'appelleront pas la police.

— Espérons...

Le vestibule était plongé dans la pénombre. Joe s'immobilisa quelques instants, afin de s'assurer qu'ils étaient bien seuls, puis fit de la lumière. Tout semblait dans le même état que lors de sa précédente visite, une semaine plus tôt.

— Vous sentez ? chuchota Chris en plissant le nez.

— Cela ressemble à une pommade mentholée. J'ai senti la même odeur la dernière fois que je suis venu ici.

— Et maintenant, que fait-on ?

— On cherche, répliqua Joe, en tirant de sa poche deux paires de gants de chirurgien. Si vous voulez être efficace, mesurez chacun de vos gestes. N'oubliez pas que nous sommes entrés par effraction, et que votre présence fait de vous mon complice. Plus nous nous montrerons prudents, plus nous aurons de chances de nous en tirer sans dommage.

— Mais si tant est que nous trouvions des preuves, elles ne seront pas recevables devant un tribunal, n'est-ce pas ?

— En effet, fit Joe en entrant à pas de loup dans le salon.

Les rideaux étaient tirés, probablement depuis la nuit précédente, au moment où Schwartz avait été hospitalisé.

— Mais alors à quoi bon ? insista Chris.

— Grâce à ces preuves, Lally pourrait être rapidement tirée d'affaire, à condition, bien sûr, d'en faire usage avec beaucoup de prudence.

Tout cela était énoncé avec le plus grand calme, comme s'il s'agissait d'un exercice de routine. D'ailleurs, Joe était toujours très calme dans ces moments-là. C'est lorsque le commandant Jackson le contraignait à l'inaction que rien n'allait plus.

— De quelle manière ?

— Peu importe la manière ; commencez à inspecter les lieux.

— Et que cherchons-nous ?

— Vous en savez autant que moi. Assurez-vous simplement de tout remettre en place. Si vous devez déplacer un vêtement ou un coussin, observez auparavant sa position et replacez-le exactement comme vous l'avez trouvé.

— Cet appartement est remarquablement bien aménagé.

— En effet.

Parcourant les lieux du regard, le policier contempla les lourdes tentures, le mobilier de bois sombre et le grand tapis persan qui se découpait sur le parquet verni. Il revit le portrait de femme accroché au-dessus du sofa, celui-là même que Schwartz soutenait avoir été peint par son père, un père qu'il n'avait, en fait, jamais connu. En y regardant de plus près, la femme n'avait rien d'une brave ménagère, et Joe s'admonesta pour ne l'avoir pas remarqué plus tôt. Il se demandait combien d'objets de la sorte Frederick Schwartz avait récupérés dans la maison close de sa défunte mère.

— Et si je commençais par inspecter les étagères de livres ? proposa Chris.

— D'accord. Assurez-vous bien qu'ils ne contiennent pas de documents, comme des notes ou des croquis. Vérifiez s'ils ne dissimulent pas un coffre-fort ou une quelconque cachette.

— Et s'il y a un coffre ?

— Nous aviserons.

Mais ils ne découvrirent aucun coffre. La fouille de la cuisine se révéla aussi peu fructueuse que celle de la salle de bains, des placards et de la chambre, dont le lit défait témoignait du départ précipité de Schwartz. Joe sentit la colère monter en lui. En plus d'être inutile, cette initiative risquait de lui coûter son poste. Pis encore, pour peu que Schwartz entreprît des poursuites, il deviendrait inattaquable, même si quatre personnes avaient déjà perdu la vie, sans parler de tous les autres, incluant Lally, qui risquaient de connaître le même sort.

— Êtes-vous toujours convaincu que c'est lui ?

— Oui, fit Joe, les mâchoires serrées.

— Poursuivons-nous la fouille ?

— Je crois que nous avons tout passé au peigne fin, dans cet appartement du moins.

— Peut-être dispose-t-il d'un garage ou d'un réduit, quelque part, où il entrepose ses objets inutiles.

— Peut-être...

— Croyez-vous que le concierge nous le dirait ?

— Si on y met le prix...

Il en coûta cinquante dollars de plus à Joe pour se faire dire que, à part une place de stationnement au sous-sol, Schwartz ne disposait d'aucun réduit d'aucune sorte, et dut se fendre de vingt dollars de mieux pour connaître le numéro de son emplacement de voiture. Les deux hommes y découvrirent une ancienne Studebaker irréprochable de propreté.

— Je vais inspecter le coffre, déclara Joe.

— Et la serrure ? Allez-vous la forcer ?

— Inutile, fit le policier en exhibant un petit trousseau de clés.

Quelques instants plus tard, le coffre révélait son contenu : un pneu de rechange, une trousse à outils, un plaid soigneusement plié, un atlas routier trop grand pour être contenu dans une boîte à gants et une grosse lampe torche. Ce coffre n'offrait rien de révélateur, sauf que c'était celui d'une personne méthodique et organisée. Découragés, les deux hommes regagnèrent le hall de l'immeuble.

— Vous avez trouvé ce que vous cherchiez ? leur lança le concierge.

— Pas encore, répliqua vertement Joe. Mais dites-moi,

M. Schwartz ne posséderait-il pas un lieu fermé à l'extérieur de son appartement, comme une cave ou une soupente ?

— Peut-être... Je ne sais pas trop...

Les portes de verre s'ouvrirent, livrant le passage à deux jeunes hommes, également barbus et coiffés d'une toque en fourrure. Le concierge les salua avec obséquiosité, et attendit qu'ils eussent disparu dans l'ascenseur, pour se retourner vers Joe et Chris.

— Alors ?

— Vous parliez de l'existence d'une cave, fit Joe d'un ton faussement badin.

— Qui ça, moi ?

— Tout à fait, renchérit Chris.

— Je dois perdre la tête, rétorqua l'homme sans se départir de son sourire.

Joe sortit derechef son portefeuille.

— La mémoire vous revient-elle ?

— Ça dépend, hésita l'homme en lorgnant le billet de cinquante dollars que tenait Joe. Je crois que j'y vois plus clair, maintenant.

— C'est ça...

La lueur de désespoir qui se lisait dans le regard du policier n'échappa pas au concierge qui, en d'autres occasions, aurait empoché le billet sans demander son reste, trop heureux que ce début de journée se révélât si lucratif. Mais, désireux de tenter sa chance jusqu'au bout, il maugréa :

— C'est pas assez.

Chris fit mine de vouloir se jeter sur lui, mais Joe le retint d'un geste, et, un bref instant, malgré le voile de colère qui lui brouillait la vue, le peintre se demanda quelle mouche le piquait. Lui qui d'ordinaire était si calme, voilà que depuis quelques jours il se montrait agressif, querelleur. Lui, l'artiste, le père aimant, se rendait compte que sa petite fille n'était plus au centre de ses préoccupations.

— Tout va bien, le rassura Joe. Il n'en aura pas d'autre et il

254

le sait très bien. Alors, où se trouve-t-elle ? poursuivit-il en s'adressant au concierge.

— Quoi ?

— Sa cave, sa soupente...

— Je n'ai jamais parlé de cave ou de soupente...

— Dites donc, espèce de salaud... gronda Chris.

— Du calme ! se ravisa le concierge, les deux mains levées, en signe de reddition, j'ai seulement dit qu'il n'avait pas de cave.

— De quoi s'agit-il, alors ? aboya Chris.

— D'un appartement.

— Où ? fit Joe.

— Ici même.

— Vous voulez dire que Schwartz possède deux appartements ? s'étonna le policier, incrédule.

— Oui.

— Pourquoi n'en avez-vous pas parlé plus tôt ?

— Parce que vous ne me l'avez pas demandé.

— Quel est le numéro de cet appartement ?

— Le 1510.

— Je suppose que vous n'avez pas de passe-partout pour celui-là non plus...

Le concierge secoua la tête.

— Mais je suis certain que vous trouverez la clé sur le trousseau que vous a remis M. Schwartz, ricana l'homme. Vous n'aurez qu'à vous en servir.

Déjà, Joe et Chris se précipitaient vers les ascenseurs.

— Hé ! Ho ! Et mes cinquante dollars ?

— Vous les aurez quand nous serons redescendus, lui lança Joe en appuyant sur le bouton du quinzième étage.

— Hé! protesta encore l'autre.

— Si vous n'êtes pas content, faites-moi un procès, lui rétorqua posément Joe.

Au 1510, Joe se trouva confronté à deux serrures beaucoup plus récentes et coriaces que la précédente. L'apparition de voisins le contraignit par deux fois à interrompre son travail.

— Nous sommes sur la bonne piste, n'est-ce pas, Joe ? demanda Chris avec une excitation croissante.

— Peut-être...

— N'en avez-vous pas l'impression ?

— Je ne me fie plus à mes impressions, répondit laconiquement Joe, au moment où la seconde serrure cédait enfin.

Ce qui les frappa le plus en entrant dans l'appartement 1510, ce fut la chaleur oppressante qu'il y régnait. Alors qu'ils refermaient précautionneusement la porte derrière eux, leur regard fut attiré par les nombreux dessins, peintures et gravures qui couvraient les murs du vestibule, et qui avaient tous pour thème les dragons. Instantanément, sans même s'en rendre compte, les deux hommes furent sur le qui-vive.

— Bizarre, ne trouvez-vous pas ? murmura Chris.

— Restez derrière moi, ordonna Joe en dégainant son arme.

Ce disant, il poussa une porte et entra furtivement dans la pièce. Personne. Il rangea son revolver dans son baudrier.

— Merde, gronda-t-il entre ses dents.

— Que se passe-t-il ?

Hésitant, Chris entra à son tour. Les rideaux étaient tirés, mais la pièce était nimbée d'une sorte de clair-obscur.

— Regardez un peu ça, fit Joe.

Chris contempla les grandes parois de verre.

— Des lézards ? fit-il avec un frisson.

— En effet.

Dans le vivarium du centre, le plus grand, les deux iguanes se tenaient parfaitement immobiles, comme statufiés, sur un amoncellement d'écorces. À gauche, sur une branche, quatre geckos, avec leur peau tachetée comme celle d'un léopard, semblaient se blottir les uns contre les autres, attentifs et craintifs à la fois. À part quelques rochers épars sur le sol sablonneux, le vivarium de droite semblait vide.

— Les plus grands font penser à des dinosaures, observa Chris, apparemment fasciné par les créatures.

— Ils préfigurent des dragons, lâcha Joe. Notre homme est obsédé par les dragons.

— Cela constitue-t-il un indice ? demanda Chris.

— Pas que je sache.

— Bizarre... répéta le peintre.

— Allons-y.

Chacun enfila de nouveau ses gants. Hormis la grande pièce, l'appartement ne comportait qu'une cuisine, une salle de bains et un grand placard. Joe fouilla la cuisine, pendant que Chris s'occupait de la salle de bains.

Quelques instants plus tard, les deux hommes se retrouvaient, bredouilles. Ne restait que la grande pièce qui, sans les trois grands vivariums, aurait constitué un salon ordinaire : un ensemble fauteuil-pouf-canapé de cuir noir, une table basse en verre, le tout complété de deux chaises à dossier droit.

— C'est plus que spartiate, observa Chris.

Mais Joe venait de comprendre : quand tout cela ne semblait que très banal, chaque fibre de son corps lui disait que c'était là, dans cette pièce, que Schwartz avait aménagé sa cachette.

— Venez, décida-t-il, vous allez fouiller le meuble qui contient la chaîne haute-fidélité, pendant que j'examinerai les haut-parleurs.

Ils travaillèrent en silence. Joe attentif, Chris éminemment conscient des regards reptiliens qui pesaient sur lui.

— J'ai l'impression qu'ils ont faim, fit-il en essayant de ne pas les regarder.

— Concentrez-vous sur ce que vous faites, le sermonna Joe.

— Tiens, du Wagner, observa Chris, tous ces disques sont des opéras de Wagner.

Le policier scruta les étagères, faites du même bois teinté noir mat que le reste du mobilier. Les livres traitaient tous de mythologie ou d'opéras allemands, de lézards et de dragons. Certains étaient même reliés de cuir et dorés sur tranche ; mais les deux hommes ne trouvèrent rien, pas la plus petite amorce d'indice, ni derrière les étagères ni après avoir passé au crible l'ensemble des ouvrages.

Ils achevèrent leur fouille en même temps. Chris ne doutait pas que le policier orienterait ses recherches vers les vivariums. Mais si grand que fût son amour pour Lally, l'idée de devoir pénétrer dans ces cages de verre et de s'approcher de ces affreuses créatures lui répugnait.

— Je m'occupe des iguanes, décida Joe.

Le vivarium central était assez grand pour que Joe y entrât entièrement. Retirant sa veste, il s'empara d'une chaise et entra dans la cage en la brandissant devant lui, comme un dompteur de cirque. Une odeur nauséabonde frappa instantanément ses narines. Dans un coin gisait une gamelle qui semblait contenir des reliefs de nourriture pour chien. Retenant sa respiration, Joe s'avança, faisant craquer des morceaux d'écorce sous ses pas. Les grands reptiles hésitèrent puis battirent prudemment en retraite, pendant que, tombant à genoux, Joe entreprenait d'explorer le sol.

Chris l'observa un instant puis, rassemblant son courage, ouvrit la porte des geckos en remerciant le ciel que sa taille lui en interdît l'accès. Voir les petites créatures détaler à toute vitesse au fond de leur cage rassura quelque peu le peintre qui, à genoux sur le parquet, plongea ses mains dans le sable humide et odorant, en le faisant glisser entre ses doigts.

— À part des excréments de lézards, il n'y a rien, annonça-t-il quelques instants plus tard.

— Ici non plus, répondit Joe.

Furieux, ce dernier piaffait d'impatience, cherchant des yeux un coin qu'il n'aurait pas exploré, refusant d'autant plus de se rendre à l'évidence qu'il était certain de toucher au but. Schwartz était son homme, cela ne faisait pas l'ombre d'un doute, même s'il ne possédait pas encore l'ombre d'une preuve qui permît de l'accuser.

Extirpant la tête et les bras du vivarium, Chris se redressa.

— Je vais jeter un coup d'œil dans l'autre cage, annonça-t-il, persuadé qu'elle était vide.

Pour explorer le vivarium en profondeur, Chris devait cette fois y entrer entièrement. Cela le rebutait d'autant moins que l'odeur en était très supportable et qu'il ne recelait aucune de ces hideuses créatures. À genoux dans le sable, il se mit à le remuer à grandes brassées. À sa droite se dressait un rocher, il décida d'en faire le tour.

— Je sens quelque chose, annonça-t-il soudain.

Joe sursauta, heurtant la cloison de verre de son épaule.

— Qu'est-ce que c'est ?

— Je ne sais pas... Chris se mit à fouiller le sable avec des gestes précipités. Surexcité, il plongeait les mains jusqu'au poignet dans le sable humide. On dirait une liasse de documents... difficile à dire avec ces gants.

Joe était déjà près de la porte.

— Allez-y doucement, fit-il, inutile de vous énerver.

— Je crois que je les ai...

Du coin de l'œil, Joe perçut un mouvement furtif dans le sable non loin de la main de Chris.

— Attention ! cria le policier une seconde trop tard.

— Nom de Dieu ! hurla Chris.

— Que se passe-t-il ?

— Ma main !

Il aurait bien voulu ne pas crier, mais quelque chose dans le sable, avec des dents aussi acérées que des poignards, s'accrochait à sa main et ne semblait pas vouloir lâcher prise.

— Bon Dieu, Duval, ma main ! Aidez-moi, pour l'amour du ciel ! Aidez-moi !

Joe passa la tête et le haut du corps dans l'ouverture, mais la cage n'était pas assez grande pour deux.

— Je ne peux pas entrer, Webber, il faut que vous sortiez de là !

— C'est impossible ! Je n'y arrive pas !

259

Saisissant son poignet droit de sa main libre, Chris tira. Le poids du sable humide ne lui facilitait pas la tâche, mais après un dernier effort la chose apparut brusquement au grand jour. Elle était là, pas plus grosse qu'un rat adulte, son corps recouvert d'écailles tachetées de rose et de noir. En la voyant accrochée à sa main, Chris crut qu'il allait s'évanouir. Mais la douleur tournait au supplice, il ne put retenir un long hurlement.

— Débarrassez-vous-en ! lui cria Joe. Sortez de là que je puisse vous aider !

— Je ne peux pas ! Je n'y arrive pas !

Tendant les bras aussi loin qu'il le pouvait, Joe saisit l'homme par la taille et le tira vers lui. Avec des râles de douleur, Chris tomba lourdement sur le sol. Après avoir enfilé ses gants de cuir, Joe saisit l'héloderme à deux mains, et tira de toutes ses forces. Mais les mâchoires de l'animal semblaient irrémédiablement scellées. Lui faire lâcher prise serait revenu à sacrifier la main.

— Pour l'amour du ciel, Duval, faites quelque chose ! Débarrassez-moi de cette saleté ! se lamentait Chris.

Joe tira son arme.

— Attention, ne bougez pas !

— Peu importe que vous me touchiez, mais faites lâcher cette bestiole !

— Je n'ai pas l'intention de tirer.

Saisissant son arme par le canon, Joe assena un violent coup sur la tête de l'animal qui relâcha instantanément sa prise. Mais les dents étaient toujours plantées dans les chairs et Joe dut s'y prendre à deux mains pour écarter les mâchoires de l'animal.

— Ça y est !

D'un geste il lança contre les rayonnages la bête qui retomba sur le sol avec un bruit mou. Chris gisait immobile, la main ensanglantée, l'œil vitreux, le visage exsangue.

— Webber, ça va ? s'inquiéta Joe en lui prenant le pouls.

— Non, marmonna le blessé en ouvrant les yeux, ça ne va pas du tout.

— Je vais vous emmener à l'hôpital.

— Je crois que la morsure était empoisonnée, murmura-t-il entre ses dents.

— Je ne crois pas que les morsures de lézards soient venimeuses, voulut le rassurer Joe.

— Celle-ci l'était, croyez-moi...

Joe alla dans la salle de bains chercher une serviette dont il entoura la main blessée, mais en quelques secondes le tissu fut imprégné de sang.

— Venez, dit-il en aidant Chris à se lever.

— Les papiers... murmura Chris.

— Je dois d'abord m'occuper de vous.

— Non, prenez les papiers, insista Chris en grelottant, le visage ruisselant de sueur.

Lally était encore en danger, songeait-il à travers un brouillard, et du diable si ses efforts allaient rester vains. Joe s'exécuta, fouillant le sable prudemment au cas où s'y cacherait un second animal. Webber avait raison : près du rocher était cachée une liasse de documents retenus par un élastique. Mais tout souillés d'humidité et d'excréments qu'ils fussent, Joe savait qu'il possédait les preuves qu'il avait tant cherchées. N'eût été l'état de Webber, il n'aurait pas résisté à l'envie d'y jeter un coup d'œil sur-le-champ. Mais l'état du blessé s'aggravait à chaque instant, sa respiration devenait de plus en plus haletante. Si Joe ne s'en occupait pas immédiatement cette aventure allait peut-être lui coûter la vie.

— Les avez-vous ? geignit Chris.

— Oui, tous. Mais nous devons emporter cet animal avec nous ; cela permettra peut-être aux médecins de vous donner les soins appropriés.

— Tuez-le d'abord, demanda Chris.

— C'est déjà fait.

Dans la cuisine Joe récupéra quelques torchons dont il en enveloppa le lézard, en prenant soin de bien tenir ses mains gantées loin des redoutables mâchoires.

— J'ai vu des sachets de plastic dans le placard, murmura le blessé, le corps agité de violents frissons. Êtes-vous certain qu'il est mort ?

— Tout à fait. Allons, partons d'ici, fit le policier en aidant Chris à se relever.

— Est-ce que ces documents seront utiles ? voulut encore savoir ce dernier, sur le point de perdre connaissance.

— Je ne sais pas. Mais ne vous inquiétez pas, le rassura le policier.

En fait, vu la manière peu orthodoxe dont il s'était procuré ces documents, Joe savait que, même s'ils contenaient des preuves, elles seraient irrecevables devant un tribunal. Mais cette idée lui semblait trop insupportable pour seulement l'envisager. Tant bien que mal, les deux hommes atteignirent les ascenseurs.

— On ne va quand même pas vous empêcher de porter secours à Lally, n'est-ce pas, Duval ?

— Dites, Webber, vous n'allez pas vous évanouir, au moins ?

— Je m'y efforce.

— Bien... Non, Webber, personne ne m'empêchera de porter secours à ma sœur.

— Duval ?

— Oui ?

Tandis que l'ascenseur les ramenait au rez-de-chaussée, Joe se demandait quel accueil leur réserverait cette fois le concierge.

— Risquez-vous d'être destitué ?

— Cela se peut, en effet...

— J'espère que ça n'arrivera pas ; vous êtes un bon policier.

Les portes de l'ascenseur s'ouvrirent.

— Eh bien, je compte sur vous pour me faire une lettre de recommandation, à moins que vous ne vous retrouviez en prison avec moi...

Alors qu'on prodiguait les premiers soins à Webber, Joe téléphona à la clinique Howe pour avoir des nouvelles de Lally.

— Elle est en radiologie, lui apprit Morrissey. Un de vos

hommes, Valdez, je crois, l'accompagne. Le détective Cohen nous a contactés pour nous annoncer l'arrivée du Dr Ash, dans la matinée. Il est en route avec son équipe. S'il avait su que Lally était ici, il serait parmi nous, à présent. Il semblerait que son vol ait fait escale à Chicago.

Joe retint un juron.

— Dans combien de temps arrivera-t-il ?

— Son vol est attendu à dix-huit heures quinze.

Joe jeta un coup d'œil à sa montre : presque trois heures à attendre.

— Croyez-vous pouvoir attendre jusque là ?

— Tout dépend de ce que révéleront les radiographies. D'une part, je suis très enclin à procéder immédiatement ; de l'autre, comme le faisait observer le Dr Ash, retirer l'appareil maintenant pourrait s'avérer difficile, compte tenu de l'état d'anxiété.

Joe se rapprocha du combiné pour annoncer à voix basse :

— Voudriez-vous dire à Valdez que je tiens une piste qui pourrait se révéler décisive pour la personne qui retirera l'appareil ?

— Quand pourrez-vous nous éclairer davantage ?

— Impossible à dire. Et vous, quand aurez-vous les résultats des radiographies ?

— Aux dernières nouvelles, Valdez voulait que nous augmentions le voltage afin d'avoir une meilleure pénétration des rayons.

— N'est-ce pas dangereux ?

— Pas le moins du monde, bien au contraire, plus la pénétration est grande, moins le corps absorbe les rayons X.

— Et comment va Lally ?

— Apparemment bien. C'est une personne très courageuse.

— Je sais, je sais...

Une fois Webber hors de danger, le médecin de garde rejoignit Joe dans la salle d'attente pour lui apprendre que son ami avait été mordu par un *heloderma suspectum*, mieux connu sous le nom d'héloderme de l'Arizona.

— Lui et son cousin mexicain, ajouta le praticien, sont les deux seules espèces dont la morsure est venimeuse.

— À quel genre de traitement est soumis M. Webber ?

— Il n'existe malheureusement aucun antidote contre ce genre de morsure.

— Mais il va quand même s'en tirer, n'est-ce pas ?

— Il est rare qu'une morsure d'héloderme soit fatale, lieutenant, mais les statistiques sont très imprécises à ce sujet. Pour ma part, je n'ai jamais vu quelqu'un succomber à la suite d'une telle morsure ; néanmoins, soyez assuré que nous surveillons M. Webber de très près.

— Il m'a paru en piètre état.

Joe était terriblement inquiet au sujet de Chris. La dernière fois qu'il l'avait vu, il était à demi inconscient ; grelottant de fièvre, il vomissait en hoquetant douloureusement.

— La douleur est insoutenable, expliqua le médecin. M. Webber est actuellement en état de choc. Mais du côté de son pouls, nous constatons déjà une amélioration notable. Nous lui avons injecté une dose de cortisone ainsi qu'une antitoxine contre le tétanos.

— Puis-je le voir ?

— Il vaudrait mieux attendre un peu. Pour le moment, on lui fait subir une batterie de tests. Après cela, il aura besoin de beaucoup de repos.

— À quel point sa main est-elle endommagée ? C'est un artiste.

— Il est trop tôt pour le dire...

Déjà, le médecin s'éloignait. Il était navré, mais d'autres patients l'attendaient. « Tu peux être fier de toi, s'admonesta intérieurement Joe. Tu peux être *vraiment* fier de toi. »

L'horloge accrochée au mur indiquait quinze heures quarante-cinq. Lally était arrivée à la clinique Howe depuis presque trois heures, alors que dans ce même hôpital, neuf étages plus haut, Jess s'évertuait à garder l'enfant qu'elle portait.

À moins de cinq kilomètres de là, au Memorial Hospital,

Frederick Schwartz, tueur en série, était l'objet de toutes les attentions. Ce bon vieux Fred n'était-il pas, comme le proclamaient unanimement Cohen, Lipman et Valdez, le plus crédible, le plus digne de confiance, le plus sympathique des cadres de Hagen Pacing ?

Cette pensée bouleversait Joe jusqu'au fond de son âme. Les preuves qu'il avait tant cherchées, pour lesquelles il s'était tant débattu étaient là, dans la poche de son manteau. Elles étaient assez tangibles pour faire condamner l'homme sans appel, n'eût été le fait qu'en enfreignant la loi, lui, le lieutenant Joseph Duval, avait rendu son arrestation impossible. Cette loi inepte, à laquelle il ne pouvait contrevenir, lui interdisait de garder ces documents par-devers lui ne serait-ce que quelques heures, quand bien même les croquis et les notes, dont il avait eu un bref aperçu dans l'appartement, auraient été vitaux pour Lally. Mais tout cela n'était que théorie ; aux yeux de Joe, seules importaient la vie de sa sœur et celles des autres victimes possibles.

Quinze heures cinquante, et le temps n'en finissait pas de s'étirer...

Joe alla chercher un café. Au lieu de céder à la panique, il devait trouver un moyen d'agir. Agir... Étant donné les circonstances, il ne restait qu'une seule chose à faire. Jetant son gobelet dans la poubelle la plus proche, il prit le chemin du Memorial Hospital sous un ciel chargé de nuages annonciateurs de neige. Il n'y resta pas plus d'un quart d'heure, se gardant d'aller voir Schwartz, mais prenant de ses nouvelles auprès du personnel hospitalier.

Au moment où il regagna sa voiture, Joe savait, au-delà de tout doute raisonnable, que le virus de la grippe n'était pour rien dans l'état de santé de Schwartz. Les symptômes étaient plutôt dus à la morsure découverte sur son talon, dont le responsable était le même que celui qui avait presque déchiqueté la main de Webber.

Joe se dirigeait vers le centre-ville et un plan s'ébauchait déjà dans son esprit.

33

Le lundi 25 janvier

La journée semblait s'éterniser. Étendu sur son lit d'hôpital, brûlant de fièvre, Frederick Schwartz, s'abandonna une fois encore à ses souvenirs. Il aimait à s'y retrouver, même parmi les plus sombres heures de son passé, car, non seulement cela l'endurcissait-il, mais se rappeler la cruauté des dragons lui procurait des forces nouvelles.

La chapelle ardente... Ses chaussures noires bien astiquées, le cercueil, la longue éraflure sur le banc. Frederick n'avait que onze ans, mais savait exactement de quoi il retournait. Sa mère gisait dans un cercueil, froide, irréelle, ses cheveux blonds et bouclés encadrant son visage livide, poudré et maquillé comme de son vivant. Mère était morte. Il ne la reverrait jamais plus, jamais plus il ne la toucherait ni n'entendrait le son de sa voix. Quelques minutes encore, puis son corps et le cercueil qui le contenait auraient disparu, carbonisés.

Mère avait toujours tout prévu, y compris ses funérailles. Les médecins lui avaient assuré qu'elle vivrait très vieille, mais elle ne les avait jamais crus. Et elle avait eu raison ; les médecins étaient tous des menteurs, à telle enseigne que lui, Frederick, était aujourd'hui assis dans cette chapelle, au premier rang, près de la cousine Beatrice qui avait travaillé dans l'antre de Mère et partagé son goût pour la musique de Wagner. Bien qu'il fût au bord des larmes, ses yeux demeuraient secs, comme elle le lui avait recommandé.

« À moins d'être seuls, les héros ne pleurent pas », l'avait-elle chapitré.

La musique s'arrêta et la petite assemblée s'agenouilla pour prier. Lorsqu'il sentit une écharde de bois pénétrer dans son genou, Frederick ne réagit pas. Au contraire, il pesa de tout son poids sur le prie-Dieu, comme pour jouir pleinement de la douleur ; et lorsqu'il se releva, ses yeux étaient brillants, mais toujours secs. « Tu peux pleurer, tu sais, Freddy », lui souffla cousine Beatrice. Mais redressant fièrement le menton, il lui décocha un regard chargé de mépris.

« Les héros ne pleurent pas », répondit-il.

Le moment approchait. Bientôt, les portes du four crématoire s'ouvriraient et le cercueil glisserait lentement à l'intérieur. D'aussi loin qu'il se le rappelait, Mère avait toujours exprimé le désir d'être incinérée, comme Brünhild sur le bûcher funèbre de son mari dans *Le Crépuscule des dieux*.

La musique de Wagner s'éleva encore, grandiose, magnifique. Frederick regarda les portes coulisser lentement, conscient que Mère serait bientôt livrée aux flammes et que son âme monterait au Walhalla. Et subitement cette pensée le transporta de bonheur, parce qu'au lieu d'être mise en terre, Mère avait choisi ce sort, digne, héroïque, auréolé de mystère. Le jeune garçon se demanda si elle avait déjà retrouvé Père, ou si cela ne surviendrait qu'après la crémation.

Les portes se refermèrent. L'assemblée des fidèles s'était levée mais lui demeura assis jusqu'à ce que Beatrice lui adressât un signe. Alors il se leva à son tour et là seulement, l'assistance commença lentement à quitter la chapelle.

L'explosion fut énorme, assourdissante, jetant toute l'assemblée sur le sol. Frederick ne pouvait pas parler, à peine pouvait-il respirer. Mais il n'avait aucun mal puisque ses bras et ses jambes se mouvaient librement. Quelqu'un cria, des sanglots éclatèrent.

Il se releva lentement, douloureusement. Les portes du four

crématoire n'étaient plus là. À la place, il y avait un trou béant d'où s'échappaient des flammèches et de la fumée. Des cendres brûlantes virevoltaient dans l'air comme des lucioles.

Le cercueil avait disparu. Mère avait disparu.

Cette explosion, Frederick Schwartz l'avait perçue comme le crime ultime perpétré contre Mère, surtout après que le *Chicago Tribune* eut relaté l'accident : dans l'autobus qui l'emmenait à l'école, il avait vu deux femmes commenter la catastrophe, le journal ouvert devant elles, et s'était attendu à voir une expression d'horreur sur leur visage.

Mais au lieu de cela, elles avaient ri.

Elles avaient roulé de grands yeux et couvert leurs bouches de leurs mains en gloussant sottement. Devant tant de cruauté, il avait enfin compris à quel point Mère avait eu raison de le mettre en garde contre les dragons que l'on rencontre partout de par le monde.

« Ils peuvent emprunter toutes les formes possibles et imaginables », avait-elle dit.

Et comme elle avait raison...

34

Le lundi 25 janvier

Al Hagen affirma qu'il était suffisamment rétabli pour consulter les documents avec Joe et Howard Leary. Sa chambre, située huit étages au-dessus de celle de Schwartz, était brillamment éclairée. Fleurs et plantes y abondaient. Visiblement, le président de Hagen Pacing était en effet en bien meilleure condition que lorsque le policier lui avait rendu visite, une semaine plus tôt.

— Je quitte l'hôpital demain matin, annonça-t-il. D'ailleurs, je suis ici uniquement parce que j'ai perdu connaissance en pleine rue.

— Êtes-vous sûr de pouvoir vous concentrer ? demanda Joe en apportant une chaise près du lit.

— Des tas de gens, y compris votre sœur, ont besoin de notre aide, rétorqua Hagen, toujours conscient de ses responsabilités.

— J'apprécie votre effort, monsieur.

Leary prit place de l'autre côté du lit, le regard avide de curiosité.

— Qu'avez-vous à nous annoncer, lieutenant ?

Les documents se trouvaient dans la mallette que Joe avait déposée à ses pieds.

— Avant que vous preniez connaissance des documents que je vais vous montrer, annonça-t-il en guise de préambule, je dois vous avertir que cette démarche est purement officieuse, moyennant quoi vous avez le droit de refuser de m'entendre. En second lieu, je vous demande de ne me poser aucune question sur la provenance de ces documents ni sur la manière dont je les ai obtenus. Je n'ai même pas le droit de formuler une telle demande, et si vous m'interrogez à ce sujet, je ne répondrai pas. Je me limiterai simplement à vous dire que le moindre commentaire de ma part suffirait à compromettre toute l'affaire.

Hagen et Leary échangèrent des regards intrigués, puis ce dernier déclara :

— Je suis d'accord.

— Moi aussi, renchérit Hagen.

Ouvrant sa mallette, Joe en sortit les documents et les posa sur le lit, chaque feuillet ayant été séparé et glissé dans une chemise de plastique transparent.

— La première chose à faire, commença-t-il en tirant une feuille de papier de sa poche, c'est retrouver ce numéro de série parmi ceux mentionnés dans les documents. Il y en a beaucoup. J'aurais aimé mettre du personnel à votre disposition, mais les circonstances me l'interdisent.

— Est-ce le numéro du stimulateur cardiaque de votre sœur ? demanda Hagen.

— Oui, répondit Joe en le regardant droit dans les yeux. Mais si c'est trop vous demander je comprendrai.

— Tout ce que vous voudrez, le rassura Hagen.

Ils se mirent à l'ouvrage. Le numéro de série en question apparut dans deux des six documents.

— J'aurais préféré qu'il en soit autrement, fit Hagen, mais je crains qu'il n'y ait aucun doute là-dessus.

Joe eut l'impression que le monde basculait cul par-dessus tête.

— Nous nous chargeons du reste, fit Leary. Pourquoi n'iriez-vous pas vous reposer un peu, lieutenant ?

— Je sors quelques instants, déclara ce dernier en se levant. Il ne nous reste pas beaucoup de temps.

— Nous en sommes conscients, répondit Leary.

Le sourire réconfortant que lui adressait l'ingénieur ne fit qu'accroître le désespoir de Joe. À l'instar de ses collaborateurs, c'est sur Leary que s'étaient portés ses premiers soupçons. Quelle leçon d'humilité pour quelqu'un qui se targuait de se fier à son instinct... Au cours des années, il s'était souvent remis en question, doutant de lui-même et se jugeant avec une extrême sévérité ; mais c'était la première fois de sa vie qu'il se sentait aussi inefficace, aussi peu clairvoyant, aussi *impuissant*...

Vingt minutes plus tard, il revenait aux nouvelles.
— Alors ?
— Nous avons tout et rien, fit Hagen, sibyllin.
Joe attendait, la gorge douloureusement serrée.
— Expliquez-vous.
— C'est un travail remarquable, déclara Leary. Nous avons les minutes de toutes les étapes du processus, ainsi que les composants, la méthode, les résultats espérés...
— En quoi est-ce une mauvaise nouvelle ? demanda Joe.
— Ces documents ont été élaborés comme un jeu, reprit Hagen. L'homme, quelle que soit son identité...
— Nous connaissons tous son identité, l'interrompit Leary.
— Non, trancha Joe, nous ne la connaissons pas ; nous ne devons pas la connaître.
— Quel que soit cet homme, poursuivit Leary, il cherche à nous mystifier. Ces six documents sont en quelque sorte six variations sur le même thème. Nous savons par quel procédé il a pu transformer nos stimulateurs cardiaques en bombes à retardement, mais les éléments cruciaux : quantités, numéros de série, déclenchement des minuteries, sont si différents d'un document à l'autre qu'ils deviennent inutilisables.
— Ce n'est pas tout, renchérit Hagen. Le pire, c'est que ces documents nous livrent la composition de fausses piles en nous démontrant qu'elles sont rigoureusement identiques aux vraies. Chacune contient une pile de dimension réduite, un circuit électronique, et une minuterie conçue pour activer un détonateur, poursuivit Hagen en déglutissant péniblement. Quatre de ces

273

documents précisent que seulement *certaines* piles truquées contiennent quatorze grammes de plastic.

— Et les deux autres ?

— Si l'un de ces deux documents est vrai, nous sommes confrontés à deux types d'explosions : l'une déclenchée par un système de minuterie, l'autre de manière aléatoire, grâce à une colle conductrice d'électricité.

— En d'autres mots... l'interrompit Hagen, plus mal à l'aise que jamais.

— Ces stimulateurs peuvent exploser n'importe quand, continua Leary.

— Et en particulier pendant un retrait, compléta Joe.

— Corrigez-moi si je me trompe, souffla Hagen, mais je crois avoir lu quelque part que, tout comme le plastic, les colles conductrices sont indétectables aux rayons X. À moins de parvenir à établir quel est le vrai document, nous ne saurons jamais combien et quels stimulateurs cardiaques ont fait l'objet d'une manipulation.

— Ni même la méthode de mise à feu utilisée, ajouta Leary.

— Et comme le numéro de série du stimulateur cardiaque de votre sœur se retrouve à la fois dans un document où il est question de plastic et dans un autre où il est question de colle conductrice, nous sommes dans l'incapacité d'apprécier le danger qu'elle court.

— Si l'un de ces deux documents est authentique, cela ne présage rien de bon, précisa Leary, mais si c'est un des quatre autres, il est possible que votre sœur coure seulement le danger de porter un stimulateur doté d'une pile de très courte durée.

Joe se leva brusquement. Une personne seulement pouvait lui apprendre ce qu'il voulait savoir, et il était prêt à parier sa carrière qu'un esprit aussi diabolique ne lui livrerait jamais l'information, à moins d'y être expressément forcé.

Joe retrouva Valdez et Morrissey à la clinique Howe, en train d'examiner les radiographies de Lally. Une minuscule pile se trouvait effectivement à l'intérieur de la pile factice. Ils reconnurent aussi le circuit électronique, sans pour autant savoir si elle contenait ou non quatorze grammes de plastic. À cet instant, Joe eût aimé se précipiter au Memorial Hospital et étrangler Schwartz de ses mains ; mais réprimant ses instincts meurtriers, il préféra mettre Valdez et Morrissey dans la confidence, conscient toutefois que plus il y aurait de gens au courant de ses agissements illicites, plus sa carrière serait compromise. Mais passant outre ces considérations, il s'en ouvrit pleinement aux deux hommes, à la suite de quoi, Valdez confirma les dires de Hagen au sujet des colles conductrices.

— Les poseurs de bombes les préfèrent souvent aux fils traditionnels. Elles conduisent aussi bien l'électricité tout en étant indétectables.

— Et le balayage à résonance magnétique ? demanda Joe

— Vous voulez sans doute parler d'image, corrigea Morrissey. Malheureusement, ce procédé est inopérant sur des personnes porteuses de stimulateurs cardiaques.

Tous les regards convergèrent vers le négatoscope.

— Il se peut donc que nous ayons cette fameuse colle et cette charge de plastic sous les yeux sans que nous puissions la voir, observa Joe.

— C'est cela même, acquiesça Valdez.

— Et maintenant ? fit Morrissey.

— Il nous faut le bon document, déclara l'artificier.

Joe ne répondit rien, cherchant en lui-même le calme et l'énergie qui lui permettraient d'y voir clair.

— Que comptez-vous faire, lieutenant ? insista Morrissey.

— Obtenir ce qu'il nous manque, répondit simplement Joe.

La clinique Howe reflétait davantage le confort paisible et fastueux d'un hôtel particulier que la fébrilité d'un hôpital. Partout on y voyait des bouquets de fleurs élégamment agencés. Sur les murs, les tableaux consistaient surtout en de charmants paysages qu'entouraient les photographies des personnages célèbres qui avaient séjourné à la clinique.

Au moment où Joe alla voir sa sœur, cette dernière, à qui Morrissey avait prescrit du repos, avait trouvé un compromis en restant assise toute vêtue sur son lit. Écrasé de fatigue autant que d'inquiétude, Hugo s'était installé dans un fauteuil près de la fenêtre.

— Très joli ! lança Joe, d'un ton qu'il voulait enjoué, en embrassant sa sœur sur le front. Tu as l'air en pleine forme... quant à vous, mon pauvre Barzinsky, vous avez une mine complètement défaite.

— Merci quand même, répondit sarcastiquement Hugo.

— Je me sens bien, déclara Lally, même si j'ai parfois l'impression de devenir folle.

— Tu n'es ici que depuis quelques heures, lui fit remarquer Joe.

— Je préférerais être à Key West.

— Comme je te comprends...

— Dans combien de temps s'occupera-t-on de Lally ? s'enquit le jeune homme.

— Sous peu.

— Tu sais bien que nous attendons l'arrivée du Dr Ash, précisa Lally.

— Attendre ne sert à rien, déclara Hugo pour la centième fois.

— Quelques heures, c'est bien peu, observa la jeune femme.

À l'entendre, on aurait cru que Lally avait perdu le sens des réalités, comme si cette affaire ne la concernait en rien. Cela avait commencé après la séance de radiographie, et le tranquillisant que lui avait fait prendre le Dr Morrissey ne devait pas y être étranger.

— Ne pourriez-vous pas raisonner votre sœur ? plaida Hugo.

— Je suis de son avis, répliqua le policier. Il n'y a aucun danger imminent.

— Comment pouvez-vous l'affirmer ?

— C'est très simple, mentit Joe, au moment du décès, les personnes avaient été opérées depuis bien plus longtemps que Lally ; c'est pourquoi nous pouvons attendre quelques heures de plus.

— Pourquoi ne faites-vous pas confiance au Dr Morrissey ? insista Hugo.

— La confiance n'a rien à voir dans cette affaire, tenta d'expliquer Lally. Le Dr Ash, Joanna King et Bobby Goldstein sont en route, et comme ils sont directement concernés par mon opération, je trouve normal qu'ils interviennent les premiers. Pas toi, Hugo ?

— Je crois que oui, bredouilla Hugo en apercevant le signe d'acquiescement que lui adressait discrètement le policier.

— Où est Chris ? demanda Lally.

— Chez moi, il dort.

— Bien, approuva-t-elle, il doit être exténué.

— Nous le sommes tous, intervint Hugo, un peu vexé.

— Pourquoi ne vas-tu pas te reposer, toi aussi ? proposa Lally, je te tiendrai au courant.

— Je ne te quitte pas.

— Mais je me sens très bien...

Joe s'avisa qu'il était temps pour lui de se retirer.

— Il faut que je parte, sœurette. As-tu besoin de quelque chose ?

Lally secoua la tête.

— Rien, merci. Cet endroit est vraiment charmant, ne trouves-tu pas ? Pas la moindre odeur de médicaments, pas le moindre bruit, on ne se croirait vraiment pas dans une clinique. Quand personne ne parle, on n'entend pas le moindre bruit.

— C'est une excellente clinique, en effet.

Joe ne jugea pas utile de préciser que sa chambre était silencieuse parce que les patients des chambres voisines avaient été installés dans une autre aile par mesure de sécurité. Les allégations de Morrissey concernant le peu de risques encourus par les personnes à proximité d'une victime potentielle étaient, jusqu'à preuve du contraire, véridiques. Mais comme l'avait observé Valdez, une personne aimant manipuler des explosifs est soit folle à lier, soit complètement stupide. Partant, une bombe élaborée par un amateur peut avoir des réactions imprévisibles. Si Joe priait le ciel que le stimulateur de Lally ne contînt aucun explosif, dans le cas contraire, il ne pouvait avoir de certitude sur les dégâts qu'il pourrait occasionner.

— Comment va Jess ? s'enquit Lally.

— Très bien. Elle ne souffre plus et pourra sans doute quitter l'hôpital dès demain.

— C'est merveilleux ! s'exclama-t-elle en serrant la main de son frère. Tu peux partir tranquille, Joe, je me sens très bien, je t'assure.

— Je le sais. Tu suivras bien les recommandations des médecins, n'est-ce pas ?

— Promis, juré. Viendras-tu me voir avant l'opération ?

— Tu peux y compter.

Joe se força à quitter la chambre d'un pas tranquille. Mais une fois la porte refermée, il se mit à courir à toutes jambes. À cet instant, il était dix-sept heures quarante.

Le commandant Jackson dînait en ville. Assis derrière son bureau dans un smoking de chez un bon faiseur, il ne cachait pas son exaspération.

— J'espère que vous avez des bonnes raisons de venir me voir, Duval. Mme Jackson m'attend, sans parler des quatre-vingt-dix-huit autres personnes impatientes d'entendre mon discours.

— Je ne crois pas qu'elles soient très bonnes, monsieur, répliqua Joe. En fait, j'aimerais que cette conversation reste officieuse au moins pour les prochaines vingt-quatre heures.

— Qu'avez-vous encore fait, Duval ? soupira le commandant, à moins que je ne doive deviner... Ne me dites surtout pas que vous êtes entré par effraction dans l'appartement de Schwartz.

— Je le crains, monsieur.

Jackson se leva. Contournant son bureau, il alla s'assurer que sa porte était bien fermée.

— Vous feriez mieux de vous asseoir, commanda-t-il à Joe.

Les deux hommes se regardèrent un instant en chiens de faïence, puis le commandant proposa :

— Du café ?

— Non, merci, monsieur.

— Dans ce cas, racontez-moi votre histoire.

— Cette conversation restera-t-elle officieuse, monsieur ?

— Peut-être...

— J'ai besoin de le savoir, commandant.

— Vous n'avez besoin de rien savoir du tout, Duval. Vous allez simplement me déballer le triste récit de vos méfaits et lorsque ce sera fait, vous n'aurez plus qu'à vous taire.

Joe obtempéra.

— C'est tout ?

— C'est tout, commandant.

— Ainsi donc, pour nous résumer, non content d'avoir enfreint mes ordres, vous avez effectué illégalement non pas une, mais deux perquisitions. Vous êtes entrés par effraction dans deux appartements, vous avez soudoyé un concierge et compromis un innocent qui, pour couronner le tout, a dû être hospitalisé.

Le commandant marqua une pause, durant laquelle Joe jugea préférable de ne pas répondre.

— Et vous avez le culot de me demander de garder ces informations sous le manteau, et de vous accorder vingt-quatre heures de sursis, alors que je devrais vous retirer cette affaire séance tenante.

Une fois encore, Joe se tint coi.

— Pensez-vous que j'en ai le droit, lieutenant ?

— Oui, monsieur.

— Exposez-moi donc les raisons pour lesquelles je devrais vous accorder ce délai, je suis curieux de les entendre.

— Parce qu'il me permettrait de régler définitivement cette affaire, commandant.

— Vous voulez sans doute dire que cela vous permettrait peut-être de sauver votre sœur...

— Cela, et confondre Schwartz, répliqua Joe d'un ton résolu.

— En vous servant de preuves irrecevables, lâcha le commandant avec une moue dégoûtée en désignant les documents empilés sur son bureau.

— Et en tirant parti de son état actuel.

— Ne m'en dites pas plus, lieutenant, tonna Jackson en foudroyant son subalterne du regard. Donnez-moi une bonne raison pour que je ne vous signifie pas votre suspension, et que je ne confie pas cette affaire à une personne respectueuse des lois, ce que vous n'êtes pas.

— ...et qui aurait les mains liées.

— Les vôtres sont tout aussi liées, lieutenant.

— Seulement dans les limites de cette enquête, commandant.

L'officier se leva et alla se planter devant la photographie où on le voyait aux côtés du père de Marie Ferguson. Durant un long moment, il parut plongé dans un profond dilemme. Puis il se retourna vers Joe.

— Et le reste de votre plan ? Est-il légal, au moins ?

— Tout à fait.

— Respecte-t-il les règles de déontologie policière ?

Joe n'hésita qu'un bref instant :

— À mon avis, oui.

— À votre avis... reprit Jackson, sarcastique.

— Oui, monsieur.

— Ce plan compromet-il un membre de notre service ?

— Non, monsieur, excepté les gens de la brigade des explosifs, déjà en alerte dans la clinique où ma sœur attend d'être opérée.

— Quelqu'un connaît-il la provenance de ces documents ?

— Non, monsieur. Je pense que Hagen et Leary ont une bonne idée de l'identité de notre homme, mais ils ont accepté de ne poser aucune question.

— Croyez-vous très honnêtement qu'en vous laissant pour-

suivre cette enquête, cela permettrait de sauver des vies hu-
maines, hormis celle de votre sœur ?

— Dans cette affaire, ma sœur fait figure de cobaye, commandant. Si son stimulateur cardiaque recèle une charge de plastic, nous pourrons prêter assistance à tous les hôpitaux du pays.

— Et vous pensez pouvoir obtenir un mandat d'arrêt contre
Schwartz ?

— Je le crois.

Jackson réfléchit encore quelques secondes.

— Je vous donne jusqu'à huit heures demain matin.

C'était plus que Joe n'en espérait.

— Merci, commandant.

— Vous devrez vous débrouiller tout seul. Je ne permettrai
à aucun inspecteur de vous assister dans vos démarches, ni
Lipman ni même Cohen.

— Je comprends...

— Passé ce délai, vous risquez la suspension.

— Oui, monsieur.

— Je veux votre parole, Duval.

— Vous l'avez, commandant.

— Advenant le cas où au cours des... disons quatorze prochaines heures, vous vous aviseriez d'avoir commis un impair et
que ça tourne mal, je veux que vous m'en rendiez compte sur-
le-champ, à défaut de quoi, je refuserai d'écouter vos explications. Tout ce que j'attends de vous, Duval, c'est un résultat.

— Oui, commandant.

— Vous vous rendez compte que d'ores et déjà, vous risquez
la destitution...

— Oui.

— Ce qui serait un véritable gâchis.

— Merci, commandant.

— Ne me remerciez pas, et tenez-vous-le pour dit : je suis
plus furieux contre vous que je ne l'ai été contre n'importe lequel
de vos collègues de toute ma carrière.

— Je comprends, monsieur, fit Joe en se levant. Puis-je disposer ?

— Vous pouvez... Allez, je prierai pour votre sœur.

— Merci, monsieur.

Sans un mot, les deux hommes se dirigèrent vers la porte.

— En ce qui me concerne, Duval, je ne vous ai pas vu.

— Non, monsieur.

— Pour mon bien et pour la bonne marche de cette affaire. Je ne suis pas encore prêt à prendre votre défense.

— Je ne m'attends pas à ce que vous le fassiez, monsieur.

Jackson avait la main sur la poignée de porte.

— Si vous plongez, vous le ferez tout seul.

En quittant le poste de police, Joe remarqua à peine qu'il neigeait. L'horloge du tableau de bord indiquait dix-huit heures vingt-cinq. Si les vols n'accusaient aucun retard, Lucas Ash et son équipe seraient bientôt en route pour la clinique et, avec un peu de chance, le cauchemar de Lally toucherait à son terme. Quant au reste, l'élément manquant, il lui appartenait de l'extirper du cerveau de Schwartz.

Le commandant avait raison : jamais il n'avait été aussi seul.

35

Le lundi 25 janvier

Si Sean Ferguson ne s'était trouvé dans le salon privé de Morrissey en train de siroter un whisky, Joe n'aurait probablement pas songé à le mettre à contribution, surtout qu'il lui était déjà largement redevable. Sans la perspicacité du journaliste, Dieu sait dans quel bourbier il pataugerait en ce moment. C'est pourquoi, oubliant ses réticences, il décida, une fois encore, de mettre le malheureux veuf à contribution.

— J'ai un plan, annonça-t-il, mais j'ai besoin de votre aide.

— Elle vous est acquise, répondit spontanément Ferguson.

— Ne soyez pas si impulsif, Sean, temporisa Morrissey.

— Tout ce que vous voudrez, lieutenant, réitéra le journaliste sans tenir compte des paroles du médecin.

Joe leur apprit donc ce qu'il attendait d'eux.

— Je sais que Schwartz doit bientôt quitter l'hôpital, même s'il n'est pas encore tout à fait rétabli. Il faudrait, justement, qu'il ne se rétablisse pas tout à fait ; c'est à mon avis, le seul moyen d'arriver à nos fins.

— Pourquoi ne pas le confondre en lui montrant que vous détenez les minutes de son crime ? demanda Morrissey.

— Je vous l'ai déjà dit : parce que je me les suis procurées illégalement, parce que je suis entré par effraction dans son appartement, et parce que je suis convaincu que Schwartz téléphonerait aussitôt à son avocat, ce qui renverrait l'enquête à son point de départ.

— Est-ce possible ? demanda Ferguson au praticien. Peut-on faire en sorte que Schwartz ne se rétablisse pas tout à fait ?

— Sans mettre sa vie en danger, précisa Joe.

— Tout à fait, à condition qu'un médecin y souscrive, car jamais le Chicago Memorial n'acceptera que l'on traite ainsi un de ses patients, acquiesça Morrissey, avant de s'adresser à Joe, et c'est sans doute la raison pour laquelle vous allez me demander qu'il soit transféré à la clinique Howe.

— Avec votre accord, bien sûr.

— Je n'y vois pas d'inconvénient, fit Morrissey d'un air sombre, quoique la suite du programme aille sûrement à l'encontre de tous mes principes...

— Il est seulement question de lui administrer quelques sédatifs et de faire en sorte qu'il ait très chaud.

— Vous me la baillez belle, lieutenant.

— Voyez-vous, lieutenant, intervint Ferguson, John déteste prendre des risques. Il a déjà lourdement compromis la réputation de la clinique en acceptant qu'une intervention chirurgicale à haut risque y soit pratiquée, quoiqu'il le fasse autant pour votre sœur que pour Marie.

— Je le sais, répliqua Joe, et je lui en suis d'autant plus reconnaissant.

— Et si je vous suis bien, continua Ferguson, vous vous apprêtez à lui demander d'outrepasser ses prérogatives au-delà de ce que la conscience autorise. Compte tenu des circonstances, je conçois que vous n'hésitiez pas à mettre votre carrière en jeu, lieutenant ; toutefois, John n'est pas policier mais médecin, et excellent de surcroît. Cette ville en a déjà perdu un en la personne de ma femme, il serait regrettable qu'elle en perde un second. Mais en ce qui me concerne, moi, je n'ai plus rien à perdre.

— Que suggérez-vous, Sean ? demanda Morrissey.

— Je pense que je ferais un médecin tout à fait présentable.

— Je ne partage pas cet avis.

— Corrigez-moi si je me trompe, enchaîna le journaliste en s'adressant à Joe, mais une fois les sédatifs administrés, vous n'aurez plus besoin de véritable médecin, il s'agira simplement de donner le change, n'est-ce pas?

— C'est vrai.

— C'est de la folie, s'insurgea Morrissey. Vous pourriez être arrêté.

Mais Ferguson semblait ne pas vouloir démordre de son idée.

— Marie est morte, John, et c'est cet homme qui l'a tuée. Elle avait à peine trente-deux ans et elle était ma femme.

Joe attendait, les muscles tendus.

— Très bien... Je lui administrerai un médicament qui ralentira son rythme cardiaque, et donnerai des ordres pour que sa chambre soit surchauffée. Puisque vous avez l'intention de vous livrer à une petite comédie dans ma clinique, j'aime autant garder un œil sur vous, conclut Morrissey.

— Merci, docteur, soupira Joe.

— Vous vous doutez à quel point tout ceci contrevient à toutes les règles établies, n'est-ce pas, lieutenant ?

— Oui.

— Et vous savez aussi ce que nous encourons ?

— Oui, je le sais.

— Je suis loin d'être convaincu que les gens du Memorial accepteront que l'individu soit transféré dans cette clinique.

— Il suffira de les convaincre qu'il ne court aucun risque...

— À cela, je répondrai que cela reste encore à débattre, lieutenant.

Joe ne trouva rien à répondre.

Alors que Morrissey s'entretenait avec le médecin-chef du Chicago Memorial, Joe, trop tendu pour aller se reposer ou même rendre visite à sa sœur, attendait dans le salon privé du praticien en compagnie de Ferguson.

— C'est gagné, annonça le médecin à son retour.

— Dans ce cas, qu'attendons-nous ? lança le journaliste avec impatience.

Morrissey le calma d'un geste :

— J'ai donné ma parole que la santé du patient ne serait pas en danger. L'hôpital sera dégagé de ses responsabilités aussitôt qu'il aura quitté les lieux.

Joe consulta sa montre : il était dix-neuf heures vingt.

— Allons-y.

— Lucas Ash est censé arriver d'une seconde à l'autre ; que dois-je lui dire, exactement ? objecta Morrissey.

— Rien de notre plan, en tout cas, décida Joe. Dites-lui simplement que nous sommes en passe d'obtenir d'importantes informations concernant le stimulateur de ma sœur, et qu'il serait risqué de commencer l'opération sans en avoir pris connaissance.

— Cela me paraît tout à fait crédible, remarqua Ferguson.

— Il est vrai que plus nous en saurons, mieux cela vaudra, soupira le médecin.

— Nous sommes donc bien d'accord ? Très bien, conclut Joe devant le silence des deux hommes.

— A-t-on des nouvelles de Chris ? demandait Lally six minutes plus tard.

— Pas que je sache, laissa tomber Hugo.

— Il doit encore dormir...

Les effets du tranquillisant commençaient à se dissiper. Elle détestait son effet lénifiant, mais plus encore la nervosité qu'elle sentait monter en elle.

— Que puis-je faire pour toi, ma chère Lally ?

— Rien.

Pour la dixième fois en moins d'une heure elle se leva et alla à la fenêtre.

— Tu dois rester couchée.

— Comme si ça faisait une différence...

— Il doit y en avoir une...

— Le Dr Morrissey n'a pas plus idée que toi de ce qui va ou ne va pas m'arriver, Hugo, répliqua Lally sans se retourner. On m'oblige à rester couchée uniquement pour me tenir à l'écart des événements.

— Mon idée à moi, c'est que tu dois te reposer, au cas où ton stimulateur aurait une déficience.

— C'est gentil à toi, Hugo, fit la jeune femme en se détournant de la fenêtre. C'est exactement ce qu'il fallait me répondre pour que je me sente mieux.

— Cesse donc de faire l'enfant, Lally ! se défendit Hugo.

Sans la moindre conviction, Lally alla s'asseoir devant la coiffeuse et se contempla dans le miroir. Elle avait l'air plutôt normale dans sa chemise de nuit imprimée de chats « Garfield » dont elle se séparait rarement. Ses cheveux rassemblés reposaient sur une seule épaule et sans l'éclat anxieux de son regard, son visage, hâlé par le soleil de la Floride, aurait eu l'air détendu.

— Tu es de mauvaise humeur parce que Chris est allé se reposer, dit Hugo sur un ton de reproche.

— Pas du tout. Après ce que nous avons vécu, je comprends très bien qu'il ait besoin de prendre un peu de repos.

— Alors, c'est parce qu'il dort trop longtemps à ton gré.

— Le fait que je sois de mauvaise humeur ne concerne en rien Chris, protesta Lally. Si je suis comme ça, reprit-elle, les yeux brillants de larmes, c'est que j'ai l'impression d'être dans le couloir de la mort et d'attendre que quelqu'un vienne m'annoncer si je suis graciée ou pas.

Décontenancé par cette tirade, Hugo se leva brusquement et alla prendre Lally dans ses bras.

— Je suis désolé, murmura-t-il à son oreille. Je ne voulais pas te faire de peine ; je sais à quel point tu es effrayée.

— Effrayée, c'est peu dire, répondit-elle en laissant libre cours à ses larmes. Désolée, se ressaisit-elle, je n'ai pas pu m'en empêcher.

— Tu es si courageuse, répondit Hugo qui pleurait à son tour. Ma pauvre chérie, si tu savais combien j'ai de la peine pour toi.

Redressant la tête, Lally eut l'ébauche d'un sourire.

— Ton nez est tout rouge, dit-elle.

— Tu n'es pas belle à voir non plus, répliqua Hugo en souriant.

S'écartant de son ami, elle lui tendit quelques mouchoirs en papier. Après un bref coup d'œil à son reflet, elle détourna vite les yeux. La toile que Chris avait exécutée pour elle lui revint à l'esprit, et elle se demanda si elle reprendrait jamais ses cours, si elle reverrait un jour sa maison et son studio de danse. Mais par-dessus tout, elle se demanda pourquoi Chris ne lui avait pas téléphoné.

La peur de mourir n'avait jamais particulièrement inquiété Chris. Comme la plupart des gens, il s'interrogeait à l'occasion sur ce que serait sa dernière heure, partagé entre le désir de mourir dignement, et l'espoir que la mort l'emporterait vite et sans souffrances, de préférence pendant son sommeil.

Pourtant, il comprenait aujourd'hui ce qu'était se sentir mourir. Bien plus douloureuse que les élancements dans sa main et son bras à cause du venin qui coulait dans ses veines, infiniment plus pénible que ses difficultés respiratoires et son absence totale d'énergie était son incapacité à parler à Katy et à Lally. Encore devait-il s'estimer heureux, songeait-il, que ni l'une ni l'autre ne le vît dans cet état, particulièrement la pauvre Katy, dont il s'était si peu occupé les derniers temps. Mais tout irait bien, il le fallait. S'il venait à disparaître, Andrea n'aurait d'autre choix que de se reprendre en mains et de veiller au bien-être de leur enfant. Mais l'idée de quitter Lally ainsi, alors que leur idylle n'en était qu'aux premiers balbutiements, l'abandonner en la sachant encore si fragile, si vulnérable, sans avoir dit un mot, sans avoir eu la moindre chance de lui exprimer l'immense amour qu'il éprouvait pour elle lui était insupportable. Il eût aimé lui dire enfin qu'il aurait fait n'importe quoi, qu'il aurait donné sa vie pour elle. Et, d'une certaine manière, c'est bien ce qu'il avait fait. Peut-être aurait-il pu concevoir un certain réconfort du fait que, grâce à lui, Lally était hors de danger. Savoir que ces documents avaient suffi à la sauver lui aurait peut-être procuré une manière de consolation. Mais il en allait autrement, pour le reste comme pour lui. Il était là, cloué sur son lit de douleur, percé de mille aiguilles, entouré de gens qu'il ne connaissait pas. Il se mourait – mourait ! – à cause d'une saleté de lézard, sans savoir si Lally était sauve, si on allait l'opérer, si on s'apprêtait seulement à le faire ou s'il était déjà trop tard...

À vingt heures vingt, Frederick Schwartz sortit de son délire. À travers un brouillard il vit un homme en costume sombre qui le regardait, flanqué de deux infirmiers en blouse blanche. Près du lit attendait une civière.

— Que se passe-t-il? articula-t-il d'une voix enrouée.

— Nous allons vous transférer dans un autre hôpital, monsieur Schwartz.

L'homme en costume examinait sa fiche médicale, un dossier coincé sous le bras.

— Maintenant ? Pourquoi ? s'étonna le malade en tentant vainement de déchiffrer le nom écrit sur l'insigne de l'homme. Pourquoi ne puis-je pas rester ici ?

— Parce que votre état requiert des soins spécialisés, ce pour quoi nous ne sommes pas équipés, ici.

— Quel genre de soins ?

— Votre dossier indique que vous devez être transféré dans une clinique ayant un service antipoison, où l'on pourra soigner adéquatement la morsure que vous avez au talon.

— Est-ce vraiment nécessaire ?

— C'est vital.

L'homme exhiba un document et le lui tendit :

— À cet effet, j'aurais besoin de votre signature.

— De quoi s'agit-il ?

— D'une décharge pour le Chicago Memorial. Tout est conforme, mais avant de signer, je voudrais quand même que vous en preniez connaissance.

Schwartz se sentait encore très faible, bien moins que la veille, toutefois.

— Ça va déjà beaucoup mieux, argua-t-il.

— Je suis heureux de l'entendre.

— Je ne comprends pas pourquoi on me transfère aujour-d'hui, alors que je suis en voie de guérison.

— Je ne fais que suivre les directives, monsieur. Je puis seulement vous dire que vos analyses démontrent que votre corps n'a pas encore éliminé le venin, et que votre système nerveux risque d'en souffrir.

Schwartz scruta le visage de l'individu.

— Êtes-vous médecin ?

— Non, monsieur, je ne suis qu'un administrateur. Voudriez-vous avoir copie des résultats de vos analyses, monsieur ?

— Non, lâcha Schwartz, à qui une nausée soudaine donna envie d'en finir. Je crois que je vais vous faire confiance.

— Merci, monsieur, fit l'homme en tendant son stylo.

— Mieux vaut avoir des remords que des regrets, n'est-ce pas ?

— Certainement, fit l'homme.

Lucas Ash rendit visite à Lally dans sa chambre à vingt heures trente-cinq.

— Que diable suis-je venu faire ici ? lança-t-il, à peine entré dans la chambre, vous avez une mine resplendissante, Lally.

— Vous êtes très gentil, docteur, sourit Lally du fond de son lit. Puisqu'il en est ainsi, nous pourrions peut-être prendre en-semble le prochain avion pour le Massachusetts...

— Cela ne me déplairait pas, mais j'ai cru comprendre que certaines personnes un peu trop nerveuses ne vous y autorise-raient pas.

S'asseyant au bord du lit, Ash mit les mains de la jeune femme dans les siennes.

— Nous allons donc nous plier à leur caprice et éliminer cet obstacle le plus vite possible.

— D'accord. Croyez-vous vraiment que mon appareil ait été manipulé, docteur ?

— Et vous, ne croyez-vous pas que vous pourriez m'appeler Lucas ?

— Vous détournez la conversation, Lucas.

— Honnêtement, je l'ignore, Lally. Mais j'ai la certitude qu'au moment où je l'ai vérifié, avant de l'implanter dans votre poitrine, il ressemblait exactement à n'importe quel autre stimulateur. Des appareils de ce type, j'en ai implanté des dizaines, tous fabriqués par la Hagen Pacing.

Lally avait oublié le violet intense de son regard, différent à bien des égards de celui de Chris.

— Ce qui signifie qu'il n'est pas impossible qu'il recèle une bombe à retardement, n'est-ce pas ?

— En effet, Lally, ce n'est pas impossible.

— C'est très aimable à vous de vous être déplacé, docteur.

— Lucas, corrigea aimablement le cardiologue. Et puisque c'est moi qui ai mis cette saleté dans votre poitrine, c'est à moi de l'en retirer.

— Le Dr Morrissey m'a dit que le reste de l'équipe serait ici, aussi.

— Joanna et Bobby sont arrivés, en effet. Ils se préparent pour l'intervention.

Lally sentit son cœur bondir dans sa poitrine.

— Est-ce pour bientôt ?

— Essayez d'être patiente, Lally, ce ne sera plus très long, conseilla le médecin.

— Ai-je le choix ?

En vue de sa prochaine confrontation avec Schwartz, Joe retourna dans l'appartement secret du tueur ; mais contrairement à sa précédente visite, il prit le temps d'en examiner tous les détails. Il en étudia chaque toile, examina les jaquettes de chaque livre ainsi que les livrets qui accompagnaient les disques compacts. Il déchiffra chacune des paraboles qu'Eva Schwartz avait brodées sur des napperons.

Alors qu'il poursuivait son investigation, les pauvres bêtes affamées semblaient épier le moindre de ses gestes. Joe avait toujours détesté les zoos. La vision d'animaux en cage le révoltait. Dans le meilleur des cas, ceux-là finiraient au zoo de Chicago ou dans le vivarium d'un amateur, mais ils seraient plus probablement abattus.

Entre ces malheureux lézards et les dragons chimériques de Schwartz il n'y avait qu'un pas que Joe n'hésita pas à franchir. Il ne lui fut pas plus difficile d'établir une relation entres ces créatures mythiques et Eva, tenancière de maison close. Pourtant, hormis ces broderies, ces étranges cadeaux qu'elle destinait à son fils, rien ne témoignait de l'ambiguïté de leurs relations. Elle devait être « plutôt bizarre », songea Joe, et responsable, sinon du choix de sa mort et de ses conséquences, du moins de tout ce qui avait contribué à faire de son fils ce qu'il était devenu.

En quittant l'appartement, Joe téléphona au Chicago Memorial d'abord pour prendre des nouvelles de Webber, ensuite pour s'entretenir avec Jess.

— Mon baluchon est prêt, annonça-t-elle d'un ton maussade, je suis prête à retourner chez maman. À moins, bien sûr, que je puisse rentrer à la maison.

— Pas encore, Jess, hésita Joe, mais très bientôt.

— Penses-tu pouvoir venir me voir ?

— Je l'espère...

— Tu es toujours pris par ton enquête ?

— Oui.

— Pour combien de temps encore ?

— Pas très longtemps.

— Je veux rentrer, Joe. Sal en parle tous les jours.

— Je le souhaite autant que toi, Jess, mais il est encore trop tôt.

Jess essayait de comprendre, et Joe imaginait aisément son désarroi.

— Peux-tu toujours me jurer que tu n'es pas en danger ?

— Je te le jure.

— Mais tu as des ennuis...

— Rien d'irrémédiable.

— J'aimerais que tu puisses m'en parler.

— Je sais...

Mais Joe ne parla de rien ; ni de Lally, ni de Schwartz, ni du possible effondrement de sa carrière. Certes, ce silence allait à l'encontre de toutes ses convictions sur la famille et le mariage, mais divulguer un tel secret pouvait avoir des conséquences incalculables pour Jess. Fort de cela, il apaisa sa conscience en se disant que son silence servirait l'enfant qui allait naître.

Pourtant, Joe désespérait de se confier à quelqu'un. Plus qu'à quiconque, il eût aimé s'en ouvrir à son vieux camarade Sol Cohen, et lui expliquer pourquoi il avait décidé de risquer sa carrière, pourquoi il transgressait les solides préceptes du monde policier et plongeait tête première dans la schizophrénie de Frederick Schwartz pour livrer une bataille qui contrevenait à toutes les règles de déontologie. Mais il ne voulait ni ne pouvait entraîner Cohen dans cette folie. Dieu lui était témoin qu'il avait déjà assez compromis de gens comme cela. De toute façon, il n'était pas certain de pouvoir tout expliquer, ne fût-ce qu'à lui-même.

Pour affaibli qu'il fût, Schwartz subodorait un piège. Le doute s'était installé en lui quelques instants après qu'il eut signé la décharge. Tandis que l'ambulance l'emportait vers la clinique, il commençait à appréhender les grandes lignes de la situation : tout d'abord, il était en voie de guérison, cela, il en était certain. Sa fièvre tombait et bien que peu reluisant, son état n'était en rien comparable à celui des jours précédents. Ce soir, il se sentait parfaitement lucide, et son instinct lui disait qu'il était découvert. Bien que le lieutenant Duval ni aucun de ses adjoints ne se fussent manifestés, il savait que la seconde phase du jeu, le face-à-face auquel il pensait depuis plus d'une semaine était imminent.

Phénomène notable, cependant : il n'éprouvait pas la moindre peur.

On l'installa douillettement dans sa nouvelle chambre. Avec son mobilier de bois sombre patiné et ses tissus délicats, il se serait volontiers cru dans un hôtel cinq étoiles. Des infirmières changèrent ses perfusions, lui fixèrent des électrodes sur la poitrine, les chevilles et les poignets et, une fois le moniteur cardiaque mis en marche, le laissèrent à son repos. Tout, autour de lui, respirait le calme et le confort. Être l'objet de tant d'attention lui parut agréable. Cela lui rappela sa mère, comme en bien d'autres circonstances, en vérité...

Peu après vingt-deux heures, Joe entra dans la chambre et trouva l'homme endormi. Alors qu'il l'observait, une sérénité aussi nouvelle que surprenante l'envahit. Ce fut comme s'il reprenait soudain possession de son esprit. Il se trouvait dans le même état de concentration que lors de son face-à-face avec le pyromane. Seuls sa ténacité et l'ego démesuré du tueur, son irrépressible besoin d'être reconnu comme faisant partie du club très fermé des assassins en série avaient permis au policier d'avoir raison de lui. Peut-être le règne de terreur de Schwartz avait-il trouvé ses sources dans son irrépressible besoin de vengeance, mais Joe était prêt à parier que la vanité de l'homme avait pris le dessus depuis fort longtemps.

Schwartz ouvrit les yeux.

— Comment allez-vous, lieutenant ?

Joe comprit que l'homme faisait semblant de dormir.

— Très bien, et vous, monsieur ?

— Je me demande ce que je fais ici.

— Vous le savez bien...

— Oui, je le crois. Mais dites-moi, lieutenant, comment avez-vous su, à propos des hélodermes ? Je ne me souviens pas d'y avoir fait allusion.

— Non, en effet. C'est moi qui en ai parlé.

— Et comment avez-vous su ?

— Un de mes amis a été mordu par un héloderme ; et quand les médecins du Memorial ont évoqué votre morsure au pied, il m'a été facile de faire le rapprochement.

— Quelle coïncidence ! lança Schwartz d'un ton faussement badin.

— Naturellement, continua Joe, le fait qu'il ait été mordu dans le même lieu m'a beaucoup aidé.

Les deux hommes s'observèrent. Dans la chambre silencieuse s'élevaient le ronronnement du moniteur et le souffle un peu précipité du malade.

— Comment êtes-vous entré ?

— Avec un mandat de perquisition, mentit Joe.

— Et sur quels fondements l'avez-vous obtenu ?

— Nous avons découvert que vous aviez d'excellents mobiles.

— Vraiment ?

— Nous savons à propos de votre mère.

— Ma mère ?

— Ce qui s'est passé le jour de sa crémation.

— Je vois.

— Nous avons également fouillé l'appartement de M. Hagen.

— À cause de sa mère, lui aussi ? sourit Schwartz.

— Tout à fait. Mais nous n'avons rien trouvé.

Le sourire de l'homme restait figé sur ses lèvres sans atteindre les yeux. Ouvrant sa mallette, Joe en sortit les photocopies des six documents.

— En revanche, nous avons trouvé ceci dans votre appartement.

— Je vois...

— Je me demandais, fit Joe avec une extrême courtoisie, si vous me feriez la faveur de me dire lequel de ces documents est authentique.

Schwartz accentua son sourire :

— Je conçois que vous vous le demandiez.

— Le ferez-vous ?

— Je ne crois pas.

— C'est regrettable.

— Allez-vous m'arrêter, lieutenant ?

— Non.

— Et pourquoi ?

— Vous voulez la vérité ?

— Je n'en attends pas moins de vous, lieutenant.

— Parce que j'ai besoin de votre aide.

Avisant une chaise, le policier la tira à lui et s'installa. Il se sentait toujours aussi calme et s'en félicita ; sans cela, il n'avait aucune chance de l'emporter.

— Ici même, dans cette clinique. il y a une jeune femme qui a reçu un stimulateur cardiaque, voilà deux semaines, et jusqu'à hier elle croyait encore être tirée d'affaire ; elle était convaincue que cet appareil était la réponse à ses maux et qu'elle n'avait plus rien à craindre, mais ce n'est plus le cas, aujourd'hui.

— J'en suis navré pour elle.

— Vraiment ?

— Pourquoi pas ?

— Vous allez donc l'aider.

Le sourire avait disparu, mais le regard noisette demeurait affable.

— Comment le pourrais-je, lieutenant ?

— Dans quelques heures, un chirurgien va l'opérer, sans savoir exactement ce qu'il va découvrir, et la jeune fille devra subir cette épreuve en ignorant quelle en sera l'issue : la vie ou la mort. Si vous me dites lequel de ces documents est le bon, vous lui éviterez peut-être une pénible expérience.

— Puis-je voir ces documents, je vous prie ?

— Mais naturellement.

Joe les étala côte à côte sur le bord du lit et attendit que Schwartz en saisît un. En pure perte.

— Voici ce que je vais faire, lieutenant.

— Je vous écoute.

— Je vais aller voir cette jeune personne.

Joe sentit son masque d'impassibilité se fissurer un peu.

— C'est impossible, bredouilla-t-il.

— Je croyais que vous vouliez faire appel à mes bons sentiments, s'étonna Schwartz.

— C'est la vérité.

— Dans ce cas, laissez-moi la voir.

Durant quelques secondes, les deux hommes s'affrontèrent du
regard.

— N'y comptez pas, fit Joe.

— Alors, n'espérez rien de moi.

Dans le bureau de Morrissey, Joe s'enfonça dans son fauteuil,
visiblement découragé.

— Je ne m'attendais pas à ça, commenta-t-il à Morrissey et
à Ferguson.

— Moi non plus, répondit ce dernier. Qu'en dites-vous ?
Faut-il impliquer votre sœur dans cette affaire ?

— Même si après l'avoir vue, il se dit prêt à coopérer, nous
ne pourrons pas lui faire confiance. Il est conscient d'avoir tous
les atouts en main, et nous devons absolument trouver son point
faible. Notre seule ressource, c'est de poursuivre notre plan.

Morrissey leva son poignet. Il était presque vingt-deux
heures vingt.

— Le personnel est prêt, dit-il.

— Et vous ? demanda Joe à Ferguson, êtes-vous prêt ?

— Comme toujours.

— C'est tout de même curieux, lieutenant, reprit Morrissey.
Je déteste ces manigances plus que je ne saurais l'exprimer, et je
permets qu'elles aient lieu dans ma clinique alors que cette mise
en scène contrevient à tous mes principes.

— Vous le faites en souvenir de Marie, lui rappela Ferguson.

— Et aussi pour Mlle Duval, ajouta Morrissey, ainsi que
pour tous les autres dont la vie est menacée, et malgré cela, je

suis convaincu d'avoir tort. Pourquoi fais-je preuve de tant de passivité ? Je ne saurais le dire.

— Parce qu'en plus d'être médecin, vous êtes un être humain, déclara Ferguson.

— Et parce que c'est la première fois que vous êtes confronté à un assassin en série, ajouta Joe.

— Et j'espère bien que ce sera la dernière... conclut le praticien.

36

Le lundi 25 janvier

Lally avait un mauvais pressentiment, pressentiment qui ne devait rien à son cœur ni à son stimulateur cardiaque, mais à Chris. Il était presque vingt-deux heures trente, et il ne s'était plus manifesté depuis l'heure du déjeuner. Après avoir vainement laissé plusieurs messages à Joe, interrogé les gens qui voulaient bien l'écouter, elle avait eu l'impression que Chris s'était évaporé dans la nature. Un court instant, elle s'était imaginé qu'il était rentré chez lui, retrouver Katy et Andrea. Mais il ne l'aurait pas fait sans la prévenir, pas sans prendre le temps de lui dire au revoir ; advenant le cas, Hugo se serait certainement fait une joie de l'en avertir.

— Tu ne quitteras pas cette pièce avant de m'avoir dit ce qui est arrivé à Chris, lança-t-elle à Joe, alors qu'il tentait de s'éclipser après une visite éclair. Serait-il malade, par hasard ?

— Chris va bien, lâcha le policier du bout des lèvres.

— Tu n'oserais pas me mentir, n'est-ce pas, Joe ?

— Tu le sais bien...

— Mais tu sais où il se trouve, n'est-ce pas ?

— Oui.

— Lui as-tu confié une mission ? Est-ce la raison pour laquelle il ne me téléphone pas ?

— Oui.

— Peux-tu me dire de quoi il s'agit ?

— Non.

— Il y a des moments, Joseph, où je te déteste.

— C'est faux : tout le monde sait que tu adores ton grand frère.

Ils échangèrent une longue accolade.

— Que se passe-t-il, Joe ? murmura la jeune femme contre son épaule. Lucas et les autres sont ici, et on ne semble pas disposé à m'opérer, pourquoi ?

Les deux regards du même gris un peu triste se reflétèrent l'un l'autre. Joe détourna les yeux le premier et, capitulant, alla s'asseoir sur le bord du lit.

— Parce qu'il existe une possibilité qui rendrait cette intervention plus sûre et même inutile, mais il faut d'abord que nous en soyons absolument sûrs.

Lally chercha à nouveau le regard de son frère.

— Tu l'as arrêté, dit-elle avec un enthousiasme soudain.

— Je ne peux en parler, Lally.

— Mais tu l'as arrêté, hein ? C'est ça ?

— Ne t'emballe pas, ma chérie, temporisa Joe en prenant les mains de sa sœur dans les siennes. Nous nous y employons, mais ni Morrissey ni Ash ne tiennent à ajourner cette opération plus qu'il ne faut, et je partage leur avis.

— Je comprends, murmura la jeune femme.

— Puis-je te laisser seule, à présent ? J'ai aperçu Hugo qui somnolait dans la salle d'attente, veux-tu que j'aille le chercher ?

— Non, laisse-le se reposer. Le pauvre garçon est exténué.

— Il est toujours aussi épris de toi, n'est-ce pas ?

— Je le crois, bredouilla Lally.

— Ah, Lally Duval ! Comment fais-tu pour que tant d'hommes s'entichent de toi !

— Tu aimes bien Chris, n'est-ce pas, Joe ?

— C'est un homme marié, sœurette...

— Je le sais. Mais tu l'aimes bien quand même.

— Oui, concéda Joe, j'ai beaucoup d'admiration pour lui.

Joe parti, Lally s'allongea sur son lit et tenta de trouver un semblant de repos en songeant au mince espoir dont son frère était porteur ; mais, pour le moment du moins, la précarité de sa situation n'était pas au centre de ses pensées. Elle ne prétendait pas posséder l'intuition de son frère, mais malgré la volonté qu'il mettait à la rassurer, le petit frisson qui courut le long de son échine lui dit que Chris avait des ennuis. Jusqu'à preuve du contraire, rien ne la ferait changer d'avis.

À onze heures du soir, Schwartz se sentait aussi mal que possible. Il avait chaud au point d'être convaincu de souffrir d'une forte fièvre, sans parler de l'irritation qu'éveillaient en lui le bip-bip monotone du moniteur cardiaque et tous les fils d'électrodes qui entravaient ses mouvements.

— Combien de temps encore va-t-on me laisser branché à cet appareil ? demanda-t-il à l'infirmière venue vérifier ses perfusions.

— Ne vous inquiétez pas, nous nous occupons de vous, monsieur Schwartz, lui répondit-elle laconiquement.

— Je ne m'inquiète pas, répondit-il sèchement, mais ce bruit m'écorche les nerfs.

— Voulez-vous que j'en touche deux mots au Dr Kaminsky ?

— Le Dr Kaminsky... Je suppose que c'est mon médecin...

— En effet, monsieur, acquiesça l'infirmière en arrangeant ses oreillers.

— Quelle est sa spécialité, exactement ?

— Les empoisonnements.

— Auriez-vous l'amabilité de demander à ce monsieur de venir me voir ? vitupéra Schwartz en frappant son lit de son poing fermé. Voilà presque deux heures qu'on m'a amené ici.

— Il va certainement le faire très bientôt, monsieur.

L'infirmière quitta la chambre sans s'émouvoir outre mesure. Les yeux fixés au plafond, l'homme se mit à réfléchir : depuis la demi-heure qui avait suivi la visite du lieutenant Duval, il avait acquis la certitude de faire l'objet d'un complot pour le placer sous le même toit que la jeune fille au stimulateur, « si tant est qu'elle existe, bien sûr. À malin, malin et demi », songea-t-il, cherchant en lui une assurance dont il n'aurait pas un instant douté s'il ne s'était senti aussi mal. Ce satané héloderme, ce dragon qu'il avait occis de ses mains n'avait que trop bien accompli son œuvre. Son esprit se mettait à nouveau à battre la campagne à un moment où il devait y voir clair, où il allait devoir les affronter, seul contre tous.

Le moniteur commença à émettre un son irrégulier. Schwartz se sentait plus faible que jamais.

Seuls quelques employés étaient au courant du plan de Joe : deux infirmières de nuit, deux aides-soignants, et c'était tout. Ces personnes n'ignoraient pas que la température de la chambre serait progressivement accrue, cependant que la ventilation serait réduite au minimum, sans qu'ils dussent en paraître incommodés. En présence de Schwartz et pour des raisons dont on leur ferait part au moment voulu, Sean Ferguson serait le Dr Kaminsky, éminent toxicologue.

La chambre de Lally se situait au troisième étage de la clinique, celle de Schwartz au second. Tous les autres patients avaient été transférés dans l'aile opposée, et Morrissey avait consacré plus de deux heures à leur expliquer qu'une telle disposition était due à des problèmes techniques pour lesquels ils seraient – bien entendu – dédommagés.

Le temps passant, Hugo devenait de plus en plus nerveux. En voyant Joe traverser la salle d'attente, il bondit et l'apostropha.

— Que se passe-t-il, Joe ?

— Les événements se précipitent.

— Quels événements ?

— Vous devriez aller faire un brin de toilette, Hugo.

— Écoutez, Joe, s'emporta le jeune homme, je ne vous demande pas de trahir le secret professionnel, mais Lally est à bout de nerfs.

— Je la quitte à l'instant et elle va très bien.

— Elle veut savoir coûte que coûte où se trouve Webber. Je

sais qu'il est parti avec vous vers midi, et quand vous avez prétendu l'amener chez vous, j'ai bien voulu le croire et Lally aussi. Mais elle n'a pas eu de ses nouvelles de toute la journée. En d'autres circonstances, cela m'aurait laissé indifférent, mais rien n'est normal, en ce moment, et elle est vraiment inquiète.

— Je le sais, Hugo, mais je crois avoir réussi à la rassurer.

— Vous savez donc où se trouve Webber...

— Oui.

— L'avez-vous dit à Lally ?

— Je lui ai seulement dit de ne pas s'inquiéter.

Hugo fronça les sourcils d'un air soupçonneux.

— Et c'est la vérité ?

— Absolument...

Ce n'était pas qu'il n'avait pas confiance en Hugo, mais faible et docile comme il l'était, Joe doutait qu'il résiste plus de cinq minutes à un interrogatoire de Lally.

— Kaminsky est prêt, lieutenant...

Joe se retourna et vit Morrissey qui l'attendait en haut de l'escalier.

— Bien, fit Joe avant de s'adresser à Hugo. Excusez-moi, mais j'ai à faire.

— Vous tenez une bonne piste, n'est-ce pas ?

— En effet.

— Qui est Kaminsky ?

— Quelqu'un que vous ne connaissez pas.

— Est-ce une bonne nouvelle pour Lally ? insista Hugo.

— Je l'espère...

Joe et Morrissey descendirent au second étage.

— Ferguson est vraiment prêt ? s'enquit le policier.

— Autant qu'on puisse l'être.

— Croyez-vous qu'il sera à la hauteur ?

— Je croyais être le seul à éprouver des doutes, répliqua Morrissey d'un ton sec.

— Ne vous leurrez pas, lui répondit tout aussi sèchement

Joe. Schwartz a assassiné la femme de Ferguson, et je crains que ce dernier ne perde son sang-froid et ne lui saute à la gorge.

— Ferguson est plus intelligent que vous ne le croyez, lieutenant. Il comprend très bien que du succès de sa démarche dépend la vie de dizaines de gens. Soyez donc assuré qu'il se comportera comme un médecin avec son patient. En plus de prendre le pouls et de se servir d'un stéthoscope, il a appris à lire un électrocardiogramme.

— Et si Schwartz flaire un piège ?

— Dans ce cas, je ne réponds plus de rien...

Ils atteignirent l'étage. Vêtu d'une blouse blanche, Ferguson les attendait, arpentant le couloir près de la chambre de Schwartz, le stéthoscope au cou.

— Il a l'air plutôt nerveux, observa Joe.

— Au moins, il a l'air d'un médecin.

Ferguson vint à leur rencontre.

— Ai-je l'air crédible ?

— Tout à fait, le rassura Morrissey.

— Vous ne me mentiriez pas, n'est-ce pas, John ? s'inquiéta le journaliste en ajustant sa fausse plaque.

— Sûrement pas, fit Morrissey.

— Et s'il me pose une question embarrassante ?

— Ne dites rien, conseilla Joe, n'improvisez surtout pas, il se pourrait qu'il vous tende un piège. N'oubliez pas que nous avons affaire à un homme doué d'une intelligence diabolique.

— Je m'en souviendrai...

Il était minuit moins dix. Ferguson entra dans la chambre pour découvrir « son » malade allongé sur le dos, fixant le plafond d'un œil protubérant. En entendant la porte se refermer, l'homme tourna lentement la tête dans sa direction.

— Dr Kaminsky, je suppose ?

— C'est exact, monsieur Schwartz, acquiesça Ferguson avec un sourire. Désolé de n'avoir pu venir plus tôt. Comment vous sentez-vous ?

— De mal en pis.

— Vous avez l'air d'avoir chaud.

— J'ai de la fièvre.

Après avoir examiné la fiche accrochée au pied du lit, le faux médecin s'empara du thermomètre contenu dans un stérilisateur et le glissa dans la bouche de son patient. Puis, s'asseyant sur une chaise, lui tâta le pouls.

— En effet, dit-il quelques instants plus tard en examinant le thermomètre, votre température est assez élevée.

— Elle était presque normale il y a quelques heures à peine.

— C'est pour cela que je m'en étonne.

— Je ne crois pas que ce transfert m'ait fait du bien.

— J'espère qu'il ne vous aura pas causé trop d'inconvénients.

— Non, sauf qu'au Memorial j'étais en passe de me rétablir, et qu'à présent, je n'en suis plus sûr du tout.

— Cela arrive dans des cas comme le vôtre, monsieur Schwartz.

— Comment cela ?

— Une amélioration de l'état général peut parfois précéder une brusque détérioration.

— Et c'est mon cas ? s'étonna le malade non sans ironie.

— Votre état nous cause quelques soucis, mais rassurez-vous, rien d'irrémédiable.

— Je suis heureux de vous l'entendre dire, docteur.

— À condition que nous agissions sans retard.

— Que voulez-vous dire ?

— Laissez-moi vous expliquer en quoi consiste le problème, monsieur Schwartz.

— C'est bien aimable à vous...

— Je présume que vous savez qu'il n'existe aucun antidote contre la morsure de l'héloderme d'Arizona, même si, dans l'ensemble des cas, les victimes s'en remettent complètement. Mais il arrive aussi que ce genre de morsure ait des répercussions sur le plan cardiaque.

Les yeux de Schwartz allèrent du moniteur au soi-disant Dr Kaminsky.

— N'allez pas me dire que c'est mon cas.

— Je le crains, hélas. Et si le venin affecte le cœur, c'est de manière irréversible. Dans votre cas, la lésion se situe au niveau de l'orifice de l'oreillette, ce qui a pour conséquence une dysfonction causant de l'arythmie, comme le démontre votre électrocardiogramme. Me suivez-vous, monsieur Schwartz ?

Schwartz restant un instant sans répondre, puis demanda :

— Puis-je le voir ?

— Mais très certainement, acquiesça Ferguson en arrachant de l'appareil une longue feuille de papier qu'il étudia quelques instants avant de la remettre à son malade : comme vous pouvez le constater, le tracé est régulier, mais les intervalles entre chaque pointe sont grands, ce qui signifie que votre cœur bat assez régulièrement, mais un peu lentement.

— Je ne vois pas pourquoi cela semble vous réjouir à ce point, objecta Schwartz.

— Parce que, bien que nous ne puissions réparer les dégâts, nous pouvons toutefois en corriger les effets.

Schwartz se cala contre ses oreillers.

— Non, dit-il.

— Ai-je mal compris ? s'étonna Ferguson.

— Non, je ne veux pas de stimulateur.

— C'est pourtant le traitement tout indiqué, insista le faux médecin. En fait, c'est le seul que nous puissions vous proposer.

Un petit sourire se dessina sur les lèvres du malade.

— S'il s'agit vraiment d'arythmie, déclara-t-il, je crois savoir qu'il existe des médicaments appropriés.

— Comme appoint, peut-être, mais ils sont insuffisants dans le cas qui nous préoccupe.

Schwartz secoua lentement la tête.

— Pas de stimulateur, répéta-t-il.

— Compte tenu des circonstances, je comprends vos réticences, transigea Ferguson.

— J'en suis persuadé.

— Peut-être pourrais-je avancer un autre argument qui vous ferait changer d'idée ?

— Dites toujours, mais j'en doute.

— Je crois que le lieutenant Duval vous a appris qu'un autre de nos patients souffre du même mal que vous.

— Dans cette clinique ? Non, il ne m'en a rien dit. Encore une étrange coïncidence...

— Je ne vois pas pourquoi ; nous sommes spécialistes en toxicologie.

— Et c'est pourquoi nous sommes tous joyeusement réunis sous le même toit...

— Pas aussi joyeusement que vous le pensez, corrigea Ferguson, son état se détériore rapidement.

— Admettez quand même que c'est une coïncidence, insista Schwartz, vous commencez par alléguer que la grande majorité des victimes de morsure d'héloderme se remettent parfaitement de leur blessure, et maintenant, en voici deux, sous le même toit, dont l'état se dégrade à vue d'œil, avouez que c'est plutôt consternant. Je suppose que vous allez prescrire le port d'un stimulateur cardiaque à l'autre patient aussi ?

— C'est malheureusement impossible.

— Et pourquoi ? ricana le malade.

— Parce qu'il est trop tard, répliqua sans hésiter Ferguson. Et si nous ne procédons pas rapidement avec vous, je crains que cela ne le soit pour vous aussi, monsieur Schwartz.

— Je vais courir le risque, docteur.

— C'est vous qui décidez, bien sûr.

— Et telle est ma décision.

37

Le mardi 26 janvier

Au moment où les infirmières augmentaient la dose de bêtabloquants dans les perfusions de Schwartz et haussaient la température de sa chambre, la salle d'opération numéro un de la clinique Howe était prête à recevoir Lally.

— Votre patron acceptera-t-il de porter une combinaison anti-explosifs ? demanda Valdez à Bobby Goldstein.

— J'en doute fort, répondit ce dernier, sachant, pour en avoir essayé une, combien elle gênerait la bonne marche de l'opération.

— Je n'en porterai pas non plus, renchérit Joanna King d'un ton catégorique.

— Vous avez été prévenue des risques que vous encourez, madame, répliqua le policier.

— Je ne pourrai jamais travailler efficacement avec un tel accoutrement sur le dos, reprit Joanna. Et ni monsieur Goldstein ni moi-même ne nous approcherons de la malade autant que le Dr Ash.

— Portez-vous des collants de nylon ? voulut savoir Valdez. Je vous pose la question parce que l'électricité statique suffit parfois à faire exploser une bombe.

— Je les enlèverai avant de commencer, le rassura la radiologue.

— Ainsi que tout ce qui peut créer de l'électricité statique. Cela s'adresse aussi à vous, monsieur, ajouta l'artificier à l'intention de Goldstein. Mais si vous n'avez pas l'intention de porter de combinaison, madame, j'insiste pour que vous portiez des vêtements de coton, dépourvus de boutons et de fermeture éclair.

— Du moment qu'ils sont stérilisés... lâcha Joanna d'un air désabusé.

— Ils le sont. Vous aurez également des bandes autour des poignets afin de réduire l'électricité statique dégagée par votre corps.

— Excusez-moi, l'interrompit Goldstein, je comprends votre discours sur l'électricité statique, mais tout le matériel qui se trouve ici en dégage des tas, ne pensez-vous pas que...

— Sur ce point, nous n'avons pas le choix, trancha Valdez. Mais nous devons quand même minimiser les risques.

— J'ai pourtant cru comprendre que la charge d'explosif était minime...

— Si tant est qu'il y en ait une, ajouta Joanna.

— En ce qui me concerne et jusqu'à preuve du contraire, une bombe reste une bombe. C'est ce qui permet aux gens de ma profession de rester en vie. Les composants des engins piégés nous sont encore inconnus, c'est pourquoi nous ne devons négliger aucune précaution. Le fait que ces engins ne tuent qu'une personne à la fois n'est pas un garant de sécurité ; il se peut très bien que personne d'entre nous ne survive à l'opération qui se prépare.

— Voilà qui est réjouissant, commenta Goldstein.

— Écoutez, résuma Valdez, je ne veux ni vous rassurer ni vous effrayer inutilement. Tout ce que je souhaite, c'est qu'à l'issue de cette journée, nous puissions tous rentrer tranquillement chez nous, y compris votre patiente.

— Je suis bien d'accord avec vous, fit la radiologue.

— Savez-vous quelle est la première chose que fait un policier quand il découvre une bombe ? expliqua Valdez. Il demande aux personnes présentes d'évacuer les lieux pour laisser le champ libre aux spécialistes.

— Nous comprenons tout cela, argua Goldstein, mais comme

vous l'expliquait Joanna nous ne pouvons travailler convenablement avec cette combinaison sur le dos.

— Aucune importance, lâcha l'artificier. Si l'explosion est puissante, cette combinaison ne vous sauvera pas ; elle empêchera seulement que votre corps soit éparpillé aux quatre coins de la pièce.

— Édifiant, grimaça Goldstein.

— Formidable, renchérit Joanna.

Pas tout à fait engourdi, mais pas vraiment en éveil, l'esprit de Schwartz se remit à battre la campagne, tantôt vers le passé, tantôt au présent. Il souffrait de bradycardie, le bip-bip du moniteur l'indiquait clairement, et éprouvait de plus en plus de mal à respirer. De surcroît, il avait chaud, très chaud. Son corps trempé de sueur lui procurait une désagréable sensation, surtout qu'il était très exigeant sur le plan de la propreté. Retourner chez lui, dans sa cachette, était ce qu'il souhaitait le plus ; retrouver ses esprits, ce fameux contrôle de soi qui semblait à nouveau lui échapper, fuir ces gens qui ne lui inspiraient que défiance et mépris, et les dragons qui étaient là, dehors, et qui se rapprochaient, se rapprochaient...

« Ils mentent, je sais qu'ils mentent. » Mais le tracé vert du moniteur, lui, ne mentait pas, et, peut-être qu'au bout du compte, Kaminsky ne mentait pas non plus. Peut-être que, par une ironie du sort, un stimulateur cardiaque était nécessaire pour le maintenir en vie. Mais cela, il ne le permettrait jamais, jamais.

Kaminsky et Duval devaient rire sous cape en imaginant sa frayeur ; mais lui savait qu'on ne pourrait jamais lui imposer de stimulateur, même si c'était ce que souhaitait Duval ; car malgré son sourire mielleux et son regard inexpressif, Schwartz sentait bien que le policier le méprisait, le haïssait, qu'il voulait sa perte, quel qu'en fût le prix. « Ils croient que j'ai peur de la mort, mais il existe infiniment pire que la mort. » Cela, Mère l'avait compris, elle avait mis son héros en garde contre les dragons et les mille et une façons dont ils se manifestaient.

Fermant les yeux, l'homme se laissa emporter dans la spirale de ses souvenirs. Mère le lui avait enseigné : les dragons sont tout d'abord des serpents asexués, nés d'œufs de coqs éclos dans le fumier. Il en allait de même pour certains humains : pour peu qu'ils naissent de la fusion de la chair et du métal, le pire pouvait arriver, les événements les plus abominables pouvaient se produire. Par exemple, Mère était terrifiée à l'idée de se rendre chez le dentiste, non point à cause de la douleur (elle s'était toujours ri de la douleur) mais parce qu'elle ne supportait pas que l'on insérât des morceaux de métal dans sa bouche. À cet effet, il se rappelait le jour où une femme de chez Eva's (c'est ainsi que se nommait l'antre de Mère) s'était cassé la jambe et que son raccommodage avait exigé la pose d'attelles de métal. Mère avait alors décrété que cette personne ne mettrait plus jamais les pieds chez elle. Homme et métal, chair et métal... La femme avait beau être sa meilleure recrue, rien n'y fit : elle ne pouvait plus lui faire confiance.

Pourtant, en dernier recours, elle avait bien dû accepter cette boîte de métal dans sa poitrine, ces fils au tréfonds de son cœur, mais elle était morte quand même. Non seulement il n'avait rien changé à l'état de son cœur, mais le métal l'avait anéantie, pulvérisée. C'est en cela qu'il s'était vu contraint de devenir son vengeur, son héros, son Siegfried. Et voilà qu'à présent, grâce à de basses manœuvres on tentait de l'en empêcher, mais il ne se laisserait pas faire...

Quelques minutes avant la première heure du matin, quelques instants après qu'Hugo eut enfin compris qu'il serait plus sage de se reposer un peu, Lally, après avoir mis sa chemise de nuit cachée par un gilet, et après avoir enfilé des chaussettes de laine, sortit en tapinois de sa chambre, après presque douze heures de captivité.

Elle se sentait lasse, affamée et plus irritée qu'effrayée. Attendre couchée, terrifiée à l'idée que cette heure pût être la dernière lui était intolérable. Son esprit ne pouvant soutenir un tel degré de frayeur, elle avait cessé d'y croire. Était-elle prisonnière ou victime ? Elle n'aurait su le dire. En revanche, elle savait qu'elle ne pourrait plus longtemps jouer les belles au bois dormant en attendant qu'on s'occupât d'elle. Elle voulait bouger, marcher, voir Lucas Ash, John Morrissey, Joe ou peut-être même Chris et pour cela, se sentait prête à fouiller la clinique de fond en comble.

En poussant la porte, elle s'attendait presque à ce qu'un garde armé ou une infirmière lui intimât gentiment mais fermement l'ordre de regagner son lit ; mais personne ne l'interpella ; on eût dit que l'étage était désert.

Elle suivit un couloir. La tranquillité des lieux n'avait d'égale que celle de sa chambre. Pour un peu, elle aurait cru être la seule patiente de la clinique. En fait, oui, elle était l'unique patiente, devait-elle constater après avoir frappé en vain à plusieurs portes.

La peur se saisit d'elle, puis la colère. Morrissey avait pourtant soutenu que le mari de Marie Ferguson était auprès d'elle quand le stimulateur avait explosé. « Ils étaient aussi près l'un de l'autre qu'on peut l'être, et rien ne lui est arrivé, pas une égratignure », avait-il assuré. Dans ce cas, pourquoi la traitait-on comme si elle était atteinte de peste bubonique ? Et si son état suscitait des craintes au point de faire évacuer l'étage, pourquoi ne lui en avait-on rien dit ?

Tournant les talons, Lally se rendit à l'extrémité du couloir, résolue à trouver quelqu'un qui saurait répondre à ses questions. Un escalier : fallait-il monter ou descendre ? À moins que cela n'eût aucune espèce d'importance ; à moins qu'elle ne fût vraiment seule dans cette clinique, qu'on l'eût abandonnée comme l'avait fait Chris, et qu'on attendît la suite des événements.

Elle descendit à l'étage inférieur, tourna à droite, puis, se ravisant, emprunta la direction opposée.

Des gens. Deux, non trois personnes regroupées non loin d'une chambre. Elle marcha vers eux : une infirmière, un aide-soignant et Joe. C'est lui qui la vit le premier.

— Lally ? Mais que diab...

— J'en ai assez de rester couchée, déclara-t-elle péremptoirement. Je ne suis pas malade, Joe, ni idiote. Je veux savoir ce qui se passe ici, et tout de suite.

Joe l'entoura d'un bras fraternel.

— Je vais te raccompagner à ta chambre.

— Non, Joe, je suis sérieuse. Cesse de me traiter comme une enfant et dis-moi la vérité. Pourquoi suis-je seule à mon étage ?

— Mais pas du tout... protesta faiblement le policier.

— Inutile de mentir, j'ai vérifié ; toutes les chambres sont inoccupées. Si c'est parce que vous craignez que je me transforme en feu d'artifice, vous pourriez au moins...

— Tais-toi, Lally, commanda Joe en entraînant sa sœur vers l'escalier.

— Je ne me tairai pas, et je ne bougerai pas d'ici aussi longtemps que tu ne m'auras pas dit pourquoi Ash tarde tant à m'opérer.

— Je t'en prie, Lally, baisse le ton, murmura Joe. Tu étais d'accord pour attendre son arrivée...

— Mais il est ici depuis des heures et j'attends toujours.

— Je t'expliquerai tout ça.

— Tu ne m'expliqueras rien du tout !

— Ma chérie, tu es bouleversée...

— Mais bien sûr que je le suis, Joe !

— Je t'en prie, ne parle pas si fort... Une fois encore, il tenta de l'attirer à l'écart, mais la jeune femme résistait toujours. Retournons à ta chambre, Lally, et je te dirai tout.

— Dis-le-moi, ici.

— Non, là-haut.

Soudain, elle comprit :

— Il est ici, n'est-ce pas ? L'instigateur de toute cette affaire se trouve là, dans cette chambre !

Joe retenait sa sœur par le bras comme s'il redoutait de la voir courir vers la chambre de Schwartz.

— J'ai raison, n'est-ce pas ? Il est dans cette chambre et tu espères pouvoir le faire parler... C'est ça, n'est-ce pas ?

— C'est ça.

— Tu peux lâcher mon bras, maintenant.

— Vas-tu regagner ta chambre, à présent ?

— Non, je veux le voir.

— Impossible, objecta Joe.

— Cela peut changer bien des choses.

— Non.

— Il a pourtant manifesté le désir de la voir, fit entendre la voix de Morrissey.

Lally se retourna.

— Vraiment ?

— Je m'y oppose, décréta Joe.

— Et pourquoi ?

— Parce que je n'ai aucune confiance en lui.

— Il n'est pourtant pas armé, argua Lally.

— C'est une très mauvaise idée, soupira Joe avant de reprendre, et puis, il est trop faible pour ça.

— Il est malade ? s'étonna Lally. De quoi souffre-t-il ?

— C'est une longue histoire.

— Peut-être est-ce au contraire le bon moment, avança Morrissey.

— Je ne suis pas d'accord, s'entêta le policier.

— Vous venez de dire qu'il était très faible, le raisonna le médecin. Quoi qu'il ait pu dire à Kaminsky, il reste un être humain qui a peur de la mort.

— Qui est Kaminsky ? voulut savoir la jeune femme.

— Son médecin traitant.

Lally s'adressa de nouveau à son frère.

— Laisse-moi le voir, Joe. Il n'a jamais vu ses victimes. Comme l'affirme le Dr Morrissey, c'est un être humain. Peut-être que me voir le fera changer d'avis.

— Cet homme est un assassin en série, expliqua Joe, il ne diffère en rien d'un tueur-né. Et en général, ces gens-là adorent voir souffrir leurs victimes.

Mais Lally demeurait inébranlable.

— Que cherches-tu à lui faire avouer ? demanda-t-elle.

Joe se tourna vers Morrissey :

— Qu'en pensez-vous ?

— Je pense qu'il faudrait tout dire à votre sœur. Cela ne peut lui faire de tort.

— Alors, Joe ?

Joe restait indécis. Finalement, il capitula avec un hochement de tête fataliste.

— Ah, quel merdier... soupira-t-il.

On insista pour qu'elle prît place dans un fauteuil roulant ; en partie parce que le règlement de la clinique l'imposait, mais surtout, expliqua Morrissey, parce qu'elle se posait en victime plaidant sa cause, et que de ce fait, se présenter en fauteuil roulant la ferait paraître faible et vulnérable.

Il était une heure trente-cinq quand Joe conduisit sa sœur à la chambre de Schwartz. Les conditions d'hospitalisation de l'homme lui ayant été exposées, il était capital qu'elle n'eût pas l'air de souffrir de la chaleur ambiante. L'homme était toujours éveillé.

— C'est vous, lieutenant... Je croyais être le seul à ne pas dormir.

— Nous sommes tous éveillés, répondit Joe en poussant le fauteuil roulant dans la chambre. Voici la personne dont je vous ai parlé plus tôt. Vous aviez exprimé le désir de la voir, je crois...

— En effet. Comment allez-vous, mademoiselle ?

— Pas trop mal, compte tenu de la situation.

— Je croyais que vous étiez une invention du lieutenant.

— Comme vous pouvez le constater, j'existe vraiment.

— Comment vous appelez-vous ?

Lally hésita.

— Cela n'a pas d'importance, intervint Joe.

— Et si cela en a pour moi ?

Joe ne répondit rien. Durant quelques secondes, Schwartz ferma les paupières comme pour rassembler ses idées.

— J'aimerais m'entretenir seul à seule avec cette jeune personne, déclara-t-il enfin.

— Non, décréta Joe.

Les yeux de Lally firent un rapide aller et retour entre les deux hommes.

— Tout ira bien, souffla-t-elle.

— Il n'en est pas question, répéta Joe, inflexible.

Le regard de Lally se reporta sur le malade. Le rouge vif de ses joues contrastait étrangement avec le reste du visage, couleur de papier mâché. La lèvre supérieure était luisante de sueur et l'œil, lui sembla-t-il, trouble et douloureux. Il avait apparemment grand-peine à respirer.

— Je constate que vous avez toujours besoin de mes lumières, lieutenant Duval, fit Schwartz sans quitter Lally des yeux.

— En effet.

— Dans ce cas, laissez-nous.

Le regard que Joe adressa à son prisonnier ne laissait planer aucun doute sur ce qui l'attendait au moindre geste suspect.

— Je me tiendrai derrière cette porte.

Restée seule, Lally promena son regard autour de la chambre, remarquant çà et là les touches masculines et l'absence de couleurs pastel, le bois sombre du mobilier et les gravures accrochées aux murs. Ses yeux errèrent quelques instants encore sur les tentures et les tissus d'ameublement avant de se poser finalement sur Schwartz.

— Le temps presse, commença-t-elle.

— Peut-être bien.

— Pas seulement pour moi, pour tous les autres aussi.

— Oh ! Je suis certain que vous vous inquiétez de votre sort, allez... répliqua Schwartz avec un sourire.

— Naturellement, mais je voudrais bien que les autres aient les mêmes chances que moi.

— Et pourquoi ?

La chaleur était si intense que Lally avait du mal à respirer.

Mais elle se rappela les recommandations de son frère et fit comme si de rien n'était.

— On m'a dit ce qui s'était passé pour votre mère. Vous m'en voyez navrée. Vous avez dû vous sentir totalement anéanti.

— C'est le mot, en effet.

— Mais j'ai du mal à croire que votre mère aurait souhaité voir souffrir des gens.

— Vraiment ?

— Je le crois.

— Et moi, je puis vous assurer que Mère aurait voulu que je venge sa mort.

— Mais vous l'avez fait, argua Lally. Quatre personnes ont déjà succombé à votre vengeance, cela ne vous suffit-il pas ?

— Il fait terriblement chaud, ici, ne trouvez-vous pas ?

— Pas particulièrement, fit Lally.

— Vous avez pourtant l'air de souffrir de la chaleur.

— Peut-être est-ce votre présence qui me met mal à l'aise.

Le moniteur poursuivait son bip-bip monotone, cependant que la respiration de Schwartz semblait se faire de plus en plus difficile. Le Dr Morrissey avait assuré Lally que ce surcroît de chaleur ne serait dommageable en aucune façon, mais elle avait du mal à y croire. Elle avait le visage brûlant et sentait la sueur ruisseler lentement entre ses omoplates.

— N'avez-vous rien d'autre à me dire ? demanda l'homme.

Elle secoua la tête.

— Je ne vois pas, à part vous demander votre aide. Dites-moi quel document est le bon, et laissez-les vous administrer le traitement approprié.

— C'est ce qu'ils prétendent...

— Je les crois.

— Vous en avez le droit.

— Ils n'oseraient pas vous mentir, pas sur un sujet aussi grave.

— Ils ont bien menti à Mère...

Désespérée, voyant que leur conversation ne menait à rien, Lally décida de jouer sa dernière carte.

— Voyez-vous, je suis professeur de danse, j'enseigne le ballet à de jeunes enfants, et je confectionne des croissants et des pâtisseries pour un café, dans un village de Nouvelle-Angleterre. Je ne suis pas mariée et je n'ai pas d'enfants, mais j'espère en avoir un jour...

Schwartz décocha à la jeune femme un sourire glacial.

— Vous en avez de la chance...

— En effet...

— Et cela ne vous suffit pas ; vous en voulez davantage...

— Oui... comme tout le monde...

Schwartz ne répondit rien, se limitant à regarder la jeune femme avec une insistance troublante. En soutenant son regard, Lally ne vit aucune douleur, aucune compassion sur son visage. À l'inverse, elle crut y déceler un certain plaisir. L'homme la détaillait de façon clinique. Avec un choc, elle comprit qu'il l'examinait comme un biologiste qui s'apprête à disséquer un nouveau spécimen.

— Vous ne nous aiderez pas, n'est-ce pas ? souffla-t-elle.

— Je ne le crois pas.

Elle s'avisa alors que Joe avait raison, que Frederick Schwartz se moquait bien de son sort, et qu'il n'éprouvait pas l'ombre d'un remords envers ses précédentes victimes. Elle savait aussi qu'elle ne pourrait plus nier l'éventualité que son corps recélât une bombe capable d'exploser d'une seconde à l'autre. Elle comprenait qu'elle devrait subir une seconde opération avec tous les risques que cela comportait, et qu'à moins qu'on parvînt à reconstituer avec exactitude l'œuvre de ce dément, bon nombre de gens risquaient à chaque seconde de passer de vie à trépas, sans que Schwartz s'en émût un seul instant.

— Ash veut procéder toute affaire cessante, annonça Valdez à Joe, une demi-heure plus tard, à quelques pas de la chambre de Lally. Il ne juge pas utile d'attendre plus longtemps. Il veut votre sœur aussi calme que possible, et différer l'opération ne rendra la situation que plus difficile.

— En ce moment, ma sœur se repose, précisa Joe. Al Hagen vient de téléphoner, encore un qui ne trouve pas le sommeil. Il a quitté le Memorial depuis quelques heures et il est en route pour la clinique. Il affirme vouloir s'entretenir avec Schwartz, en arguant qu'il le connaît depuis des années et qu'il parviendra peut-être à lui faire entendre raison.

— Si Schwartz a pu tramer sa vengeance durant tout ce temps, opposa Valdez, c'est que Hagen ne devait pas le connaître aussi bien qu'il le prétend.

— Je lui ai accordé dix minutes, annonça Joe. Mais j'ai besoin d'encore un peu de temps pour mettre la seconde partie de mon plan à exécution. C'est pourquoi vous devez expliquer à Ash que si j'ai une chance, si petite soit-elle, d'apprendre ce que contient exactement le stimulateur de ma sœur, j'ai l'intention de la saisir, avant qu'il ne mette inutilement en danger sa vie et celle de ses collaborateurs.

— Il craint que le temps ne nous fasse défaut, avança Valdez et je suis de son avis.

— Pour autant que nous le sachions, la plus courte période entre l'implantation d'un stimulateur cardiaque et son explosion est de trois semaines. Ce fut le cas pour Marie Ferguson. Lally n'a le sien que depuis seize jours.

— Cela ne nous donne rien de plus qu'un peu d'espoir, vous en êtes conscient, observa aimablement Valdez.

— Ce qui rend d'autant plus essentielle une confession de Schwartz, rétorqua Joe en sentant monter en lui une flambée de colère. Sans parler du fait que Lally est ma sœur, poursuivit-il les dents serrées, et que ce serait le premier appareil que nous récupérerions intact. Je crois qu'il y va de l'intérêt général.

— Vous voulez donc que je dise à Ash et son équipe de patienter encore ?

— Absolument.

— N'aimeriez-vous pas savoir ce qu'en pense Lally ?

— Non, répondit presque brutalement Joe. Il est trois heures moins dix, et j'espère qu'elle s'est endormie. Si elle sait à propos des documents, je ne veux pas qu'elle en apprenne davantage sur l'explosion.

— Très bien, concéda Valdez, les deux mains levées, c'est vous le patron.

Sitôt entré dans la chambre, Hagen crut suffoquer, tant la chaleur était grande. Schwartz dormait d'un sommeil agité en poussant de faibles gémissements. Éclairé par la veilleuse, son front était trempé de sueur, et deux minces tuyaux d'oxygène étaient enfoncés dans ses narines. Le bras gauche reposait sur le côté, une aiguille à perfusion plantée dans la saignée du coude, tandis que la main droite, repliée sur son ventre, était crispée comme une serre de rapace cherchant sa proie.

Hagen contempla longuement Schwartz dans son lit, tentant de concilier le monstre et l'homme qu'il avait côtoyé pendant près de dix ans. S'être à ce point fourvoyé à son sujet le consternait. Malgré la montagne de connaissances dont Howard Leary et Olivia Ashcroft avaient enrichi la Hagen Pacing, voilà longtemps que son président comptait d'abord sur Fred Schwartz pour que l'entreprise fonctionnât de manière efficiente et... sûre.

Hagen se remémora les instants qui avaient succédé aux premiers décès de Boston et de Chicago. Revoyant l'expression bouleversée de Schwartz, sa mine catastrophée, les sentiments de culpabilité dont il faisait largement état (en l'occurrence, c'était d'ailleurs on ne peut plus justifié), le président se dit que cet homme, avec qui il avait entretenu des liens étroits des années durant, possédait des talents de comédien insoupçonnés.

— L'homme et le métal... murmura le malade.

Médusé, Hagen scruta son visage. La paupière clignotante, la bouche tordue de douleur, l'homme délirait.

— Fred... murmura Hagen, Fred...

— Homme et métal... bredouilla Schwartz d'une voix éraillée.

— Fred...

L'homme ouvrit enfin les yeux.

— Vous...

— Oui, c'est moi, Fred, acquiesça Hagen avec douceur. Je suis venu vous parler, vous demander de nous aider.

— Aider...

Défiance ? Ironie ? Hagen n'aurait su le dire, mais il se rapprocha néanmoins du lit.

— Allez-vous-en... souffla Schwartz, le regard halluciné, les pupilles dilatées de frayeur.

— Allons, Fred, insista le visiteur d'un ton conciliant, nous savons la vérité, et je crois comprendre ce qui vous a poussé à agir comme vous l'avez fait. Mais c'est fini, à présent, et vous avez encore la possibilité de vous racheter.

— Allez-vous-en ! répéta le malade, terrifié, laissez-moi tranquille !

— Pensez à l'excellent travail que vous avez accompli pendant toutes ces années, le pressa Hagen. Vous ne pouvez laisser un si triste souvenir de vous, Fred, je vous en prie !

— Je ne m'appelle pas Fred.

Décontenancé, Hagen fixait l'homme allongé devant lui. Ce dernier semblait terrifié. Peut-être était-il en proie à un affreux cauchemar, mais en dépit de son intense frayeur, il regardait son visiteur droit dans les yeux, et Hagen sut alors que l'horreur et la haine qui se lisaient dans son regard lui étaient directement adressées.

— Que voulez-vous dire, Fred ? demanda-t-il sans se départir de son air aimable.

— Vous le savez bien...

— Non, je l'ignore. Expliquez-moi.

— Vous savez qui je suis, et je sais qui vous êtes.

Hagen sentit sa gorge se nouer.

— Et qui suis-je, Fred ?

— Vous êtes Hagen, répondit le dément avec des inflexions germaniques. *Hahgen...*

— Et vous, qui êtes-vous ? chuchota le quinquagénaire à son oreille.

Les yeux s'écarquillèrent, les traits se tendirent, et la poitrine parut soudain se gonfler d'un immense orgueil.

— Moi, je suis Siegfried, annonça Schwartz et je sais pourquoi vous êtes venu.

— Et pourquoi, Siegfried ?

— Pour me tuer, mais je vous préviens, je me battrai, *Hahgen*, je lutterai de toutes mes forces...

Une fois encore, Hagen resta quelques instants interdit, avant qu'un déclic ne se produisît dans son esprit. Il comprit que Frederick Schwartz avait perdu la raison, que si l'ingénieur émérite qui avait œuvré pour la Hagen Pacing durant une décennie était, selon toute apparence, sain d'esprit, celui qui gisait ce matin devant lui souffrait de grave paraphrénie et qu'il devait être interné dans les plus brefs délais.

— Il a complètement perdu l'esprit, visiblement, il souffre de délire fantastique, annonça Hagen dans le bureau de Morrissey.

— Que s'est-il passé ? demanda Joe.

— Quand je suis entré dans sa chambre, il semblait délirer. « Homme et métal », répétait-il dans son sommeil. Mais après que je l'ai réveillé, il était comme frappé de stupeur. Il me regardait avec des yeux fous en m'intimant de m'en aller. Ma présence semblait le terrifier, vraiment...

— C'est probablement dû à la chaleur et l'état dans lequel il se trouve, avança Morrissey.

— Non, se défendit Hagen, il s'agit d'autre chose. C'est vraiment de moi qu'il avait peur. Croyez-le ou non, je crois que c'est en relation avec Richard Wagner. Connaissez-vous son œuvre ?

— Plus ou moins, admit Morrissey.

— Nous vous écoutons, renchérit Joe.

— J'ignore si cela est pertinent à l'affaire qui nous préoccupe, mais pour la première fois, Schwartz a prononcé mon nom

323

avec l'accent allemand, *Hahgen ;* et au moment où je l'ai appelé Fred, il a déclaré que son nom n'était pas Fred, mais Siegfried.

— Siegfried, le pourfendeur de dragons... murmura Morrissey.

— Précisément.

— Si vous m'expliquiez de quoi il retourne ? intervint Joe.

— Wagner a écrit une tétralogie nommée *L'Anneau des Nibelungen,* précédée d'un prologue, *L'Or du Rhin,* et dont les trois opéras se nomment respectivement *La Walkyrie, Siegfried* et *Le Crépuscule des dieux.* C'est de la très grande musique, un peu indigeste néanmoins, et que bien des gens s'entendent à décrier à cause du symbolisme qui s'en dégage.

— Le grand héros mythique en est Siegfried, continua Morrissey, surnommé le pourfendeur de dragons pour avoir tué celui qui gardait jalousement l'or des Nibelungen.

— Et dans *Le Crépuscule des dieux* un personnage portant le même nom que moi finit par avoir raison de Siegfried, conclut Hagen.

— Cela n'explique pas pour autant Schwartz et ses actions insensées, commenta Morrissey.

Joe passa mentalement en revue les étranges toiles et les tapisseries accrochées aux murs de l'appartement 1510, les *E* et les *S* entrelacés sur les broderies d'Eva Schwartz.

— Si, objecta Joe, Schwartz est obsédé par les dragons, sa psychose se situe dans le domaine du fantastique.

— Vraiment ?

— Vous parliez aussi d'homme et de métal... reprit Joe.

— C'est ce que Schwartz murmurait dans son sommeil. Avez-vous une idée du sens que cela peut avoir, lieutenant ?

— Pour lui c'en a un, en tout cas, grommela le policier en tentant de se rappeler les paraboles brodées sur les napperons. Attendez, il serait question de la manière dont naissent les dragons, une sorte d'alchimie entre le fer, la chair et le sang.

— Schwartz est-il passionné d'opéra ? demanda le médecin.

— Tout comme vous, monsieur Hagen, c'est un passionné de

Wagner, expliqua Joe. Sa maison est remplie de ses œuvres. J'ai remarqué un disque compact du *Crépuscule des dieux*. J'ai cru un instant qu'il voulait vous imiter par esprit d'émulation, qu'il voyait en vous une sorte de modèle.

— Bien. De quoi s'agit-il, en somme ? résuma Hagen. Nous savons que Schwartz déteste les stimulateurs cardiaques car ils n'ont pas su sauver la vie de sa mère. Je me suis porté acquéreur de l'usine au milieu des années soixante-dix, bien après la mort d'Eva Schwartz, mais si son fils était déjà obnubilé par le mythe de la rivalité entre Siegfried et Hagen, on peut supposer qu'il a décidé de faire porter le blâme de ses malheurs à la Hagen Pacing. Cela étant, je ne crois pas que nous puissions espérer une quelconque coopération de sa part, ne croyez-vous pas ?

— Je m'en charge, fit Joe.

— Comment ? s'enquit Hagen.

Au lieu de répondre, Joe lança au médecin un regard éloquent.

— Je vais me retirer, annonça Hagen, sachant qu'il était de trop.

— Je voudrais néanmoins vous remercier pour votre coopération, fit le policier.

Le quinquagénaire parti, Morrissey s'adressa à Joe :

— Quelle est votre idée, lieutenant ?

— Schwartz semble être dans une totale confusion d'esprit. Les histoires mythiques, ses rêves, ses fantasmes et la réalité ne font plus qu'un dans son esprit. Déontologie ou pas, nous devons mettre cela à profit. Sans une confession de Schwartz ces documents sont inutilisables. Si nous ne parvenons pas à briser sa résistance, il peut très bien se retrouver libre, et tous les gens dont le stimulateur risque d'exploser d'un moment à l'autre ne seraient pas plus avancés qu'ils ne l'étaient au début de cette enquête.

— Je vous pose de nouveau la question, lieutenant : quelle est votre idée ?

— Je veux faire en sorte que Schwartz soit terrorisé. Il ne

parlera jamais, c'est une chose établie. Cependant, reste à savoir s'il est plus terrifié de mourir que d'avoir un objet « mi-chair mi-métal » logé dans la poitrine.

— Vous souhaitez que Kaminsky fasse une nouvelle tentative ?

Joe secoua la tête.

— Seul, il n'y parviendra jamais, mais j'ai une idée qui fera peut-être pencher la balance du bon côté. Elle peut paraître bizarre ; elle risque de prendre un peu de temps à réaliser, mais je crois qu'elle pourra fonctionner.

— Peut-être vaudrait-il mieux que je n'en sache rien, soupira Morrissey.

— Vous voulez peut-être vous rétracter ? avança Joe.

— Comment pourrais-je me rétracter sans savoir de quoi il s'agit ?

— Ne vous leurrez pas, le reprit Joe, réaliste. Si cette affaire devait mal tourner, qui croirait en votre innocence ? Des membres de votre personnel y sont déjà impliqués jusqu'au cou, et ce ne sont pas les témoins qui manquent. Cela pourrait signifier de gros ennuis pour vous et votre clinique.

— J'en suis parfaitement conscient, lieutenant, rétorqua Morrissey avec un sourire froid. Je me suis très largement compromis, moi aussi ; mais je ne suis plus un jeune homme. L'heure de la retraite approche et, au pis aller, je pourrais la devancer. Au surplus, je resterai éternellement le débiteur de Marie. Cependant, je suis encore médecin. Quoi que l'on fasse et que Schwartz soit ou non coupable, il reste mon patient, et je ne puis m'impliquer dans quelque forme de mauvais traitement.

— Ce ne sera pas nécessaire.

— Me donnez-vous votre parole qu'il ne lui sera fait aucun mal ?

— Vous l'avez.

— Bien. Comme je vous le disais plus tôt, je ne puis me retirer d'une affaire que je ne connais pas.

Joe regarda sa montre : trois heures dix, et l'enquête piétinait toujours. Il ne lui restait qu'une chance, une toute petite chance de briser la résistance de Schwartz, faute de quoi, il ne pourrait plus surseoir à la décision du Dr Ash d'extraire le stimulateur de la poitrine de Lally.

Il restait moins de cinq heures avant que l'enquête ne reprît son caractère officiel ; après cela, en cas d'échec, c'en serait fini de sa carrière ; mais pour l'heure, c'était le cadet de ses soucis.

38

Le mardi 26 janvier

À quatre heures quinze, Frederick Schwartz faisait d'atroces cauchemars dans lesquels Mère le châtiait en lui brûlant la peau avec le bout de sa cigarette, tandis que des dragons au corps couvert d'écailles lui soufflaient leur haleine méphitique au visage. Il avait beau pleurer, crier, personne ne venait à son secours. L'épée tirée, Hagen guettait dans l'ombre, silencieux et immobile, sans lui laisser le moindre espoir.

Sean Ferguson contempla longuement l'homme qui avait assassiné sa femme, et pour la toute première fois de son existence, une violente envie de meurtre le saisit. Il eût aimé prendre un oreiller, le poser sur le visage du dément et appuyer, appuyer jusqu'à ne plus entendre le souffle haletant de l'homme, jusqu'à ce que son sang impur cessât de couler dans ses veines.

Mais Schwartz hoqueta. Agitée de spasmes, sa main se crispa sur son drap trempé de sueur et toute velléité meurtrière quitta Ferguson. Tuer cet homme ne servirait à rien, mieux valait jouer de ruse, comme le préconisait Duval.

Ferguson-Kaminsky inhala profondément l'air vicié de la chambre, puis se pencha vers son patient.

— Réveillez-vous, monsieur Schwartz.

Ce dernier répondit par un gémissement plaintif.

— Allons, monsieur Schwartz, tout va bien.

L'homme se réveilla en sursaut, l'œil exorbité, ruisselant de sueur.

— Tout va bien à présent, répéta le faux médecin. Ce n'était qu'un cauchemar.

— Où est-il ? articula Schwartz d'une voix sifflante.

— Qui donc ?

— Hagen... Il était ici, je l'ai vu...

— M. Hagen est rentré chez lui. Mais je veux vous parler de votre état, afin que vous acceptiez de vous faire soigner.

Schwartz secoua faiblement la tête de gauche à droite.

— Où est Hagen ?

— Je vous l'ai dit : il est parti.

— Je ne vous crois pas.

— Écoutez-moi, monsieur Schwartz, déclara patiemment Ferguson en prenant place au chevet du malade, ce que j'ai à vous dire est de la plus haute importance.

— Vous voulez que ma chair se mélange au métal, murmura le dément.

— Oui, je veux vous implanter un stimulateur cardiaque. Vous souvenez-vous du patient qui s'est fait mordre par un héloderme ? Vous souvenez-vous quand je vous disais que son cas était désespéré ? Qu'il était trop tard ?

— Je me souviens ; je me souviens de chacun de vos mensonges...

— Je ne mentais pas, monsieur Schwartz : l'homme est mort. Il est mort parce que nous n'avons pas pu lui donner le traitement approprié ; et à moins que vous nous aidiez, vous allez connaître le même sort, monsieur Schwartz.

— Je ne vous crois pas.

— Que vous faut-il pour que vous me croyiez, monsieur Schwartz ? Vous voulez peut-être voir son cadavre ? Peut-être me croirez-vous après cela...

Les yeux du malade n'étaient plus que deux fentes étroites d'où ne filtraient que méfiance et suspicion.

— Vous êtes tous des menteurs.

— J'aimerais vous mentir, monsieur Schwartz, mais ce n'est malheureusement pas le cas.

Ferguson se leva et alla ouvrir la porte attenante à la chambre voisine.

— Entrez, infirmier, commanda-t-il.

Un homme vêtu d'une blouse verte entra, tirant une civière recouverte d'un drap blanc.

— Oui, docteur ? fit l'aide-soignant.

— Amenez cette civière jusqu'ici, je vous prie.

— Qu'est-ce que c'est encore ? geignit Schwartz.

Le pseudo-médecin ne répondit pas. Rapprochant la civière, il découvrit le visage livide de Chris Webber.

— Cela pourrait être n'importe qui, protesta faiblement Schwartz, le souffle haletant. Des tas de gens meurent à l'hôpital tous les jours.

— Examinez donc sa main, l'exhorta Ferguson. Vous savez reconnaître une morsure d'héloderme, n'est-ce pas ?

— Non, protesta le malade en détournant la tête.

— Je veux vous prouver que je ne mens pas.

— Emmenez-le, je refuse de le voir.

— Mais si, mais si, insista Ferguson, en exhibant la main suturée de Webber. Voulez-vous que je rapproche la civière ?

— Non !

Schwartz gardait les paupières obstinément fermées. Le souffle court, le cœur bondissant sauvagement dans la poitrine, il était le siège d'un immense effroi. De toute sa vie, il n'avait vu qu'un cadavre et n'avait jamais pu l'oublier : Mère, le teint cireux et froid, Mère avec ses cheveux bouclés et ses yeux clos à jamais.

— Regardez donc, l'encourageait Ferguson. Ouvrez les yeux et regardez. Vous pouvez même le toucher, si vous le désirez. Vous comprendrez ensuite que je ne mens pas au sujet du stimulateur cardiaque.

— Non ! cria une dernière fois Frederick Schwartz avant de perdre connaissance.

Joe faisait les cent pas. De temps à autre, le grand miroir au-dessus de la cheminée du salon lui renvoyait son propre reflet. Il avait vieilli de dix ans. Sur son visage amaigri, son nez semblait plus long ; son regard égaré allait d'un objet à l'autre sans le voir. Mais plus significatif encore était le pli de sa bouche aux commissures tombantes, et la grande amertume que ses lèvres étroitement scellées semblaient vouloir contenir. Rien de surprenant à ce que Jess ait eu l'air dubitative quand il avait prétendu que ses problèmes n'étaient pas insurmontables. La porte s'ouvrit. Il se retourna d'un bloc.

— Rien à faire, annonça Ferguson.

Chris Webber entra à sa suite. Son visage gardait encore des traces du fond de teint dont une infirmière lui avait savamment recouvert le visage. Sa main blessée, qu'il avait plongée dans de la glace au cas peu probable où Schwartz aurait voulu en éprouver le contact, commençait à se réchauffer un peu. Cependant, sa pâleur était bien réelle tout comme l'éclat fiévreux de son regard.

— Il ne vous a pas cru, avança Joe.

— Oh, que si ! À tel point qu'il s'est évanoui.

— Alors ? Que fait-on, à présent ? voulut savoir Chris.

La porte s'ouvrit à nouveau pour livrer le passage à Morrissey, suivi de Lucas Ash et de Tony Valdez.

— Nous avons deux mots à dire au lieutenant Duval, annonça-t-il sans ambages. Si vous voulez bien nous excuser...

Webber et Ferguson quittèrent la pièce sans un mot.

— Je veux opérer immédiatement, déclara Ash, d'un ton résolu. Je comprends vos sentiments, et croyez bien que j'aurais préféré le faire dans de meilleures conditions. Mais compte tenu des circonstances, je crois que nous devons procéder immédiatement.

— Je suis de cet avis, ajouta Valdez.

— Je n'en ai pas encore fini avec Schwartz, déclara Joe, sentant une nouvelle vague de panique le submerger.

— La salle d'opération est prête, poursuivit Ash, mon personnel aussi. Les artificiers et la moitié du service d'incendie de Chicago sont en état d'alerte... Pour être franc, lieutenant, j'ai l'impression que vos craintes personnelles ont pris le pas sur votre jugement professionnel.

— Qu'est-ce qui vous permet de l'affirmer, docteur ? demanda Joe d'un ton glacial.

— Le fait que dimanche matin, quand nous nous sommes entretenus pour la première fois, j'ai eu la nette impression que vous considériez ma présence à Hawaï comme un manquement à mes obligations, un peu comme si j'étais personnellement responsable de l'état du stimulateur que j'ai implanté à votre sœur. À présent, je comprends vos motifs : Lally courait un grand danger, et chaque seconde comptait. Mais ce danger existe encore, quelles que soient vos craintes à l'idée de ce qui pourrait advenir au cours de l'intervention.

— Pourquoi ? Vous n'éprouvez pas de craintes ? Vous devriez, pourtant... ricana tristement Joe.

— Mais bien sûr que si ! Écoutez, lieutenant, j'ignore quelles sont vos intentions au sujet de cet homme et je ne veux pas les connaître. Mais vous devez comprendre qu'advenant le cas où il passerait aux aveux, rien ne nous assure qu'il aura dit la vérité. Nous serons toujours dans l'inconnu et, d'une façon ou d'une autre, nous n'aurons d'autre issue que de procéder au retrait du stimulateur.

— Il a raison, lieutenant, approuva Morrissey.

Joe ne répondit pas. Ash avait raison en tout point, et s'il hésitait, c'était uniquement parce qu'il craignait pour la vie de Lally. Il comprit que s'il ne prenait pas une décision séance tenante, ses craintes pouvaient la tuer. Ash consulta sa montre :

— Il est quatre heures quarante-deux, messieurs. Avec votre permission, je vais réveiller Mlle Duval et lui demander de se préparer pour l'intervention. Elle sera en salle d'opération à cinq heures quinze exactement.

Joe regarda fixement le médecin. À l'instar de Lally quelque deux semaines plus tôt, il en conçut un certain trouble, avec la pensée absurde qu'un visage aussi parfait ne pouvait totalement inspirer confiance.

— Quatre heures quarante-trois, annonça Valdez.

Durant les minutes qui suivirent, Joe se remémora Jack Long, Marie Ferguson, Sam McKinley et Alice Douglas, et toutes les autres victimes qui vaquaient à leurs occupations, ignorant le danger qui les menaçait. Pourtant, le seul visage qui s'imposait à son esprit était celui de Lally. L'espace d'une seconde, il chercha frénétiquement en lui quelque inspiration divine, mais ne trouva rien.

— Allez-y, dit-il enfin.

Chris et Ferguson regardèrent le cardiologue et l'artificier quitter la pièce et s'éloigner d'un pas décidé dans le couloir. Sans échanger un mot, ils comprirent qu'une importante décision venait d'être prise. Puis, ils entrèrent dans le bureau de Morrissey. L'air catastrophé de Joe leur apprit ce qu'ils voulaient savoir.

— Ça y est ? Ils vont l'opérer ? demanda le journaliste.

— À cinq heures quinze, acquiesça Morrissey.

— Et maintenant ? Que fait-on ? demanda Webber.

— On attend, déclara le médecin.

— Comment cela ? protesta Webber en s'adressant à Joe. Nous abandonnons, c'est ça ? Nous baissons les bras ?

— Non, répondit lugubrement Joe, nous nous accordons seulement quelques instants de réflexion.

— En quittant cette pièce, j'ai eu l'impression qu'une idée vous trottait derrière la tête, dit Ferguson.

— En effet.

— Peut-être devrions-nous laisser le lieutenant Duval récupérer quelques instants, intervint Morrissey. Il a peut-être envie d'aller voir sa sœur. Il serait bon qu'il prenne quelques minutes de repos.

— Il se reposera plus tard, quand ce sera fini, quand nous aurons tout essayé, objecta Webber.

Cette dureté, toute de circonstance, ne lui ressemblait pas,

Chris en était conscient, tout comme de l'état d'épuisement de Duval. Mais peut-être les nouvelles forces qui l'animaient à cet instant n'étaient-elles qu'illusoires, nées du fait qu'au bout du compte, son heure n'était pas venue. Pourtant, il restait persuadé qu'avoir survécu à la morsure de l'héloderme n'avait d'autre but que de contribuer au sauvetage de Lally, même si, selon toute apparence, seul Ash en avait le pouvoir. Duval semblait à bout de forces et, mieux que quiconque, Chris savait dans quel pétrin se trouvait le policier et les ennuis qui en découleraient. Et pendant ce temps, à quelques pas de là, un *salaud,* une *ordure,* les faisait tous danser comme des marionnettes. Il voulait bien être damné s'il restait les bras croisés, quand il subsistait encore une chance de lui faire rendre gorge.

— Quel est votre plan, Duval ? demanda-t-il avec hargne.

— Schwartz est-il toujours sans connaissance ? demanda le policier à Morrissey. Je voudrais qu'il le reste encore quelque temps.

— À la bonne heure... murmura Webber, soulagé de voir Joe reprendre du poil de la bête.

Morrissey parut réfléchir, puis se leva, comme à contrecœur.

— Je vais aller lui administrer un sédatif. Il dormira encore une heure.

— Merci docteur, fit Joe en le voyant sortir.

— Qu'avez-vous l'intention de faire ? s'enquit Ferguson.

— Une dernière tentative. Si elle ne marche pas, c'en est fait de nous. Cette fois, vous n'intervenez pas, précisa-t-il à l'intention de Webber.

— Très bien, fit ce dernier, aussi longtemps que vous ne baissez pas les bras.

— De quoi s'agit-il ? reprit Ferguson.

— Cette fois, nous entrons de plain-pied dans l'illégalité.

— Voilà longtemps que Schwartz y trempe jusqu'au cou.

— Je crois qu'il existe encore un moyen de le faire céder, dit Joe.

— Eh bien, dans ce cas, allez-y, l'encouragea Chris.

— Le Dr Morrissey n'appréciera pas du tout...

— C'est pourquoi nous ne lui dirons rien, conclut Sean Ferguson.

39

Le mardi 26 janvier

— Tout cela m'a un petit air de déjà vu, murmura Lally en entrant dans la salle d'opération.

Il était cinq heures et quinze. Au-dehors, dans le froid de l'hiver, tout pouvait être encore sombre et silencieux, mais dans la salle d'opération, plus rien ne comptait, ni temps ni saison. Après avoir salué Joanna King et Bobby Goldstein, Lally fit le tour de la salle : de grands panneaux de contreplaqué recouvraient les parois vitrées comme on le fait pour l'arrivée imminente d'un cyclone. Elle remarqua également l'absence de bouteilles d'oxygène, mais ce qui la bouleversa le plus, ce furent les deux personnages en costumes d'astronautes en train de s'entretenir avec Lucas Ash à l'extrémité de la salle.

— Les artificiers... expliqua laconiquement Joanna King.

Détournant le regard, Lally tenta de concentrer son attention sur la radiologue, aussi élégante et sculpturale qu'elle se la rappelait, et sur le visage aimable et rieur de Bobby Goldstein.

— Je vous suis infiniment reconnaissante de vous être déplacés pour moi, dit-elle, mais croyez-vous que ce soit bien prudent ?

— Nous n'aurions manqué cela pour rien au monde, répondit Joanna.

— Personnellement, renchérit Goldstein, je suis venu ici pour la pizza. Saviez-vous que la première pizza a vu le jour ici, à Chicago ?

— Je croyais que c'était en Italie, objecta la radiologue.

— Pas la vraie, corrigea Goldstein. Celle-là a été préparée dans un restaurant appelé *Pizzeria Uno*, ici même, à Chicago, où je propose par ailleurs que nous nous retrouvions une fois cette affaire réglée.

— J'en suis, dit Lally.

Avant qu'on la conduisît en salle d'opération, Joe avait accompagné Webber jusqu'à la chambre de Lally. En le voyant, la jeune femme avait été transportée de joie, même si la main bandée et le visage défait de son soupirant lui prouvaient que ses inquiétudes étaient fondées. Quelques secondes plus tard, Hugo apparaissait à son tour. Mais l'heure n'était plus aux confrontations, déjà on installait la jeune femme dans son fauteuil roulant pour la conduire au troisième étage. Lally avait embrassé les trois hommes avec une égale chaleur, en leur interdisant de la suivre. Non sans un certain soulagement, elle avait vu les portes de l'ascenseur se refermer sur les visages rongés d'inquiétude des hommes qu'elle aimait le plus au monde, chacun d'une façon différente.

— Comment était-ce en Floride ? s'enquit Joanna.

— Merveilleux.

— Nous avons entendu dire que votre soupirant vous en a ramenée dans un avion privé ; est-ce vrai ? demanda Goldstein, la paupière clignotante derrière ses lunettes.

— Tout à fait ; sauf que ce n'est pas mon soupirant.

— Pourtant, il en a tout l'air, hasarda Joanna.

— Désolé de vous avoir fait attendre, Lally, intervint Lucas Ash, plus séduisant que jamais, en se détournant des astronautes. Si vous êtes prête, nous pouvons commencer.

— Je suis prête.

Un des hommes retira sa combinaison, et Lally reconnut le policier Valdez.

— Salut, Tony.

Quelles que fussent les circonstances, ce dernier ne semblait jamais se départir de son calme olympien.

— Je tiens à vous dire que nous sommes tous ici persuadés que cette opération n'a pas de raison d'être, sourit-il. Toutes les précautions qui vous entourent ne sont en réalité que simple précaution.

La gorge serrée, Lally ne sut que répondre.

— Bien, fit Ash. Voulez-vous monter sur cette table, Lally, que nous puissions commencer ? J'aurais pu procéder à cette intervention comme la première fois, dans mon laboratoire, mais cet endroit semble mieux convenir au reste de l'équipe. De toute manière, n'ayez crainte, l'opération se déroulera exactement de la même façon que la première fois, aussi je vous épargnerai des explications inutiles pour vous préciser simplement que nous procéderons en sens inverse, rien de plus.

— Et ensuite ?

— Ensuite vous respirerez profondément et je vous poserai un autre stimulateur, dont je m'empresse de vous dire qu'il n'aura pas été conçu chez Hagen Pacing.

— Pauvre M. Hagen, dit Lally, quand il m'a téléphoné, il semblait si bouleversé.

— Je le sais, acquiesça Ash. Je lui ai parlé, moi aussi.

Assise sur la terrifiante table d'opération, Lally ne s'était jamais sentie aussi vulnérable. Elle se rappela ses craintes, lors de la première intervention, crainte de la procédure, crainte de la douleur, crainte de l'inconnu, crainte de la mort... Elle revit Charlie Sheldon lui disant que l'implantation d'un stimulateur ne ressemblait en rien à une promenade à la campagne, mais n'était pas plus terrible que de se faire arracher une dent. Elle savait à présent que, comparée à celle qui allait venir, la première opération avait vraiment été une promenade à la campagne.

— De la musique... dit-elle soudainement.

Des regards étonnés convergèrent dans sa direction.

— La dernière fois, il y avait du Mozart, bredouilla-t-elle.

— Désirez-vous entendre encore du Mozart ? s'enquit Ash.

— Je préférerais Prokofiev, mais peu importe.

— Nous n'avons pas de Prokofiev, annonça Joanna. Est-ce que Tchaïkovsky ferait l'affaire ?

— Dans ce cas ce sera Mozart, décida la jeune fille.

— Va donc pour Mozart...

Valdez s'approcha de la table, une paire de lunettes protectrices à la main.

— Je n'en veux pas, fit Ash avec irritation. Rien ne doit gêner ma vision.

— Ce n'était pas pour vous, docteur, mais pour Mlle Duval, au cas où.

— Excusez-moi, intervint Lally, surprise par le calme de sa voix, mais si le pire doit arriver, je ne crois pas qu'il y ait lieu de s'inquiéter de mes yeux.

— Très bien, concéda l'artificier.

— Quelqu'un a-t-il autre chose à ajouter avant que nous commencions ? demanda Ash à la cantonade.

Personne ne dit mot. Seules les premières mesures d'un concerto de Mozart lui répondirent.

Assis côte à côte dans la salle d'attente, Chris et Hugo rongeaient leur frein en silence, chacun plongé dans des pensées remplies de peur, de colère et d'impuissance. Sur la cheminée, une pendule égrenait son tic-tac. Le jour se levait, la ville qui s'éveillait faisait entendre ses premières rumeurs tumultueuses.

De temps à autre, Hugo lançait un regard furtif à Webber et son bras en écharpe. Visiblement, l'homme sortait d'un mauvais pas, et bien que personne n'y eût jamais fait allusion, le jeune homme sentait confusément que Lally en était la cause. Il avait l'impression d'être assis auprès d'une sorte de héros. S'il ne portait déjà pas Webber dans son cœur, il éprouvait aujourd'hui envers lui une profonde détestation, ainsi qu'envers lui-même pour n'avoir su apporter à Lally l'aide dont elle avait besoin, alors qu'il la connaissait depuis plus longtemps que son rival.

En d'autres circonstances, Chris, conscient de la rancœur dont il était l'objet, eût éprouvé de la commisération pour le jeune homme; mais pour l'heure, les sentiments qu'il éprouvait envers lui-même le lui interdisaient. En premier lieu, il se sentait coupable, coupable d'avoir abandonné Andrea et Katy, coupable aussi envers Lally, puisque ni son intrusion dans l'appartement de Schwartz ni son petit numéro de cadavre n'avaient porté leurs fruits. Ces initiatives lui paraissaient d'autant plus vaines qu'à cet instant précis, Lally était en salle d'opération, seule face à son cauchemar. Pis encore, faisant fi des admonestations de Morrissey sur son état de santé, Chris avait tant insisté que le médecin avait finalement consenti à ce qu'il rendît une brève visite à Lally, sans soupçonner un instant que son allure chancelante, son teint hâve et sa main bandée ne feraient qu'ajouter aux tourments de la jeune femme. Non... décidément, il n'y avait vraiment pas de quoi pavoiser...

Une porte s'ouvrit laissant apparaître Morrissey. En un instant, Hugo fut près de lui, pendant qu'à son désarroi, Chris se rendait compte que ses jambes pouvaient à peine le porter.

— Du nouveau? demanda le jeune homme.

— C'est encore trop tôt, répondit le médecin.

Puis, s'adressant à Chris :

— Vous devriez aller vous reposer.

— Impossible.

— Essayez au moins de vous allonger...

— J'y songerai, fit Chris sans bouger.

— Comment vous sentez-vous ?

— Beaucoup mieux, merci.

— Pourquoi nous oblige-t-on à attendre ici, et non près de la salle d'opération ? s'emporta Hugo.

— Parce qu'un périmètre de sécurité a été établi, déclara Morrissey, et tout le monde doit s'y conformer, même moi.

Les trois hommes en comprirent la raison et frissonnèrent.

Malgré la musique enchanteresse de Mozart, il régnait dans la salle une atmosphère à couper au couteau. Alors que Lucas Ash lui administrait un anesthésiant, Lally ferma les yeux et tenta de se projeter hors du lieu et du temps. Se remémorant Chris et le triste état dans lequel elle l'avait retrouvé, elle se dit que son instinct ne la trompait pas quand elle s'inquiétait pour lui. Forte de cela, il ne faisait maintenant plus l'ombre d'un doute qu'elle était follement éprise de lui. Derrière ses paupières baissées, elle tenta de brosser le portrait de l'homme qui l'avait retrouvée sur les quais de Key West, le soulagement qu'elle avait lu sur son visage en la revoyant. Lui revinrent alors pêle-mêle à l'esprit le vol mouvementé pour Chicago, la soirée qu'ils avaient partagée dans la maison de Stockbridge, alors que Katy dormait à l'étage, et le père aimant et le mari attentionné qu'il était. Et malgré cela, il n'avait pas hésité à voler à son secours. Elle n'avait guère eu, jusqu'ici, l'occasion de lui exprimer sa gratitude, et peut-être était-ce mieux ainsi, puisque Andrea était toujours sa femme et que, malgré leurs problèmes conjugaux, ils continuaient de partager la même existence. Mais c'était quand même bon de penser à Chris, de songer à son visage, à sa force, cela l'aidait à mieux affronter l'épreuve à venir.

— Nous allons commencer, annonça le cardiologue. Vous comprenez comment va se dérouler l'opération, n'est-ce pas ?

Incapable de parler, Lally opina de la tête.

— Dès que nous aurons débranché votre stimulateur cardiaque, un appareil externe prendra le relais en attendant que le nouveau soit en place. Entre-temps, tout ce que je vous demande, c'est de ne pas avoir le hoquet.

Lally sentit plus qu'elle ne vit les artificiers dans leurs costumes d'astronautes se rapprocher de la table ; elle sentit aussi monter la tension comme le mercure d'un thermomètre. Alors que le cardiologue se penchait sur son écran, Valdez semblait planer au-dessus d'elle, examinant les images de son stimulateur et des fils qui allaient jusqu'à son cœur. Puis ses yeux rencontrèrent le regard de Lucas Ash, clair, intense, déterminé. Lally comprit alors qu'elle pouvait se fier à lui, à la dextérité de ses doigts, et lorsqu'il lui demanda de se tenir parfaitement immobile, elle obéit sans discuter.

***

Schwartz recouvra ses esprits pour découvrir qu'il n'était plus dans sa chambre, mais dans une pièce glaciale aux murs blancs et dénudés, où flottait une étrange odeur de formol. Étendu sur une surface dure, ses membres étaient si étroitement entravés qu'il pouvait à peine bouger. Au-dessus de lui une silhouette l'observait.

— Qui êtes-vous ? articula-t-il péniblement.

— Je suis prêt, dit quelqu'un.

En clignant des paupières, sa vision s'éclaircit un peu. À sa gauche, en blouse verte, se tenait le Dr Kaminsky, le visage à demi caché par un masque de chirurgien, une seringue hypodermique à la main.

— Que se passe-t-il ? fit encore Schwartz en essayant de s'asseoir, sans se rendre compte que, debout derrière lui, un autre homme lui maintenait les épaules. Qu'allez-vous me faire ?

— Détendez-vous, monsieur Schwartz...

— Je veux me lever, se débattit faiblement le malade. Oh... mes jambes... mes yeux... Je ne vois rien.

— C'est l'effet du sédatif que nous vous avons administré, expliqua Kaminsky d'un ton apaisant. À présent, essayez de rester calme.

— Qu'avez-vous l'intention de me faire ? geignit le malade d'une voix à peine audible.

— Nous nous préparons à vous poser un stimulateur cardiaque, annonça Kaminsky d'un ton enjoué.

Schwartz secoua la tête avec véhémence.

— Non, je vous ai dit que je n'en voulais pas.

— Vous avez signé un document à cet effet, monsieur Schwartz.

— Je n'ai rien signé du tout !

— Que si, au moment où vous avez quitté le Chicago Memorial, vous souvenez-vous ? fit le soi-disant médecin en faisant gicler un peu de liquide de sa seringue comme il l'avait vu faire des centaines de fois au cinéma. Nous avons pour devoir de vous sauver la vie, monsieur Schwartz, avec ou sans votre consentement, notre code de déontologie nous y contraint.

— Mensonges, grommela l'homme, mensonges...

— Désolé, monsieur Schwartz...

— Mais vous aussi vous pouvez sauver des vies, monsieur Schwartz, souffla une voix à l'oreille du malade.

— Qui êtes-vous ? sursauta ce dernier, terrorisé, alors qu'apparaissait un autre homme masqué. Êtes-vous Hagen ?

— C'est ta dernière chance, Siegfried, reprit la voix.

— Oh, mon Dieu... Mon Dieu... aidez-moi.

— Aidez-nous, et il vous aidera, monsieur Schwartz.

L'homme se rapprocha, et le malade vit que ce n'était pas Hagen, mais le lieutenant de police, brandissant une liasse de documents. Alors, étrangement, tout redevint clair dans son esprit : les stimulateurs cardiaques, les minutes de son œuvre, l'œuvre de sa vie, l'instrument de sa vengeance...

— Vous bluffez, lieutenant.

— Non, je vous en donne ma parole.

— Je ne vous crois pas.

— C'est votre dernière chance d'être Siegfried, le véritable héros, plutôt que l'un d'*eux*...

— De chair et de métal... ajouta une autre voix.

Tournant la tête, Schwartz vit Kaminsky brandissant sous son nez un de ses – ô combien familiers – stimulateurs cardiaques.

— Homme et métal, reprit le faux médecin. Est-ce cela que vous redoutez le plus, Siegfried ? Plus que la mort ? Plus que Hagen ?

— Allez-vous enfin nous dire ce que nous voulons savoir ?

De l'autre côté du lit se trouvait le lieutenant, ses satanés papiers à la main. Son regard semblait si froid, si calme, si... diabolique.

— Dernière chance, monsieur Schwartz...

Et toutes les peurs qui avaient hanté Frederick Schwartz, depuis ses premiers cauchemars jusqu'à son indicible horreur des stimulateurs, se mirent à virevolter dans sa tête, balayant toutes ses pensées, lui faisant oublier son désir de justice et de vengeance si longtemps réprimé, transformant son sang en glace et ses viscères en eau.

— Je vais tout vous dire, souffla-t-il.

— Êtes-vous prêt à le jurer ? le pressa le policier, un masque de froideur sur le visage.

Kaminsky tenait toujours le stimulateur à quelques millimètres de son visage au point qu'il aurait pu en goûter la saveur métallique du bout de sa langue.

— Je le jure, murmura Schwartz, sur la mémoire de ma mère. Je vous dirai tout...

Ferguson-Kaminsky se détourna, tandis que Joe se rapprochait du dément.

Lally tenait ses yeux hermétiquement clos, quoiqu'elle sentît nettement le souffle du Dr Ash dans son cou, léger et régulier comme chacun de ses gestes.

— Je l'ai, annonça posément le cardiologue.

La jeune femme perçut une vague agitation autour d'elle.

— Le stimulateur externe a pris le relais, Lally. Comment vous sentez-vous ?

— Assez bien, merci.

Une autre minute s'écoula avant que la voix d'Ash se fît à nouveau entendre :

— Il est sorti.

Lally ouvrit à demi les paupières et le vit, reposant dans la main gantée de latex. Elle se tenait rigoureusement immobile, osant à peine respirer, quand elle perçut un mouvement à sa droite et vit une autre main pesamment gantée se saisir de l'appareil.

— Prenez garde qu'il ne vous glisse pas entre les doigts, avertit Ash.

Et c'est exactement ce qui arriva.

— Mon Dieu !

La suite se déroula comme dans un film au ralenti : la petite boîte échappant à la main gantée et tournoyant quelques instants dans l'air avant de retomber...

— Non !

L'interception de Joanna King fut la plus gracieuse, la plus sublime que l'assistance eût jamais vue. Les mains tendues en coupe attrapèrent l'appareil au vol, tandis qu'en pleine extension, son corps s'abattait violemment sur le sol.

Personne n'osa souffler mot, jusqu'à ce qu'une paire de mains gantées se saisissent de l'appareil, avec mille précautions, cette fois. Tournant imperceptiblement la tête, Lally vit l'objet disparaître dans un petit contenant, lequel fut glissé dans un autre beaucoup plus grand. Puis les deux astronautes s'en saisirent et se dirigèrent calmement vers la sortie. Avant que les portes se fussent refermées sur les deux hommes, pendant un bref instant, des murmures et des chuchotements prudents, presque conspirateurs, lui parvinrent. Et ainsi fut fait : le stimulateur cardiaque fabriqué par la société Hagen Pacing n'allait plus être bientôt qu'un mauvais souvenir.

Goldstein alla vers Joanna et, la main tendue, l'aida à se relever.

— Quel magnifique plongeon, fit-il avec un sourire.

— Je ne suis pas mécontente de moi, en effet, lui répliqua la jeune radiologue.

Sur la table d'opération, Lally se sentit gagnée de sentiments confus et contradictoires, quelque chose entre les rires et les larmes, une panique rétrospective et un indicible soulagement.

— Si mon cœur a pu survivre à cela, dit-elle d'une voix chevrotante, il pourra résister à n'importe quoi.

Lucas Ash lui prit la main et la garda un moment dans la sienne.

— Prête pour la deuxième étape ?

— Prête, dit-elle, les yeux humides d'émotion.

40

Le mardi 26 janvier

— Comprenez-vous que vous avez le droit de garder le silence ? annonça Joe à Schwartz avec Ferguson comme seul témoin. Comprenez-vous que tout ce que vous direz pourra être retenu contre vous ?

Le nombre de fois que Joe avait enfreint la loi au cours des dernières dix-huit heures ne se comptait plus. En plus d'avoir bafoué les droits les plus élémentaires du citoyen, il avait mis la vie de plusieurs personnes en danger, gravement porté atteinte à l'intégrité d'un membre éminent du corps médical, et sa vie entière ne suffirait pas à racheter tous les mensonges qu'il avait proférés sans vergogne. Il avait fait cela parce que l'idée de savoir Schwartz en liberté lui était insupportable, parce qu'une fois lancée la machine, il ne pourrait jamais revenir en arrière. D'aucuns soutiendraient que ses actes lui avaient été dictés par des raisons d'intérêt supérieur, sans que ce fût une excuse pour autant.

Il persista, pourtant, et signa en lisant ses droits à Schwartz ici même, dans le laboratoire de la clinique Howe, tout conscient de l'état de prostration et d'aliénation de l'individu qui rendait sa démarche caduque, pendant que Ferguson, désireux de venger la mort de sa chère Marie, continuait de jouer les médecins et balançait, telle une épée de Damoclès, le stimulateur cardiaque sous le nez de l'homme. Pour ce qui était du journaliste, Joe le savait prêt à tout, à mentir, à se parjurer devant un tribunal si nécessaire, non pas pour venir en aide au médiocre policier qu'il

347

était, mais parce que Schwartz, ou Siegfried, ou quel que fût le nom qu'il s'était choisi, avait assassiné sa femme. C'est pourquoi le lieutenant Joseph Duval n'ignorait pas non plus qu'il pourrait continuer à enfreindre toutes les règles de déontologie policière jusqu'à l'heure fatidique, sans que ce témoin privilégié n'en souf-flât mot à quiconque.

Les sédatifs, ajoutés aux bêtabloquants et aux températures extrêmes auxquelles Schwartz avait été soumis, induisaient que son réveil serait long et laborieux. Cela ne l'avait pourtant pas empêché de reconnaître le bon document, et Joe savait déjà que l'idée des colles conductrices n'était que pure invention, tout comme il savait que, à partir du moment où il avait commencé à parler, Schwartz ferait des aveux complets. C'était le cas pour de nombreux meurtriers qui, confondus, éprouvent un immense soulagement à confesser leurs forfaits au point d'en oublier leurs droits. D'autres, au contraire, poursuivent leur rêve, se répandent en détails comme si le projet dont ils s'enorgueillissaient était en passe de se réaliser. Joe était confiant que Schwartz appartenait à l'une ou à l'autre catégorie, aiguillonné par la peur de Kaminsky et de son petit boîtier.

À huit heures moins cinq, alors que Lally se remettait de ses émotions, et que les dirigeants de la Hagen Pacing collaboraient diligemment avec la police et le FBI afin de retracer les victimes présumées de Schwartz, Joe Duval décida de téléphoner à son supérieur. Dans la demi-heure qui suivit, Cohen enregistrait les aveux de Schwartz dans la chambre de la clinique Howe. L'af-faire prenant un tour favorable, Joe se prit à penser que, même si le lieutenant Joseph Duval était passible de nombreux chefs d'accusation, au moins avait-il une raison d'espérer que Frederick Schwartz n'échapperait pas à la justice.

— Tout a commencé en août dernier, annonça Schwartz. Une fin de semaine, c'est tout ce qu'il m'a fallu pour mettre mon projet au point, même si, en fait, j'y pensais depuis toujours.

Si les mains étaient encore agitées de légers tremblements, la voix était plus assurée, à présent. Attentifs, Joe et Cohen se tenaient cois. Ils savaient que l'homme allait passer aux aveux, sans qu'il fût nécessaire de l'y forcer. Cela se sentait dans l'air, comme chaque fois qu'un meurtrier qui leur avait donné du fil à retordre s'apprêtait à confesser ses crimes.

— Ce fut un jeu d'enfant pour moi, continua Schwartz. J'ai entrepris mes travaux la dernière semaine de septembre : six appareils deux fois par semaine pendant huit semaines, quatre leurres, deux réellement piégés. J'aurais facilement pu en faire plus, beaucoup plus. Si j'avais voulu, j'aurais pu tuer des centaines de gens ; mais je ne suis pas violent de nature. C'était assez pour les punir.

— Qui vouliez-vous punir ? demanda Joe.

— Vous le savez bien...

— Dites-le-nous quand même...

— Les médecins, tous ceux qui ont menti, qui se sont moqués d'elle, articula l'homme, le regard perdu dans le vide. Mais lui, surtout, lui...

— Qui est « lui », monsieur Schwartz ?

— Hagen, bien sûr, répondit ce dernier avec l'accent allemand. *Hahgen...*

— Connaissez-vous son nom en entier ? demanda Joe, afin qu'il n'y eût aucune confusion dans la lecture de l'enregistrement.

— Albrecht Hagen... Il voulait me tuer...

— Qu'est-ce qui vous le fait croire ?

— C'était écrit, Mère me l'a dit. Hagen tue Siegfried, tout le monde sait cela.

— Et qui est Siegfried ? voulut savoir Cohen que ces révélations ne laissaient de surprendre.

— *Je* suis Siegfried, se rengorgea le dément.

Joe ferma les yeux, histoire de s'accorder quelques instants de répit. Voilà, c'était fait. Quelle que fût la manière dont il chercherait plus tard à se tirer d'affaire, quoi que pût arguer son avocat pour sa défense, Frederick Schwartz ne serait jamais remis en liberté, ne fût-ce que pour cause d'aliénation mentale.

Lally était sauve et les autres victimes avaient encore une chance. Pour Joe, c'était plus qu'il n'en espérait.

Douze heures plus tard, Chris Webber se débattait encore entre colère, soulagement et frustration. Que Lally fût tirée d'affaire et que Joe obtînt des aveux de Schwartz le ravissaient au-delà de toute expression. Mais s'il n'avait jamais osé imaginer ce qu'il adviendrait de lui et de cette femme dont il était profondément amoureux, il n'avait pas non plus envisagé de devoir la quitter séance tenante pour regagner Stockbridge.

— Que se passe-t-il ? lui demanda Lally, alors qu'il venait lui apprendre la nouvelle.

Il était vingt et une heures trente, et la jeune femme avait dormi une grande partie de la journée. Après l'intervention, Morrissey avait enjoint Chris de s'installer à la clinique comme patient afin de pouvoir se relever de ses épreuves et s'assurer que la morsure de l'héloderme n'occasionnait pas d'effets secondaires, et c'est ce qu'il avait fait.

— J'ai téléphoné à Katy, expliqua-t-il. Il semble qu'Andrea a quitté la clinique.

— Oh, je vois... fit timidement Lally.

— Non, ce n'est pas ce que vous croyez, répondit Chris en secouant tristement la tête. Elle a saccagé la maison, Lally ; elle est devenue incontrôlable. Je crains de devoir partir.

— Je comprends...

La chambre était silencieuse. Exténué, au bord de la crise de nerfs, Hugo avait été convié à prendre quelque repos au domicile de Joe, alors que ce dernier s'employait à se dépêtrer de ses problèmes professionnels. Schwartz était toujours sous bonne garde, à la clinique, où il resterait jusqu'au lendemain matin. Lucas Ash avait recommandé que Lally ne reçût aucune visite au cours des prochaines vingt-quatre heures ; mais sachant qu'il prendrait le premier vol pour Albany dès le lendemain, Chris s'était glissé jusqu'à la chambre de la jeune femme.

Elle avait l'air si adorable avec ses grands yeux gris un peu tristes, si vulnérable encore malgré son visage rayonnant de bonheur... Plutôt qu'une chemise de nuit, elle avait enfilé une chemise d'homme, et ses cheveux luisants de propreté flottaient librement sur ses épaules. Pas de maquillage, pas la moindre trace de rouge à lèvres, et pourtant Chris se disait que Lally était la femme la plus ravissante qu'il eût jamais rencontrée.

— Quand allez-vous tout me raconter ? s'enquit-elle.

— Vous raconter quoi ?

— Où vous étiez passé tout ce temps, ce que vous faisiez, ce qui est arrivé à votre main...

— Je ne peux en parler, répondit-il, à cause de Joe.

— Je le sais. Il m'a demandé de ne pas vous poser de questions.

— De toute façon, ce serait beaucoup trop long.

— Je sais que vous vouliez nous aider, Joe et moi.

— C'était vraiment peu de chose.

— Je ne vous crois pas. J'ai eu très peur, le saviez-vous ?

— Oui.

— Pas seulement pour moi-même, mais aussi pour vous. Quand je ne vous ai pas revu, après mon admission à la clinique...

— Croyez bien que je le regrette.

— Mais ce n'est pas un reproche, l'interrompit précipitamment Lally, c'est simplement que j'avais un affreux pressentiment à votre sujet. Je suppose qu'il s'agissait de ceci, ajouta-t-elle en effleurant de ses doigts la main bandée.

— Je le suppose aussi.

Le silence s'installa. En l'absence de patients dans les couloirs et avec la quiétude du soir, le calme était total. Même si elle s'était trouvée seule dans son salon, sans Hugo, sans télévision ni musique, sans même Nijinsky rôdant aux alentours, le silence n'aurait point été le même. Chez elle, il y avait le tic-tac de l'horloge franche-comtoise héritée de ses parents, les craquements rassurants de la vieille demeure, et puis il y avait aussi les oiseaux de nuit, le vent dans les arbres, les voitures qui passaient dans Lenox Road et les bruits de ses amis et voisins : claquements de portes, aboiements de chiens, éclats de voix, rires et pleurs...

— C'est trop tranquille ici, annonça-t-elle à Chris.

— Je sais.

— J'ai hâte de rentrer chez moi. Mais vous, Chris, je suppose qu'Andrea et Katy doivent vous causer beaucoup d'inquiétude. Quand je pense que tout cela est de ma faute...

— Qu'est-ce qui vous permet de dire une telle chose ?

— Si au lieu de partir à ma recherche vous étiez resté chez vous, vous auriez été présent quand Andrea avait besoin de vous.

— Cela est ma faute, pas la vôtre.

— Vous pensiez qu'elle était en sûreté, entre de bonnes mains, argua Lally.

— Eh bien, dans ce cas, ce n'est la faute de personne.

Lally se prit à songer à Andrea Webber, à sa violence, sa vulnérabilité, sa détresse.

— J'aurais dû insister pour que vous rentriez chez vous, après m'avoir ramenée ici, dit-elle d'un air coupable. Ce fut très égoïste de ma part de vous vouloir à mes côtés.

— Vous vouliez vraiment que je reste près de vous ?

— Oh... oui ! hésita Lally. J'y tenais beaucoup.

Quelques secondes se passèrent avant que Chris annonçât :

— Inutile de se le cacher : mon mariage est définitivement brisé.

— Vous ne pouvez en être sûr, pas encore, protesta Lally.

— Je le sais depuis longtemps. Je crois vous l'avoir déjà dit le soir où Katy a dormi chez vous, quand vous m'avez invité à dîner. À ce moment-là, j'avais besoin de me confier à quelqu'un et vous, simplement, vous avez accepté de m'écouter.

— N'importe qui en aurait fait autant.

— Non, et personne ne se serait occupé de Katy comme vous l'avez fait.

— Je n'ai fait que mettre mon nez dans une affaire qui ne me regardait pas.

— Vous l'avez fait parce que vous vous inquiétiez pour Katy.

— Je suis son professeur de danse, comment aurait-il pu en être autrement ?

— Quelqu'un d'autre s'y serait pris différemment, en passant par le canal officiel, je suppose. Vous pensiez que je battais Katy, n'est-ce pas ?

— Non, pas du tout...

Lally tenta de se rappeler quelles avaient été exactement ses pensées, mais elle se sentait si lasse que même réfléchir lui en coûtait. Elle expliqua néanmoins :

— Je savais que c'était possible, mais je ne le croyais pas, pas plus pour Andrea, d'ailleurs. Vous sembliez de si...

— ...bons parents ?

— Vous l'êtes, s'empressa d'ajouter Lally. Andrea adore Katy plus que tout au monde, c'est vous-même qui l'avez dit. Mais elle est malade, profondément perturbée... C'est la raison pour laquelle vous devez rentrer chez vous dès demain matin sans vous soucier plus longtemps de mon sort. Je vais très bien, à présent. Merci à vous...

— Et à un tas d'autres gens, renchérit Chris en prenant la main de la jeune femme dans sa main valide. Tout le monde semble vous aimer.

— J'ai cette grande chance, en effet.

— En particulier Hugo...

— Oui.

— Y a-t-il... commença le peintre en rougissant un peu, y a-t-il quelque chose entre vous ?

— Oui, acquiesça Lally sans égard pour le regard sombre que Chris posait sur elle, oui, une très grande amitié.

— Et c'est tout ?

— En ce qui me concerne, oui.

— Pauvre Hugo...

— Il était très soupçonneux à votre égard, sourit Lally.

— Pourquoi ? Il ne l'est plus ?

— Il ne peut plus vous détester à présent, après tout ce que vous avez fait pour moi, mais je crois que cela l'irrite un peu.

— C'est ce que j'ai cru ressentir aussi chez votre frère.

— C'est tout à fait prévisible.

— Si tous ces gens vous aiment et cherchent à vous protéger, c'est parce que vous êtes une personne hors du commun.

— Je n'ai pourtant rien de particulier.

— Oh, que si !

— C'est très aimable à vous.

Elle ferma les yeux quelques instants, et quand elle les rouvrit, Chris la regardait si intensément, d'un amour si profond, qu'elle eut envie de se jeter dans ses bras et de se blottir contre sa poitrine. Mais Andrea se dressait entre eux, aussi présente que si elle s'était trouvée dans la pièce ; elle ne bougea pas, n'esquissa pas le moindre geste ni ne dit un seul mot.

— Je dois vous laisser, maintenant, annonça Chris. Le Dr Ash me fustigerait s'il apprenait ma visite.

— Vous aussi, vous avez besoin de repos, répondit Lally en regardant la main bandée.

— Je vais très bien.

— Si c'était le cas, le Dr Morrissey ne vous aurait pas demandé de rester ici.

— Il l'a fait uniquement parce qu'il savait que je désirais rester près de vous.

Ils se turent encore quelques instants.

— L'avez-vous vu ? demanda-t-elle.

— Vous voulez dire, Schwartz ? Oui... en quelque sorte.

— Moi aussi, je l'ai rencontré.

— Joe m'en a touché deux mots.

— Il semblait si froid, si détaché... Je croyais qu'en me voyant il changerait d'attitude ; c'était vraiment très naïf de ma part. Je croyais que c'était quelqu'un comme tout le monde, qui n'avait agi que par amour pour sa mère, et que s'il était capable de tant d'amour, je parviendrais peut-être à le toucher.

— Peut-être y êtes-vous parvenue.

— Pas le moins du monde.

— Votre frère soutient qu'il a perdu l'esprit.

— N'empêche qu'il doit être singulièrement intelligent pour avoir ourdi une telle machination et réussi à duper ainsi des gens qui le côtoyaient depuis dix ans.

— C'est quand même bizarre, dit Chris. Chaque fois qu'on arrête un tueur de grande envergure, les voisins sont toujours là pour affirmer que c'était un homme charmant, normal, un peu solitaire, peut-être, mais sans histoire.

Prenant une longue inspiration, Lally expulsa lentement l'air de ses poumons. Nanti d'un stimulateur tout neuf, son cœur battait normalement. Elle connaissait la procédure, maintenant : encore quelques jours de clinique, puis elle pourrait regagner le Massachusetts, où Bobby Goldstein procéderait à une dernière mise au point de l'appareil. Finalement, ce serait le retour à la vie normale, comme le lui avait assuré Lucas Ash.

— Je crois que tout va bien se passer, à présent, dit-elle à Chris.

— Je sais, tout est terminé.

— Pour moi, du moins.

— Ne vous inquiétez donc pas des autres.

— Je ne peux m'en empêcher.

— Pensez plutôt à recouvrer vos forces.

— Mais je me sens très bien.

— En effet, vous resplendissez.

— Vraiment ?

— Je vous assure. Je vous trouve très belle.

— Non, je ne vous crois pas. Je suis trop maigre, trop grande, et mon nez est beaucoup trop long.

— Votre nez est parfait, vous pouvez m'en croire. N'oubliez pas que je suis un artiste.

— Viendriez-vous me dire au revoir avant de partir demain matin ?

— C'est que je pars très tôt.

— Peu importe.

— Et ce ne sera pas un adieu, précisa Chris.

— Bien sûr que non, nous nous reverrons ; d'ailleurs je compte reprendre très bientôt les cours et...

— Ce n'est pas ce à quoi je pensais.

— Je le sais.

Mais le visage d'Andrea était toujours présent à l'esprit de Lally.

— Je crois que je ferais mieux de dormir, décréta-t-elle sagement, et vous aussi.

Comme à regret, Chris se leva, un peu étourdi de fatigue et d'émotion.

— Je suis au bout du couloir, si vous avez besoin de quoi que ce soit.

— Je vous remercie, mais je ne pense pas.

— On ne sait jamais.

— Cessez donc de vous inquiéter pour moi, Chris.

— Plus facile à dire qu'à faire.

41

Le mercredi 27 janvier

À trois heures et demie du matin, Schwartz émergea de ses limbes cauchemardesques. On lui avait accordé suffisamment de repos pour qu'à présent il sentît une nette amélioration de son état. Sa respiration était plus facile et il transpirait beaucoup moins. De minute en minute, il recouvrait ses forces.

Le personnel de nuit lui rendait visite toutes les heures, et la dernière visite, au cours de laquelle on avait pris son pouls, sa température et sa tension artérielle, remontait à trois heures moins le quart. Une aiguille à perfusion était encore plantée dans la saignée du bras, alors que, à son grand bonheur, le moniteur cardiaque avait été emporté au cours de l'après-midi.

La chambre était agréablement fraîche, tout comme le contact de ses draps propres contre sa peau. Un peu de sommeil avait suffi pour que son esprit fût à nouveau en alerte, contrairement au jeune policier qui somnolait sur sa chaise, devant la porte. La tête affaissée sur la poitrine, il ronflait doucement, le cou un peu contraint par le col de sa chemise.

Schwartz n'ignorait pas qu'il lui restait très peu de temps. Puisque la morsure de l'héloderme n'avait pas eu raison de lui, il serait fort probablement transféré dans un hôpital de prison dans la matinée, et à ce moment-là, il serait trop tard.

Mère lui avait rendu visite durant son sommeil.

« Il y a un dragon, ici, en ces lieux », lui avait-elle dit.

Il était parfaitement éveillé à présent, très lucide, il voyait très clair en lui. Ne subsistaient plus aucune fièvre pour l'égarer, aucun policier pour le terroriser. Mère veillait sur lui et elle avait raison : il y avait un dragon à l'étage supérieur, là, presque au-dessus de sa tête, et Schwartz savait que son destin était de l'occire.

« Tu dois agir vite et sans bruit, avait soufflé Mère à son oreille. Il faut que tu te rendes invisible, que tu fourbisses ta grande épée... »

« Ils » avaient relâché leur vigilance. Pas aussi fou qu'« ils » se plaisaient à le dire, Siegfried s'était montré très docile, très obéissant envers « eux » et cela, jusqu'à ce que ce satané lieutenant et son complice aient terminé l'enregistrement de ses aveux. Ils le croyaient malade, amoindri, grabataire, et à présent qu'ils avaient eu ce qu'ils voulaient, ils allaient passer le reste de la nuit à compiler les informations qu'il avait bien voulu leur donner. Avec lui, ils en avaient fini, pour le moment du moins. Et ce malheureux garde qui dormait à poings fermés...

Lally dormait aussi. Quand le Dr Ash lui avait proposé un sédatif, elle l'avait refusé, l'assurant qu'elle n'en avait pas besoin, alors qu'en vérité, elle détestait les médicaments. Maintenant qu'elle avait échappé à la mort, elle désirait par-dessus tout re-prendre le plein contrôle de son existence. Elle voulait s'accorder le temps de muser, de ressentir les choses, agréables ou doulou-reuses, mais son entretien avec Chris l'avait épuisée, et finale-ment, la fatigue ayant pris le pas sur ses pensées et ses émotions, elle s'était endormie.

L'homme se tenait au pied du lit et la regardait fixement. Un éclairage indirect jetait sur la jeune femme juste assez de lumière pour qu'elle n'en fût pas incommodée. Elle avait l'air plus sereine que la veille, quand elle était venue mendier sa pitié. C'était une femelle au visage ovale de madone dont les longs cheveux épars faisaient ressortir la pâleur ; un visage, certes, on ne peut plus humain, sauf que Siegfried n'était pas homme à se laisser tromper par les apparences.

« Un dragon peut prendre mille visages, avait dit Mère. Homme et métal, chair et métal... » Et cette femelle-là avait du métal au fond de son cœur.

Il avait son épée. Il l'avait retrouvée dans l'office, près des cuisines, en même temps qu'une blouse d'aide-soignant, son armure magique. Il était enfin redevenu Siegfried, le pourfendeur de dragons, invisible et armé.

La malade s'agitant un peu, il se figea, osant à peine respirer. Puis elle se détendit, les lèvres légèrement entrouvertes. Elle paraissait innocente, pure comme une enfant ; un autre que lui s'y serait laissé prendre.

Contournant le lit à pas comptés, il vint se placer juste au-dessus d'elle et, submergé d'une force titanesque, leva son épée.

Lally ouvrit les yeux, vit le visage penché sur elle, le grand couteau qui luisait dans la pénombre, et poussa un grand cri. Trop tard. La lame s'abattit et, comme elle tentait de l'éviter, lui lacéra le bras.

— Au secours ! se mit-elle à hurler d'une voix stridente.

La porte s'ouvrit brutalement, inondant la pièce de lumière.

— Écarte-toi, Lally !

Schwartz levait son arme pour une deuxième fois, pendant que, roulant sur son lit, Lally tombait brutalement sur le sol avec un cri de douleur.

— Espèce de salaud !

Chris se ruait sur le forcené, rugissant de colère, une lueur sauvage au fond du regard. Alors qu'il s'efforçait de désarmer l'homme, la lame entailla son bandage, et le sang gicla. Bien que chancelant, Chris s'accrocha au dément et, de sa main valide, se mit à lui assener de violents coups de poing dans le ventre. Tout en se traînant vers la porte de la chambre, Lally entendait les grognements du tueur. Un bref coup d'œil par-dessus son épaule lui apprit que, loin de lâcher son arme, Schwartz la pointait vers le ventre de son adversaire. Une fraction de seconde, la lame ensanglantée accrocha un rai de lumière, puis le coup de feu claqua, assourdissant, définitif.

Schwartz tituba en arrière, les deux mains tendues vers Joe, debout sur le seuil. Le couteau tomba sans un bruit sur l'épaisse moquette et rebondit, deux fois, en projetant dans l'air quelques gouttes de sang. Lally l'entendit pousser une sorte de gargouillement étranglé, aperçut l'expression étonnée du visage et la tache de sang qui s'élargissait sur son flanc.

En deux enjambées, Joe l'avait rejoint, l'arme haute. D'un coup de pied, il expédia le couteau dans un coin de la pièce. Déjà, on appelait, on se précipitait de toutes parts. Pourtant, c'est à peine si Lally remarqua les gens qui envahissaient le chambre. Elle ne sentait rien de sa blessure au bras ni de sa douleur dans la poitrine. Elle n'avait d'yeux que pour le regard fixe et halluciné de Schwartz et le filet de sang qui coulait aux commissures des lèvres du monstre.

Les deux dernières choses que vit Siegfried, ce fut le sang du dragon sur la lame de son épée, et le visage impassible du lieutenant de police penché sur le sien.

Lentement, douloureusement, il porta sa main à ses lèvres et, baissant un instant les paupières, goûta la saveur douceâtre de son triomphe. Puis il fixa Joe, le faciès empreint d'une grande perplexité.

— Mais vous n'êtes pas Hagen, murmura-t-il dans un dernier souffle, je croyais que ce serait Hagen...

Tremblante, Lally voulut se mettre debout, mais ses jambes refusaient de la porter. Au moment où elle tomba à genoux, Chris se précipita vers elle pour la soutenir.

Et Morrissey se pencha vers Schwartz pour constater son décès.

Épilogue

La vie suivit son cours, désespérément banale et décevante. Chris regagna Stockbridge un jour plus tard, pendant que Lally prolongeait son séjour à la clinique pour se remettre de ses blessures. Schwartz mort, et sa culpabilité ne faisant aucun doute, on présumait que la carrière du lieutenant Duval pouvait encore être sauvée. Entre lui et Jackson s'était installé un silence lourd de reproches, mais il s'en consolait auprès de Jess et de Sal. Et du moment que Lally était sauve, Joe aurait été un fieffé menteur s'il avait prétendu concevoir des regrets sur la façon dont il avait conduit cette affaire.

Sur les trente-deux stimulateurs mortels, les *Midnight Express* de Frederick Schwartz, dix-sept avaient été implantés. Pour Jack Long, Marie Ferguson, Sam McKinley et Alice Douglas, il avait été trop tard. Trop tard aussi pour un vieux chauffeur d'autobus de Philadelphie, qui avait succombé au volant de son véhicule, quelques heures à peine après les aveux de Schwartz, entraînant dans la mort avec lui un jeune passager, en blessant trois autres ; les douze autres stimulateurs avaient été extraits sans incident.

Ironie du sort, il apparut après expertise que le stimulateur cardiaque de Lally ne contenait pas une once de plastic.

De l'eau coulerait sous les ponts de Stockbridge avant que la jeune femme reprît une vie normale. Lucas Ash et John

Morrissey lui avaient suggéré de consulter un psychologue qui l'aiderait à oublier ses frayeurs. Conscient des traumatismes dont souffrent très souvent les victimes d'actes de violence, Joe y avait souscrit sans hésiter. Mais Lally pensait que rentrer chez elle, reprendre les cours de danse et confectionner des croissants et des petits gâteaux serait pour elle la meilleure thérapie, surtout s'il lui était donné de passer quelques instants en compagnie de Chris et de Katy.

Lally connaissait sans la moindre équivoque les sentiments qu'elle éprouvait pour le peintre, bien qu'également consciente que leur rapprochement était dû pour une large part à un dramatique concours de circonstances, et qu'aussi longtemps que Chris serait marié, elle ne devrait rien espérer. Andrea Webber était une femme très malade, et beaucoup de vigilance serait nécessaire pour que Katy ne souffrît pas de la séparation de ses parents.

À Stockbridge, Chris attendait impatiemment le retour de Lally, sans pour autant présumer de l'avenir, même s'il l'aimait comme il n'avait jamais aimé de sa vie. Ce n'était qu'une question de temps avant qu'Andrea et lui fussent divorcés, et il se consolait un peu en se disant que cette issue était devenue inévitable bien avant qu'il fasse la connaissance de Lally.

Il peignait un second tableau d'elle. Malgré sa main encore bandée, ses doigts possédaient la mobilité nécessaire pour tenir un pinceau. Il voulait immortaliser la vision toujours vivace à son esprit, qu'il avait eue d'elle, les cheveux au vent, les épaules et les bras nus, le contour de ses longues jambes se dessinant à travers le voile léger de sa jupe, traduire aussi la joie qui avait illuminé son visage quand il l'avait retrouvée dans le port de Key West.

Il travaillait plus lentement qu'il l'aurait voulu, mais cela prenait forme quand même. Si la toile était prête à temps, il la lui apporterait à l'aéroport de Logan, quand Joe la ramènerait de Chicago.

Parus dans
la même collection

Bernstein, Marcelle	*Le Pacte du silence*
Bernstein, Marcelle	*Corps et Âme*
Boucher, Line Véronic	*L'Inavouable*
Carr, Robyn	*Désirs troubles*
Chamberlain, Diane	*Enfances meurtries*
Delinsky, Barbara	*Brumes d'automne*
Delinsky, Barbara	*Le Jardin des souvenirs*
Erskine, Barbara	*Le Secret sous la dune*
Flanigan, Sara	*Fleur sauvage*
Gage, Elizabeth	*Tabou*
Gascoine, Jill	*L'Emprise*
Goudge, Eileen	*Révélations*
Grice, Julia	*Suspicion*
King, Tabitha	*Chaleurs*
King, Tabitha	*Contacts*
King, Tabitha	*L'Histoire de Reuben*
King, Tabitha	*Traquée*
Llewellyn, Caroline	*Les Ombres du passé*
Miller, Sue	*Au nom de l'amour*
Muller, Marcia	*La Course contre la mort*
Norman, Hilary	*Fascination*
Norman, Hilary	*Hedda ou la Malédiction*
Norman, Hilary	*Laura*
Roberts, Nora	*Ennemies*
Rosenberg, Nancy Taylor	*Au-delà de la peur*
Spencer, LaVyrle	*À la recherche du bonheur*
Spencer, LaVyrle	*Le Bonheur éclaté*
Spencer, LaVyrle	*Qui j'ose aimer*
Thayer, Nancy	*Trois femmes, trois destins*
Whitney, Phyllis A.	*La Disparition de Victoria*
Whitney, Phyllis A.	*L'Empreinte du passé*